CW00419200

ORM LE ROUGE

TOME I

DU MÊME AUTEUR

Orm le Rouge 1. Sur les mers de la route de l'Ouest, Gaïa Editions, 1997.
Orm le Rouge 2. Au pays et sur la route de l'Est, Gaïa Editions, 1998.

Titre original :
Röde Orm – Sjöfarere i Västerled

ISBN 978-2-7427-7586-6

Lettrines :

FRANS G. BENGTSSON

ORM
LE ROUGE

TOME I

SUR LES MERS
DE LA ROUTE DE L'OUEST

roman traduit du suédois
par Philippe Bouquet

BABEL

PROLOGUE

DU PASSAGE DES HOMMES AUX CHEVEUX COURTS EN SCANIE AU TEMPS DU ROI HARALD A LA DENT BLEUE

Bien des hommes au tempérament de feu quittèrent la Scanie avec Bue et Vagn sans que leurs armes ne connaissent un sort favorable dans le Hjörungavåg* ; d'autres suivirent Styrbjörn jusqu'à Uppsala et y tombèrent avec lui. Quand parvint au pays la nouvelle que peu nombreux seraient ceux qui reviendraient, on se mit à réciter des chants funèbres et à élever des pierres runiques commémoratives, après quoi les gens raisonnables furent d'accord pour estimer que tout était parfait, puisqu'on pouvait espérer un peu plus de tranquillité qu'auparavant et moins de partages de biens à la pointe de l'épée. Ce furent alors des années d'abondance, tant pour le seigle que pour le hareng et la plupart eurent la vie belle ; mais ceux qui estimaient que les récoltes tardaient trop à mûrir partirent pour l'Angleterre et pour l'Irlande, où le sort des armes leur fut favorable, et beaucoup s'y établirent.

A cette époque, des hommes aux cheveux courts avaient commencé à arriver en Scanie, venus du pays des Saxons et d'Angleterre, afin d'y prêcher la doctrine chrétienne.

* Partie du Storfjord, sur la côte occidentale de la Norvège, où eut lieu, en 986, une célèbre bataille navale remportée par le jarl Håkon Sigurdsson sur les vikings de Jomsborg. *(Toutes les notes sont du traducteur.)*

Ils avaient une foule de choses à dire et, tout d'abord, les gens furent intrigués et vinrent volontiers les écouter ; et les femmes trouvèrent plaisant de se faire baptiser par ces étrangers en échange d'une chemise blanche. Mais, bientôt, les chemises vinrent à manquer, parmi les étrangers, et les gens cessèrent alors de prêter l'oreille à leurs prêches, qui leur parurent ennuyeux et peu convaincants ; en outre, ils parlaient un idiome saccadé qu'ils avaient appris à Hedeby ou dans les îles occidentales, ce qui les faisait paraître un peu simples d'esprit.

La christianisation ne progressa donc que lentement ; et ces hommes aux cheveux courts, qui avaient toujours à la bouche le mot de paix mais ne s'en prenaient pas moins aux dieux avec violence, furent parfois empoignés par des gens possédés d'un zèle religieux et pendus aux frênes sacrés, où ils furent criblés de flèches et livrés en pâture aux oiseaux d'Odin. D'autres, ayant réussi à atteindre les forêts des Göings*, où la religion n'était guère implantée, furent accueillis avec joie et conduits, pieds et poings liés, sur les foires du Småland pour y être échangés contre des bœufs et des peaux de castors. Une fois esclaves des Smålandais, certains d'entre eux se laissèrent à nouveau pousser les cheveux et, sans plus se soucier de Jéhovah, travaillèrent dur pour gagner leur pain ; mais la plupart s'obstinèrent à vouloir renverser les dieux et baptiser femmes et enfants, plutôt que d'épierrer les champs et de moudre le grain, et ils causèrent tant de tracas à leurs maîtres que les Göings ne purent bientôt plus obtenir une paire de bœufs smålandais de trois ans en échange d'un prêtre en parfaite santé sans être obligés de verser un complément en sel ou en étoffe de bure. Les

* Habitants de la région de Göinge, frontalière entre la Scanie et le Småland, au sud de la Suède actuelle.

hommes aux cheveux courts furent alors source de bien du mécontentement dans ces régions frontalières.

Un été, le bruit avait couru dans tout le royaume de Danemark que le roi Harald à la Dent bleue avait embrassé la nouvelle foi. Il avait déjà effectué une tentative au cours de ses jeunes années, mais avait dû changer promptement d'avis ; cette fois, il était bien décidé. Car ce roi était maintenant chargé d'ans et affligé de violentes douleurs dans le dos, ce qui nuisait grandement au plaisir qu'il prenait à la bière et aux femmes ; de savants évêques, envoyés par l'empereur, l'avaient enduit de graisse d'ours, dont les vertus avaient été renforcées par l'invocation des apôtres, l'avaient enveloppé dans des peaux de mouton, lui avaient servi de l'eau au lieu de bière, avaient fait le signe de la croix entre ses épaules et conjuré les démons de quitter son corps, si bien que les douleurs avaient cessé et que le roi s'était fait chrétien.

Les hommes de Dieu avaient juré que des maux bien pires encore l'accableraient, s'il s'avisait de procéder à nouveau à des sacrifices ou s'il se montrait de peu de foi. C'est pourquoi, après avoir retrouvé assez de vigueur pour pouvoir prendre une jeune esclave maure dont Olof aux Joyaux, roi de Cork, lui avait fait cadeau, le roi Harald ordonna que tout son peuple se fasse baptiser ; et, bien que ce genre de propos puisse paraître étrange, venant de quelqu'un qui descendait d'Odin, nombreux furent ceux qui obéirent à cet ordre, car il régnait depuis longtemps et avec bonheur et jouissait donc d'une grande autorité dans le pays. Il infligea les peines les plus sévères à quiconque porterait la main sur un prêtre ; ceux-ci proliférèrent donc en Scanie et édifièrent des églises sur cette plaine, ce qui eut pour effet que les anciens dieux tombèrent en désuétude, sauf en cas de péril de mer et de maladies du bétail.

Au pays des Göings, on se gaussa fort de tout cela. Car ces habitants des forêts étaient plus prompts à rire que les gens avisés de la glèbe, et ils se moquaient surtout de ce que pouvaient ordonner les rois. Dans ces régions, peu d'hommes disposaient d'un pouvoir s'étendant plus loin que son bras droit et il y avait loin de Jellinge à Göinge, même pour les plus grands des rois. Jadis, au temps de Harald à la Dent belliqueuse et d'Ivar aux longs Bras, et même auparavant, les rois venaient à Göinge pour chasser l'aurochs dans les vastes forêts mais rarement pour d'autres motifs. Depuis lors, l'aurochs avait disparu et les visites royales avaient cessé ; et, s'il advenait qu'un roi se courrouce du peu d'obéissance ou de la maigreur des impôts et menace de venir, il lui était généralement répondu qu'on n'avait point vu d'aurochs dans les parages, mais qu'on ne manquerait pas de le lui faire savoir si cela se produisait et qu'on l'accueillerait alors avec amabilité. C'est pourquoi ce peuple frontalier avait maintenant coutume de dire qu'on ne verrait plus de roi parmi eux tant que l'aurochs ne serait pas de retour.

Tout demeura donc comme par le passé chez les Göings et le christianisme n'y prit pas racine. Les prêtres qui se risquaient dans la région étaient toujours vendus de l'autre côté de la frontière, en dépit de l'avis de ceux qui pensaient qu'on ferait mieux de les occire sur le champ et de partir en guerre contre les grigous de Sunnerbo et d'Allerbo, puisque les prix offerts par les Smålandais ne permettaient plus un honnête bénéfice.

Première partie

LE GRAND VOYAGE

I

DU PAYSAN TOSTE ET DE SA MAISONNÉE

LE LONG de la côte, les gens habitaient dans des villages, tant pour des raisons de sécurité que pour exercer leurs métiers ; car les équipages des navires qui contournaient la Scanie se livraient souvent à des raids sur la terre ferme, aussi bien au printemps, pour se procurer à bon marché des vivres en vue de leurs expéditions, qu'en automne, quand certains rentraient bredouilles d'une campagne infructueuse. Le son du cor retentissait dans la nuit, pour appeler les voisins au secours, lorsque des débarquements étaient signalés ; et la population sédentaire d'un bon gros village parvenait parfois à s'emparer d'un navire ou deux aux dépens d'étrangers imprudents, et avait alors un bien beau butin à montrer aux navigateurs locaux lorsque les "longs vaisseaux" rentraient pour passer l'hiver.

Mais les hommes riches et fiers qui possédaient leur propre navire supportaient mal tout voisinage et préféraient vivre à l'écart ; car, même quand ils étaient en mer, leurs fermes étaient défendues par les braves auxquels elles étaient confiées. Dans la région de Kullen*, ces paysans opulents étaient nombreux ; les riches fermiers y avaient la réputation d'être plus fiers que partout

* Promontoire nord-ouest de la Scanie dans le Kattegat.

ailleurs. Quand ils restaient chez eux, ils se querellaient volontiers, bien que leurs domaines fussent fort espacés ; mais ils étaient souvent bien loin de là car, dès l'enfance, ils embrassaient la mer des yeux et la considéraient comme leur terre et quiconque s'y aventurait n'avait qu'à s'en prendre à lui-même.

C'est là qu'habitait un paysan du nom de Toste, homme respecté et grand navigateur ; bien que déjà âgé, il menait toujours lui-même son navire et partait tous les étés pour l'étranger. Il avait des parents à Limerick, en Irlande, parmi les vikings qui s'étaient installés là-bas, et il avait coutume de s'y rendre pour faire commerce et pour aider le chef, qui était du sang de Lodbrok, à faire rentrer les impôts dus par les Irlandais, par leurs églises et par leurs moines. Mais les temps n'étaient plus aussi fastes que jadis pour les vikings, en Irlande, depuis que Muirkjartach au Manteau de cuir, roi de Connaught, avait fait le tour de l'île, les boucliers tournés vers la mer ; car les indigènes se défendaient maintenant mieux qu'auparavant et étaient plus enclins à suivre leurs rois, de sorte qu'il était plus difficile de leur faire acquitter l'impôt ; même les églises et les couvents, jadis si aisés à piller, avaient édifié de hautes tours de pierre dans lesquelles les prêtres se réfugiaient avec leurs trésors, à l'abri des armes aussi bien que du feu. C'est pourquoi nombreux étaient maintenant ceux, parmi les hommes de Toste, qui pensaient qu'il aurait mieux valu mettre le cap sur l'Angleterre ou sur la France, où les temps étaient encore propices et où le profit était plus grand à moindre peine ; mais Toste aimait ses habitudes et estimait qu'il était trop vieux pour se hasarder dans des pays qu'il ne connaissait pas.

Sa femme s'appelait Åsa et était originaire de la forêt. Elle avait la langue bien pendue et était d'humeur assez acariâtre, et Toste aimait à dire qu'il ne pouvait déceler aucun signe d'adoucissement de son caractère avec les ans, comme c'est habituellement le cas chez les hommes ; mais c'était une maîtresse de maison fort capable et elle tenait bien la ferme pendant les absences de Toste. Elle lui avait donné cinq fils et trois filles, mais les premiers ne lui avaient guère valu de joie. L'aîné était mort, alors qu'il était encore jeune, lors d'une noce : sous l'emprise de la bière, il avait voulu prouver qu'il était capable de chevaucher un taureau ; le suivant avait été emporté par une vague, pendant une tempête, alors qu'il effectuait son premier voyage en mer. Mais le plus grave de tous ces malheurs avait frappé le quatrième, qui se nommait Are ; car, un été, alors qu'il avait dix-neuf ans, il avait engrossé les femmes de ses deux voisins pendant que leur mari était à l'étranger, ce qui avait été à l'origine de gros ennuis et de bien des moqueries, sans compter les lourdes sommes que Toste avait dû acquitter lorsque les maris étaient rentrés. L'humeur d'Are s'était assombrie, il était devenu légèrement sauvage et avait tué un homme qui avait un peu trop plaisanté sur sa gaillardise, avant de fuir le pays. Le bruit avait couru qu'il s'était joint à des marchands suédois et était parti avec eux vers l'est, afin d'éviter de trouver sur son chemin des gens au fait de son infortune ; mais ensuite, on n'avait plus entendu parler de lui. Åsa avait rêvé d'un cheval noir avec du sang sur les épaules et elle était donc convaincue qu'il était mort.

Il ne restait donc plus que deux fils à Toste et Åsa. Le plus âgé se nommait Odd ; c'était un homme de petite taille, trapu, les jambes arquées, vigoureux et à la poigne rude, mais peu loquace ; très jeune, il avait pris part aux expéditions de Toste et savait aussi bien manier les armes que les navires. A la maison, il devenait vite bourru, car il avait du mal à tuer le temps pendant l'hiver, et il avait souvent maille à partir avec Åsa. Il avait coutume de dire qu'il était ainsi fait que la pitance salée et rancie à bord d'un navire était plus à son goût que la viande de Noël à terre ; pourtant, Åsa disait qu'elle n'avait pas l'impression qu'il se servait moins que les autres de ce qu'elle mettait sur la table. Il dormait tellement le jour qu'il se plaignait souvent d'insomnies pendant la nuit ; même quand une fille lui tenait compagnie sur sa paillasse, on ne constatait guère d'amélioration. Åsa n'aimait pas le voir coucher avec les filles de la ferme : celles-ci risquaient fort de se faire des idées et de se mettre à tenir tête à leur maîtresse ; Odd ferait donc mieux de se marier. Mais celui-ci répondait que la chose ne pressait pas ; les femmes qu'il trouvait à son goût, il en avait tant qu'il voulait en Irlande, mais il ne pouvait guère en ramener une à la maison ; car alors, pensait-il, becs et ongles risquaient fort d'avoir à s'employer entre elle et Åsa. Celle-ci prit mal la chose et lui demanda s'il ne souhaitait pas sa mort. Ce à quoi Odd répondit qu'elle pouvait faire à sa guise ; il n'avait pas de conseil à lui donner sur ce point et il saurait s'accommoder de ce qui arriverait.

Bien qu'il fût lent à la répartie, Åsa n'arrivait pas toujours à avoir le dernier mot avec lui ; et elle disait souvent qu'il était en vérité bien dur d'avoir perdu trois bons fils et de n'avoir gardé que celui dont elle aurait fort bien pu se passer.

Odd s'entendait mieux avec Toste ; et, dès que s'annonçait le printemps et qu'une odeur de goudron commençait à flotter autour des hangars à bateaux et des pontons, son caractère s'adoucissait. Il lui arrivait même alors de composer des chansons, bien qu'il ne fût guère expert en la matière : elles parlaient du champ du pingouin, prêt à être labouré, ou des chevaux de la mer qui allaient bientôt le mener vers le pays de l'été*.

Mais il ne se tailla jamais une renommée de grand poète, surtout pas parmi les paysannes nubiles de la contrée. On le voyait rarement jeter un regard par-dessus son épaule, quand il mettait à la voile.

Son frère était le plus jeune de tous les enfants de Toste et la prunelle des yeux de sa mère ; il s'appelait Orm. Il grandit vite, devint grand et efflanqué, et Åsa se lamentait beaucoup de sa maigreur ; s'il ne mangeait pas nettement plus que les adultes, elle pensait toujours qu'elle allait le perdre et disait que son manque d'appétit serait sa mort. Orm aimait bien manger et ne se plaignait donc pas de la sollicitude de sa mère, mais Toste et Odd maugréaient parfois sur les bons morceaux qui lui étaient réservés. Etant enfant, il était par deux fois tombé malade ; après cela, Åsa était persuadée que sa santé était mauvaise et elle ne cessait de s'inquiéter et de le sermonner ; elle en arrivait même à lui faire croire qu'il était affligé de graves infirmités et qu'il avait grand besoin de philtres de guérison, d'oignon sacré et de plats en terre chauffés au four, alors que tout son mal venait de ce qu'il avait trop mangé de gruau et de lard.

Les soucis d'Åsa allèrent croissant avec l'âge de son fils. Elle espérait en faire un homme puissant et un chef, et elle faisait souvent remarquer à Toste, non sans plaisir, qu'il paraissait destiné à devenir grand et fort et qu'il était si avisé dans ses propos qu'il ne pouvait tenir que de sa mère en tout ; mais elle redoutait tous les dangers qui le guettaient sur les chemins des hommes. Elle l'entretenait souvent des malheurs qui avaient frappé ses frères et lui

* Métaphores traditionnelles pour désigner respectivement la mer et les bateaux.

faisait promettre de se garder des taureaux, d'être prudent en mer et de ne jamais coucher avec la femme d'autrui ; mais il était encore exposé à tant d'autres périls qu'elle ne savait que faire. Quand il eut seize ans et fut sur le point de s'embarquer avec les autres, elle s'y opposa, prétextant qu'il était encore trop jeune et de santé trop délicate ; et, quand Toste lui demanda si elle comptait en faire un chef de cuisine et un héros en jupon, elle fut prise d'une telle fureur que Toste en fut épouvanté et la laissa décider, trop heureux de pouvoir s'esquiver lui-même dès que possible.

Cet automne-là, Toste et Odd rentrèrent tard, après avoir perdu tant d'hommes qu'il leur en restait à peine assez pour actionner les rames ; pourtant, ils n'étaient pas mécontents et avaient bien des choses à raconter. A Limerick, le profit avait été maigre, car les rois irlandais de la province de Munster étaient maintenant si puissants que les vikings n'avaient plus grand-chose d'autre à faire, dans cette région, que de se défendre eux-mêmes ; mais des amis de Toste, rencontrés là avec leurs navires, lui avaient proposé de les accompagner pour une expédition jusqu'à la foire de la Saint-Jean, dans le comté de Merioneth, au pays de Galles. Les vikings n'y étaient encore jamais allés, mais les amis de Toste avaient des guides sûrs pour les y conduire. Odd avait convaincu Toste de se joindre à eux et leur équipage était du même avis ; ils avaient donc débarqué dans le pays à la tête de sept navires et pénétré à l'intérieur en suivant une mauvaise route qui leur avait permis de surprendre ceux qui étaient venus à la foire. Les vikings étaient sortis vainqueurs d'une lutte acharnée qui avait fait bon nombre de victimes et ils avaient ramené un important butin tant en marchandises qu'en prisonniers. Après cela, ils avaient mis le cap sur Cork, afin de vendre ces derniers car, depuis des temps immémoriaux, les marchands d'esclaves du monde entier venaient faire leur choix parmi les captifs que les vikings y amenaient ; et le roi de cette région, Olof aux Joyaux, qui était chrétien et fort vieux et sage, achetait lui-même ceux qui lui plaisaient, pour en tirer ensuite rançon auprès de leur famille, ce qui lui valait un profit non négligeable. Ils avaient ensuite quitté Cork sous bonne escorte, afin de ne pas s'exposer à l'attaque de pirates alors qu'ils n'avaient guère envie de se battre, que leur équipage était décimé et qu'ils avaient à bord des biens considérables. Ils avaient ainsi réussi à doubler sans encombre le cap de Skagen, où les habitants de la région et ceux du Vestfold, en face, guettaient volontiers le retour de navires lourdement chargés.

Une fois le butin partagé entre les hommes de l'équipage, il en resta une bonne partie à Toste ; et, quand il eut pesé son argent dans sa chambre, il put dire qu'un tel voyage mettait un heureux terme à ses pérégrinations et qu'il avait désormais l'intention de rester chez lui, d'autant plus qu'il commençait à sentir ses membres un peu raides et que son fils Odd pouvait maintenant faire aussi bien que lui et que celui-ci avait Orm pour le seconder. Odd dit qu'il trouvait ces propos fort sensés. Mais Åsa ne fut pas du tout du même avis ; on avait certes fait ample provision d'argent mais, avec toutes les bouches qu'ils avaient à nourrir pendant les hivers, cela n'irait pas loin ; et comment pourrait-on être sûrs qu'Odd ne dépenserait pas tout avec ses femmes, en Irlande, si même il se souciait de rentrer au pays ? Et Toste devait bien comprendre que cette raideur lui venait du fait qu'il restait près du feu sans rien faire tout l'hiver et non pas de ses expéditions en mer ; pour sa part, il lui suffisait bien de trébucher sur les jambes de Toste pendant la moitié de l'année. Elle ne s'expliquait pas, disait-elle, ce qu'il advenait des hommes, désormais ; car le frère de son propre grand-père maternel, Sven au Museau de rat, héros célèbre parmi les Göings, était tombé vaillamment au cours d'un combat contre les Smålandais trois ans après avoir fait rouler tous les autres sous la table lors des noces de l'aîné de ses petits-fils ; et voilà qu'à présent on entendait se plaindre de douleurs des hommes qui étaient dans la fleur de l'âge et qui n'avaient pas honte de vouloir mourir sur la paille, tels des vaches. Mais, en guise de bienvenue, elle avait l'intention de servir à Toste et Odd et à tous leurs hommes une bière qui devrait être à leur goût, et Toste oublierait toutes ses lubies et boirait à l'idée d'une aussi bonne expédition l'an prochain ; après quoi, ils passeraient un bon hiver ensemble, si seulement personne ne venait l'importuner avec ce genre de propos.

Quand elle fut partie chercher la bière, Odd dit que Sven au Museau de rat avait peut-être eu bien raison de se mesurer avec les Smålandais, si toutes les femmes de sa famille tempêtaient autant qu'Åsa ; et Toste déclara qu'il ne pouvait pas vraiment dire le contraire, mais que c'était une femme qui avait bien des qualités, qu'il se gardait bien de l'irriter plus que nécessaire et qu'Odd devrait l'imiter.

Cet hiver-là, tout le monde observa qu'Åsa vaquait parfois à ses occupations toute pâle et bien peu allante et que sa langue était moins bien pendue que d'habitude ; elle était plus attentionnée que jamais envers Orm et restait parfois immobile à le regarder, comme si elle avait une vision. Orm avait grandi et était maintenant de taille à se mesurer avec tous les garçons de son âge et avec nombre de ceux qui étaient plus vieux. Il avait les cheveux roux et la peau blanche, les yeux bien écartés, le nez court et la bouche large, les bras longs et le dos un peu voûté ; il était leste et vif et tirait à l'arc et lançait le javelot mieux que la plupart. Il se mettait facilement en colère et était alors capable de se ruer aveuglément sur celui qui l'avait contrarié. Odd lui-même, qui se plaisait jadis à le faire pâlir de rage, était désormais beaucoup plus prudent avec lui, depuis que sa force en faisait un adversaire redoutable. Mais, en temps ordinaire, il était calme et docile, toujours prêt à se plier en tout à la volonté d'Åsa, même s'il lui arrivait de se prendre de bec avec elle, quand elle lui paraissait se préoccuper un peu trop de lui.

Toste lui donna alors des armes d'homme : épée, hache et un bon heaume, et Orm se fabriqua lui-même un bouclier. Pour la cotte de mailles, ce fut plus délicat, car aucune de celles qu'il y avait à la maison n'était à sa taille et on manquait maintenant de bons armuriers, dans le pays, car la plupart l'avaient quitté pour aller en Angleterre ou auprès du jarl de Rouen, où ils étaient mieux payés. Toste fut d'avis qu'Orm pourrait se contenter d'un gilet de cuir, en attendant qu'ils puissent se procurer une bonne cotte en Irlande ; là-bas, on trouvait toujours à bon prix, dans tous les ports, l'équipement des hommes tombés au combat.

Un jour, alors qu'ils étaient en train de manger et qu'ils parlaient de cela, Åsa posa soudain sa tête sur ses bras et se mit à pleurer. Tout le monde se tut et la regarda, car ce n'était pas souvent qu'elle versait des larmes ; Odd lui demanda si elle avait mal aux dents. Åsa s'essuya le visage et se tourna vers Toste. Elle lui dit qu'il lui paraissait de mauvais augure de parler des vêtements des morts et qu'elle était déjà sûre qu'Orm trouverait la mort dès qu'il prendrait la mer ; car, par trois fois, elle l'avait vu en rêve allongé sur un banc de nage, en sang, et chacun savait qu'on pouvait avoir foi en ses rêves. C'est pourquoi elle implorait Toste de se montrer bon envers elle et de ne pas gâcher inutilement la vie de son fils Orm, mais de le laisser à la maison cet été encore ; car elle pensait que le danger qui le menaçait était imminent et, s'il y échappait, il serait moins exposé à l'avenir.

Orm lui demanda alors si elle avait vu dans son rêve où il était blessé. Åsa lui répondit que, chaque fois, elle s'était éveillée aussitôt, sous le coup de la peur, mais elle avait vu ses cheveux ensanglantés et son visage tout blême ; ce rêve l'avait fortement oppressée et un peu plus à chaque fois, bien qu'elle n'ait pas voulu en parler jusque-là.

Toste demeura pensif puis déclara qu'il ne s'y connaissait pas en matière de rêves et qu'il ne se souciait guère de ce genre de choses.

"Car les anciens avaient coutume de dire que la vie était telle que les Fileuses la filaient. Mais puisque tu as, Åsa, fait par trois fois le même rêve, c'est peut-être bien un avertissement, malgré tout, et nous avons déjà perdu assez de fils. C'est pourquoi je ne te contredirai pas sur ce point et Orm restera à la maison cet été, s'il le veut lui-même. Pour ma part, je pense que je peux bien partir encore une fois, tout sera peut-être ainsi pour le mieux."

Odd fut de l'avis de Toste, car il avait mainte fois remarqué que les rêves d'Åsa se réalisaient. Orm n'était guère content de ce qui avait été décidé, mais il avait l'habitude de se ranger du côté d'Åsa sur toutes les choses importantes ; après cela, le chapitre fut clos.

Lorsque le printemps arriva et qu'un nombre suffisant d'habitants de l'intérieur du pays se furent entendus avec Toste pour prendre place parmi son équipage, celui-ci partit comme d'habitude avec Odd, et Orm resta à les regarder. Il était fâché contre Åsa et feignit parfois d'être malade pour lui faire peur ; mais, comme elle s’empressait alors de lui prodiguer des soins et des remèdes, il finissait par être pris à sa propre ruse et tirait peu de joie de ce jeu. Åsa ne parvenait pas à oublier son rêve et, en dépit de tous les soucis que lui causait son fils, elle était heureuse de l’avoir près d’elle.

Pourtant, il partit bel et bien pour son premier voyage, cet été-là, et cela sans demander la permission à sa mère.

II

DE L'EXPÉDITION DE KROK ET COMMENT ORM PARTIT POUR LA PREMIÈRE FOIS

DANS LA QUARANTIÈME année du règne de Harald à la Dent bleue, six étés avant l'expédition des vikings de Jomsborg en Norvège, trois navires quittèrent la région de Lister, dans le Blekinge, avec des voiles neuves et un nombreux équipage, et mirent cap au sud afin d'aller piller le pays des Vendes*. Ils étaient commandés par un chef du nom de Krok. C'était un homme brun, grand, efflanqué et très fort ; il jouissait d'une bonne réputation dans la région, car il nourrissait aisément des projets audacieux et avait coutume de se gausser des gens qui avaient connu des revers, et d'expliquer comment il se serait tiré d'affaire à leur place. Pour sa part, il n'avait jamais rien fait, préférant de loin raconter ce qu'il avait l'intention de faire ; à force d'exciter les jeunes de son pays en leur parlant du butin que les hommes d'audace pouvaient se procurer au moyen d'une brève incursion chez les Vendes, un équipage s'était constitué, des navires avaient été armés et il avait lui-même été élu chef de l'expédition. Il y avait fort à gagner chez les Vendes, avait-il dit ; on pouvait en particulier être assuré de faire ample provision d'argent, d'ambre et d'esclaves.

* Populations slaves établies sur la rive sud de la Baltique, dans l'actuelle Poméranie.

Krok et ses hommes gagnèrent la côte des Vendes et s'engagèrent dans l'estuaire d'un fleuve qu'ils remontèrent à force de rames jusqu'à ce qu'ils parviennent à un fortin de bois sur pilotis qui en barrait le lit. Ils débarquèrent au petit matin et se lancèrent à l'attaque en contournant le retranchement. Mais les Vendes étaient nombreux et les accueillirent à coups de flèches, tandis que les hommes de Krok étaient fatigués par les efforts qu'ils avaient accomplis à la rame. Il s'ensuivit une lutte acharnée qui se termina par la fuite des Vendes. Krok avait alors perdu des hommes de valeur et, quand on compta le butin, il s'avéra constitué de deux ou trois marmites de fer et de quelques peaux de mouton. On redescendit donc le fleuve et tenta sa chance à un autre endroit, situé plus à l'ouest. Mais ce village s'avéra lui aussi bien défendu et, après un violent combat, au cours duquel ils subirent à nouveaux de lourdes pertes, les hommes de Krok emportèrent, pour tout trésor, quelques flèches de lard fumé, une cotte de mailles trouée et un collier fait de petites pièces d'argent en bien mauvais état.

Après avoir enterré leurs morts sur la berge, ils tinrent conseil et Krok eut bien du mal à expliquer pourquoi l'expédition n'avait pas tourné comme il l'avait laissé entendre. Il réussit pourtant à apaiser ses hommes par des paroles bien choisies. Il fallait toujours être prêt à faire face à des circonstances contraires, leur dit-il, et le vrai viking ne se laissait pas décourager par des vétilles ; les Vendes étaient désormais plus difficiles à battre que jadis et il voulait donc leur faire une proposition qui devrait se révéler profitable pour tous : il s'agissait de se livrer à une tentative sur l'île de Bornholm, dont les richesses étaient bien connues de tous, car elle ne comptait plus guère de guerriers éprouvés étant donné que beaucoup d'entre eux étaient récemment partis pour l'Angleterre.

Une attaque surprise à cet endroit devrait leur valoir, à peu de frais, une riche moisson tant en or qu'en tapisseries et en armes de prix.

Ils trouvèrent que c'était bien parlé et reprirent confiance ; ils mirent aussitôt à la voile et cinglèrent vers Bornholm, où ils arrivèrent tôt un matin. Ils longèrent la côte est par calme plat et dans une brume qui se levait, afin de chercher un endroit propice pour débarquer. Ils naviguaient fort près les uns des autres et étaient de bonne humeur, tout en gardant le silence pour éviter de se faire remarquer. C'est alors qu'ils entendirent devant eux un grincement de tolets et le bruit régulier d'avirons plongeant dans l'eau ; à travers le brouillard, ils distinguèrent un long vaisseau solitaire qui doublait une pointe et se dirigeait droit vers eux sans ralentir l'allure. Tous fixèrent des yeux cette embarcation, qui était grande et belle et arborait une tête de dragon de couleur rouge et une vingtaine de paires de rames, se réjouissant qu'elle fût seule. Krok ordonna alors que tous les hommes qui ne ramaient pas prennent leurs armes et se tiennent prêts, car il y avait fort à gagner. Mais le navire solitaire continuait à avancer comme s'il ne s'était aperçu de rien et un homme assez corpulent, portant une large barbe sous un heaume cabossé, se tenait à sa proue. Quand les deux navires furent à portée l'un de l'autre, il mit sa main à sa bouche et cria d'une voix rauque :

"Ecartez-vous ou battez-vous !"

Krok éclata de rire et ses hommes avec lui ; et il lança :

"As-tu déjà vu trois navires s'écarter devant un seul ?

– J'en ai vu plus que ça, répondit le gros homme, car rares sont ceux qui osent barrer la route à Styrbjörn. Alors, dépêche-toi de choisir !"

Krok ne répondit rien, préférant céder le passage et immobiliser ses rames, tandis que l'autre navire poursuivait sa route, et nul ne dégaina son épée à bord de ses bateaux. Ils virent un jeune homme de haute taille avec un léger duvet blond au menton et vêtu d'un manteau bleu qui s'était levé de sa couche près du timonier et tenait à la main une lance. Il les regarda en plissant les paupières et bâilla sans retenue. Puis il posa sa lance près de lui et se recoucha. Les hommes de Krok comprirent alors qu'il s'agissait de Björn Olafsson, connu sous le nom de Styrbjörn, neveu exilé du roi d'Uppsala, qui se refusait rarement à affronter la tempête et jamais le combat, et que peu d'hommes souhaitaient rencontrer en mer. Son navire continua sa route et disparut en direction du sud, à travers la brume ; mais, dans les rangs des hommes de Krok, la bonne humeur mit quelque temps à revenir.

Ils gagnèrent les îlots inhabités, à l'est de Bornholm, et y débarquèrent afin de se préparer un repas et de tenir longuement conseil ; nombreux furent ceux qui estimèrent qu'ils feraient mieux de rentrer au pays, étant donné que la malchance les avait poursuivis jusque-là. Car, avec Styrbjörn dans les parages, il était certain que l'île grouillait de vikings de Jomsborg et qu'il n'y avait donc rien à espérer pour les autres. Certains allèrent même jusqu'à dire qu'il valait mieux ne pas se lancer sur les mers si l'on n'avait pas un chef de la trempe de Styrbjörn, qui ne laissait passer personne sans coup férir.

Au début, Krok fut un peu plus avare de ses paroles que de coutume, mais il fit débarquer de la bière pour tous ses gens ; une fois qu'ils eurent bu, il se mit à les réconforter. En un sens, c'était une malchance d'avoir croisé Styrbjörn, il le reconnaissait volontiers ; mais, en un autre, c'était une chance que cela se soit produit dans les circonstances présentes ; car s'ils avaient eu le temps de descendre à terre et s'étaient trouvés face à ses gens ou à d'autres vikings de Jomsborg, ils auraient subi de lourdes pertes. Tous ces gens, en particulier ceux de Styrbjörn, étaient à demi berserk*, ce qui les rendait parfois invulnérables au fer, et ils frappaient à deux mains aussi bien que les meilleurs guerriers de Lister. Le fait qu'il n'ait pas voulu attaquer le navire de Styrbjörn pouvait paraître étrange à quiconque ne réfléchissait pas ; mais il lui était apparu qu'il avait ample motif de s'en abstenir, et il était heureux qu'il s'en soit avisé à temps. Car que pouvait posséder un pirate exilé qui valût un combat sans merci ? Pour leur part, ils n'avaient pas pris la mer pour conquérir une vaine gloire, mais un riche butin ; c'est pourquoi il avait jugé bon de penser plus au bien de tous qu'à sa propre réputation et, s'ils voulaient y réfléchir, ils s'apercevraient qu'il avait agi en véritable chef.

Ayant ainsi dispersé les sombres pensées de ses hommes, Krok se sentit lui-même réconforté par ses propres paroles et il poursuivit en les dissuadant de rentrer chez eux. Car les gens de Lister, dit-il, n'avaient pas la langue dans leur poche et les femmes, en particulier, ne seraient pas faciles à aborder et ne manqueraient pas de leur poser mainte question sur leurs exploits, le butin qu'ils ramenaient et la promptitude de leur retour. Aucun homme digne de ce nom ne voudrait s'exposer à ce genre de commérages et il convenait donc d'attendre pour rentrer qu'ils aient mis la main sur quelque chose qui fût digne d'être rapporté au pays. Ce qu'il fallait avant tout, c'était faire preuve de cohésion et de détermination et s'efforcer de trouver un nouveau but d'expédition ; mais avant d'aller plus loin, il désirait entendre l'avis des plus sensés d'entre eux sur ce point.

* Qualificatif appliqué aux guerriers de l'époque qui étaient pris d'une fureur meurtrière à caractère hystérique.

L'un des hommes proposa qu'ils se rendent en Courlande et en Livonie, où il y avait, à ce qu'on disait, ample matière à faire fortune ; mais les autres ne l'approuvèrent pas, car ceux qui étaient bien informés savaient que, chaque année, les Suédois* se rendaient en masse dans ces régions pour les piller et voyaient d'un mauvais œil les étrangers venus leur disputer le butin. Un autre avait entendu dire que c'était à Gotland que se trouvaient les plus vastes quantités d'argent au monde et était d'avis qu'on y tente sa chance. Mais d'autres, mieux informés encore, savaient que maintenant qu'ils étaient riches, les Gotlandais vivaient dans des places fortes que seules des forces considérables pouvaient emporter.

Un troisième prit alors la parole. Il se nommait Berse, parlait posément et était unanimement respecté pour sa sagesse. Il dit que la Baltique commençait à devenir bien petite et peu profitable, étant donné le nombre de ceux qui s'y livraient au pillage et que même les Vendes s'étaient mis à se défendre. Comme il était difficile de rentrer au pays – sur ce point il était bien d'accord avec Krok – on pouvait se demander s'il n'était pas opportun de partir vers l'ouest. Il n'était pour sa part encore jamais allé dans cette direction, mais des hommes venus de Scanie, avec lesquels il s'était entretenu lors d'une foire l'été précédent, s'étaient rendus en Angleterre et en Bretagne avec Toke Gormsson et le jarl Sigvarde, et ils avaient eu beaucoup de choses à dire en faveur de ces destinations. Ils étaient parés d'anneaux d'or et de vêtements de prix et, d'après eux, les vikings qui s'étaient établis à l'embouchure des fleuves de France pour une longue période afin de se livrer au pillage à l'intérieur du pays avaient

* Le terme est ici employé pour désigner les habitants de l'actuelle Suède centrale, autour du lac Mälar et d'Uppsala.

souvent des filles de comtes dans leur lit, pour leur plaisir, et des abbés et des notables pour leur servir de domestiques. Il était certes incapable de dire si ses informateurs scaniens s'étaient tenus à la stricte vérité en disant cela et, étant donné que les gens de ce pays étaient réputés n'être pas toujours dignes de foi, il était peut-être bon de ne retenir que la moitié de leurs propos. Mais il était indéniable que ces hommes avaient donné l'impression de la plus grande opulence et ils étaient allés jusqu'à lui offrir, à lui, pauvre étranger du Blekinge, de la bière en grande quantité et ne lui avaient pas dérobé quoi que ce soit durant son sommeil ; tout ne pouvait donc pas être faux dans leurs dires, ce qui était d'ailleurs confirmé par d'autres sources. Là où des Scaniens avaient si bien réussi, les gens du Blekinge devraient également pouvoir prospérer. Voilà pourquoi, conclut Berse, il ne lui déplairait pas de tenter l'aventure vers l'ouest, si la majorité pensait comme lui.

Nombreux furent ceux qui se rangèrent à cet avis, tandis que d'autres objectèrent qu'ils ne disposaient pas d'assez de vivres pour gagner ces terres d'abondance situées à l'ouest.

Krok reprit alors la parole pour dire que Berse venait de formuler la proposition qu'il avait lui-même l'intention de leur faire. A ce qu'avait dit celui-ci, à propos de filles de comtes et de riches abbés pour lesquels on pouvait obtenir de substantielles rançons, il désirait ajouter un fait bien connu de tous les voyageurs, à savoir qu'en Irlande il n'existait pas moins de cent soixante rois, plus ou moins grands, possédant tous des trésors et de belles femmes, et dont les guerriers combattaient vêtus seulement de lin, ce qui les rendait faciles à vaincre. La seule difficulté était de franchir le Sund, où l'on risquait de rencontrer des gens indiscrets. Mais trois navires bien montés, que Styrbjörn lui-même n'avait pas osé attaquer, devaient pouvoir imposer le respect à quiconque ; de plus, la plupart des vikings de ces parages étaient déjà partis vers l'ouest, à cette époque de l'année. Enfin, on avait devant soi des nuits sans lune. Quant au manque de nourriture, il pourrait facilement être comblé dès qu'on aurait franchi le Sund.

Tous étaient maintenant à nouveau de bonne humeur et d'avis que ce plan était judicieux et que Krok était le meilleur d'entre eux tant par le savoir que par la sagesse ; et tous étaient fiers de se sentir assez audacieux pour s'élancer sur la route de l'Ouest car, de mémoire d'homme, aucun navire de leur pays n'avait entrepris pareille expédition.

Ils hissèrent les voiles et parvinrent à l'île de Møn, où ils passèrent un jour et une nuit, attendant des vents favorables. Puis ils franchirent le détroit par gros temps et arrivèrent à son endroit le plus resserré sans rencontrer d'ennemi. A la tombée de la nuit, ils trouvèrent abri à Kullen et décidèrent de se procurer du ravitaillement. Ils se répartirent en trois groupes qui partirent dans des directions différentes. Celui de Krok fut favorisé par la chance et tomba sur un parc à moutons, près d'une grande ferme. Ses membres parvinrent à tuer le berger et son chien avant qu'ils n'aient pu donner l'alarme. Ils s'emparèrent alors des moutons et en égorgèrent sur place autant qu'ils pouvaient en emporter ; mais ils ne purent éviter les bêlements et Krok dit alors à ses hommes de se hâter.

Ils regagnèrent le navire par le chemin qu'ils avaient emprunté pour venir, chacun avec un mouton sur les épaules, en pressant le pas le plus possible. Mais ils ne tardèrent pas à entendre derrière eux les cris des gens de la ferme, éveillés par le bruit des animaux, ainsi que les aboiements de chiens lâchés sur leurs traces. Bientôt s'éleva également, au-dessus du vacarme des chiens et des hommes, une voix de femme qui s'écriait : "Attends ! Reste là !", puis à plusieurs reprises "Orm !" et à nouveau "Attends !", cette fois sur un ton désespéré et très aigu. Les hommes de Krok avaient peine à avancer, sous leurs fardeaux, car le sentier était pierreux et escarpé et la nuit était couverte et encore presque noire. Krok fermait la marche, portant son mouton sur ses épaules et tenant une hache dans l'autre main. Il préférait éviter de se battre pour ces moutons, jugeant peu glorieux de risquer sa vie pour si peu ; c'est pourquoi il harcelait ses hommes de paroles assez rudes quand ils trébuchaient ou marchaient trop lentement.

Les navires mouillaient près de quelques rochers plats, dont ils étaient tenus écartés au moyen d'avirons, prêts à appareiller dès le retour de Krok, car les autres groupes étaient déjà rentrés bredouilles. Certains hommes étaient restés à terre, pour aider Krok en cas de besoin. Alors qu'il n'y avait plus que quelques pas à faire, deux gros chiens surgirent à toute allure sur le sentier. L'un sauta à la gorge de Krok, mais celui-ci s'écarta au dernier moment et le toucha avec sa hache ; l'autre passa près de lui d'un bond et s'abattit sur l'homme qui le précédait, le jetant à terre et le mordant à la gorge. Deux des hommes qui attendaient accoururent et tuèrent le chien ; mais, lorsque Krok et eux se penchèrent sur celui qui avait été mordu, ils constatèrent que son cou était profondément entaillé et qu'il saignait en abondance.

Au même moment, un javelot siffla à l'oreille de Krok et deux hommes descendirent la pente en courant, jusqu'aux rochers ; ils étaient allés si vite qu'ils avaient laissé tous les autres derrière eux. Le premier, qui était tête nue et armé d'une simple épée courte, ne portait pas de bouclier. Il buta sur une pierre et tomba à plat ventre. Deux lances passèrent au-dessus de sa tête et allèrent frapper son compagnon, qui s'effondra et resta sur le sol. Celui qui était tête nue se releva rapidement et se mit à hurler comme un loup ; il se rua sur un adversaire qui s'était élancé vers lui en brandissant son épée, alors qu'il était à terre, et l'abattit d'un coup à la tempe. Puis il bondit en direction de Krok, qui se trouvait juste à côté, et tout ceci se déroula en l'espace d'un instant. Il porta à Krok un coup très vif et décidé, mais ce dernier avait encore son mouton sur ses épaules et s'en servit pour parer l'assaut. Au même moment, il frappa lui-même son adversaire au front avec le dos de sa hache, lui faisant perdre connaissance. Krok se pencha sur lui et vit que c'était un jeune homme roux à la peau blanche et au nez court ; il tâta l'endroit où sa hache avait frappé et constata que son crâne était intact.

"J'apporte un veau en plus d'un mouton, dit-il, il prendra la place de celui qu'il a tué."

Cela dit, il le souleva et le porta à bord, où il l'étendit sous un banc de nage ; une fois tout le monde à bord, sauf les deux tués, les navires appareillèrent au moment même où la grande meute des poursuivants atteignait le rivage. L'aube avait commencé à poindre et quelques javelots furent lancés en direction des bateaux, mais en vain. Les rameurs souquaient ferme, heureux d'avoir de la nourriture fraîche à bord ; et ils étaient déjà à bonne distance de la terre quand ils virent, parmi les silhouettes sur le rivage, une femme échevelée vêtue d'une longue chemise bleue qui se précipitait jusqu'au bord des rochers et tendait les bras vers les navires en criant. Ses appels ne leur parvinrent que sous la forme d'un son ténu, par-dessus l'eau, mais elle resta sur place bien longtemps après qu'il fût devenu totalement inaudible.

Et c'est ainsi qu'Orm, fils de Toste, par la suite connu sous le nom d'Orm le Rouge ou d'Orm le grand Voyageur, entreprit son premier périple.

III

COMMENT ILS PARTIRENT VERS LE SUD ET TROUVÈRENT UN BON GUIDE

LES HOMMES de Krok atteignirent l'île des Vents* bien affamés, car ils avaient été forcés de ramer sans arrêt ; ils accostèrent et descendirent à terre pour ramasser du bois et se préparer un bon repas. L'île ne comptait que quelques vieux pêcheurs, que leur pauvreté protégeait des pillards. En dépeçant les moutons, ils s'extasièrent de les voir aussi gras et de la qualité des pâturages de Kullen ; ils embrochèrent les morceaux au-dessus du feu, les goûtant dès que la graisse se mettait à frire, car il y avait longtemps qu'ils n'avaient senti quelque chose d'aussi bon. Ils furent nombreux à raconter la dernière fois où ils s'étaient autant régalés et tous tombèrent d'accord pour penser que cette expédition vers l'ouest commençait bien. Et ils se mirent à manger avec tant d'empressement que le jus de viande coulait le long de leur barbe.

Orm avait maintenant repris connaissance, mais n'était pas encore bien vaillant ; il avait du mal à se tenir sur ses jambes, en débarquant avec les autres. Il s'assit, la tête entre les mains, s'abstenant de répondre à ce qu'on lui

* Minuscule archipel situé sur la côte ouest de la Suède, près de l'actuelle frontière norvégienne.

disait. Au bout d'un certain temps, après avoir vomi puis bu de l'eau, il se sentit un peu mieux et, quand l'odeur de viande cuite vint lui caresser les narines, il leva la tête comme quelqu'un qui est tout juste éveillé et dévisagea les hommes réunis autour de lui. Celui qui était assis le plus près lui adressa un large sourire et lui tendit le morceau de viande qu'il venait de découper.

"Mange ça, lui dit-il. Tu n'en as jamais mangé d'aussi bonne.

— Je le sais bien, répondit Orm. C'est moi qui vous l'offre."

Il prit le morceau de viande et le garda à la main sans le manger ; puis il regarda chacun de ceux qui l'entouraient, l'un après l'autre, et demanda ensuite :

"Où est celui que j'ai frappé ? Il est mort ?

— Il est mort, répondit son voisin, mais personne ici ne cherchera à le venger et tu rameras à sa place. Il était juste devant moi, c'est pourquoi on ferait mieux d'être amis, tous les deux. Je m'appelle Toke, et toi ?

Orm lui dit son nom puis lui demanda :

— Celui que j'ai tué était-il bien considéré ?

— Il était un peu lent, comme tu as pu t'en apercevoir, répondit Toke, et pas aussi fort que moi au maniement des armes ; il est vrai que ce serait difficile, parce que je suis un des meilleurs. Mais il était fort, on pouvait compter sur lui et il était bien considéré. Il s'appelait Åle, son père sème douze tonneaux de seigle, et il avait déjà participé à deux expéditions en mer. Si tu rames aussi bien que lui, personne n'aura à se plaindre."

Ces nouvelles parurent redonner courage à Orm et il se mit à manger. Mais, au bout d'un moment, il demanda :

"Et moi, qui est-ce qui m'a abattu ?"

Krok, qui était assis non loin de là, entendit cette question. Il se mit à rire, leva sa hache et, après avoir fini de mastiquer ce qu'il avait dans la bouche, il dit :

"C'est elle qui t'a donné un baiser ; si elle t'avait mordu, tu ne serais pas là pour poser la question."

Orm regarda Krok avec de grands yeux et sans ciller des paupières ; puis il poussa un soupir et dit :

"J'avais perdu mon heaume et j'étais à bout de souffle ; autrement, les choses ne se seraient pas passées ainsi.

— Tu ne manques pas d'audace, jeune Scanien, et tu te prends déjà pour un guerrier. Mais tu es un peu tendre et n'as pas encore la tête pour cela. Car aucun homme sensé ne se précipite dehors sans son heaume pour quelques moutons ; même pas pour sa propre femme, si quelqu'un s'avisait de l'enlever. Mais je pense que tu as de la chance et que tu pourrais nous en valoir à nous aussi. Nous avons déjà constaté ta bonne étoile de trois façons. Tu as trébuché sur les rochers alors que deux javelots volaient vers toi ; nul ne désire tirer vengeance pour Åle, que tu as tué ; et, pour ma part, je t'ai laissé la vie sauve, parce que je désirais quelqu'un pour le remplacer sur le banc de nage. C'est pourquoi il me semble que tu as vraiment de la chance et que celle-ci peut nous être utile ; et je t'offre maintenant la paix, au nom de nous tous, tant que tu manieras l'aviron d'Åle."

Tous furent d'avis que Krok avait bien parlé. Orm réfléchit tout en mangeant, puis il dit :

"J'accepte ton offre et ne crois pas devoir en être honteux, bien que vous m'ayez volé des moutons. Mais je ne veux pas être votre esclave, car je suis de bonne famille et, bien que je sois jeune, il me semble que je suis digne de respect, maintenant que j'ai tué Åle. C'est pourquoi je veux qu'on me rende mon épée."

On discuta beaucoup sur ce point. D'aucuns étaient d'avis que la demande d'Orm n'était guère raisonnable et qu'il pouvait être content d'avoir la vie sauve. D'autres pensaient que la crânerie n'était pas un défaut chez un jeune et qu'on pouvait faire preuve de certains égards envers un homme qui avait autant de chance que lui ; et Toke demanda en riant combien d'entre eux, parmi l'équipage de leurs trois navires, pouvaient avoir à redouter un jeune homme, même armé d'une épée. Un nommé Kalv, qui était hostile à la demande formulée par Orm, voulut se battre avec Toke pour ce propos, qu'il jugea infamant ; celui-ci déclara qu'il y était prêt, dès qu'il aurait fini de manger le bon morceau de rognons qu'il avait dans la bouche. Mais Krok s'opposa à tout duel pour un pareil motif et l'affaire se termina par la restitution à Orm de son épée et la conclusion que ce serait sa conduite qui déciderait s'il serait à l'avenir traité en prisonnier ou bien en camarade. Cependant, Orm devrait payer tribut à Krok pour son épée, qui était une arme de valeur, dès qu'il aurait gagné de quoi s'en acquitter.

Une brise légère s'était alors levée et Krok déclara qu'il était temps d'en profiter pour lever l'ancre. Tous montèrent à bord et les navires s'engagèrent à pleines voiles dans le Kattegat. Orm jeta un dernier regard en arrière et dit que Krok avait de la chance qu'il y eût si peu de navires au port à cette époque de l'année ; car, s'il connaissait bien sa mère, celle-ci se serait déjà lancée à leur poursuite en compagnie de la moitié des habitants de Kullen.

Là-dessus, Orm nettoya la plaie qu'il avait au front et lava le sang qui s'était coagulé dans ses cheveux ; et Krok dit que cette cicatrice serait bonne à montrer aux femmes. Toke apporta ensuite un vieux heaume en cuir garni de plaques de fer, disant qu'il ne valait certes pas grand-chose, par les temps qui couraient, mais qu'il l'avait trouvé chez les Vendes et qu'il n'avait rien de mieux à lui proposer. Il ne serait pas très utile contre un coup de hache, mais c'était tout de même mieux que rien. Orm l'essaya et il s'avéra qu'il lui irait, une fois que sa bosse au front aurait disparu. Il remercia alors Toke et tous deux surent qu'ils allaient être amis.

Ils doublèrent la pointe de Skagen par bon vent et s'acquittèrent de la coutume de sacrifier à Ägir, et à toutes les autres divinités de la mer, en leur offrant de la viande de mouton, de porc et de la boisson. Ils furent longtemps suivis par des mouettes criardes, ce qui passait pour un signe favorable. Ils descendirent le long de la côte du Jutland, où l'intérieur du pays était désert et où ils virent mainte carcasse de navire échoué sur le sable ; plus au sud, ils débarquèrent sur certaines petites îles, où ils purent faire provision d'eau et de vivres mais de rien d'autre. Ils continuèrent à descendre le long de la côte et les vents furent avec eux pendant tout ce trajet, ce qui permit aux hommes de rester de bonne humeur, heureux de ne pas avoir à ramer. Toke dit alors qu'Orm avait peut-être autant de chance en ce qui concernait le vent que le reste : c'était ce qu'on pouvait souhaiter de mieux à un homme et Orm pouvait donc envisager un avenir radieux. Ce dernier pensait que Toke pouvait bien avoir raison, mais Krok ne voulut pas partager leur avis sur ce point.

"C'est moi qui porte chance, pour les vents, car nous avons été favorisés par le temps et la brise depuis le début, bien avant qu'Orm soit des nôtres ; et si je n'avais pas eu confiance en ma chance en la matière, je n'aurais jamais osé entreprendre ce voyage. Mais Orm est chanceux, lui aussi, quoique moins que moi ; et, plus nous serons à l'être, à bord, mieux ça vaudra pour nous tous."

Le sage Berse abonda en ce sens et dit que les hommes qui n'avaient pas de chance étaient bien à plaindre :

"Car aux hommes on peut opposer des hommes et aux armes des armes ; on peut fléchir les dieux par des sacrifices et écarter le mauvais sort par d'autres sortilèges. Mais on ne peut rien opposer à la malchance."

Toke dit qu'il ne savait pas si, pour sa part, il avait de la chance, sauf pour la pêche, où il avait toujours du succès. Quant aux hommes avec lesquels il avait eu maille à partir, il s'était toujours assez bien tiré d'affaire, mais cela pouvait tenir à sa force et à son habilité plutôt qu'à la chance.

"Mais maintenant, dit-il, je suis curieux de savoir si, au cours de cette expédition, j'aurai de la chance avec l'or et avec les femmes ; car j'ai entendu raconter bien des choses sur tout ce qu'il y a de beau, à l'ouest, et ça fait pas mal de temps que je n'ai tenu une bague en or ou une femme entre mes mains. Et, même si nous rapportons plus d'argent que d'or, et si je ne trouve pas de fille de comte, comme Berse pense le faire, mais simplement des jouvencelles franques tout à fait ordinaires, je ne me plaindrai pas ; car je ne suis pas orgueilleux."

Krok lui dit qu'il fallait qu'il patiente encore un peu, aussi avide fût-il de l'un comme de l'autre et Toke convint qu'il en serait sans doute ainsi, car il n'avait pas l'impression que l'or et les femmes fussent monnaie courante dans ces parages.

Ils longèrent des côtes basses, où il n'y avait rien d'autre à voir que du sable, des marécages et de temps en temps une cabane de pêcheur ; ils doublèrent des pointes sur lesquelles avaient été dressées de grandes croix et ils comprirent alors qu'ils étaient maintenant en terre chrétienne et au pays des Francs. Car les hommes instruits qui se trouvaient à bord savaient que ces croix avaient été érigées par le grand Charlemagne, ancêtre de tous les empereurs, afin d'écarter du pays les navigateurs nordiques. Mais les dieux des hommes du Nord avaient été plus forts que le sien. Lorsque menaçait la tempête, ils pénétraient dans des baies et des détroits afin d'y passer la nuit et voyaient avec étonnement des eaux plus salées et plus vertes que celles qu'ils connaissaient enfler et décroître au fil des heures*. Ils ne voyaient ni hommes ni navires, mais parfois les restes d'un village ; car ceux-ci avaient été nombreux, sur les côtes, avant l'arrivée des vikings. Mais tout cela était depuis longtemps pillé et en ruine et ce n'était que plus au sud que les vikings pouvaient espérer quelque butin.

Ils arrivèrent à l'endroit où la terre se resserre entre le continent et l'Angleterre et ils parlèrent alors de mettre le cap sur cette dernière. Car ils savaient que le roi Edgar venait de mourir, ne laissant que des fils mineurs ; cette nouvelle avait été fort bien accueillie parmi les vikings. Mais Krok et Berse et d'autres parmi les plus avisés restaient d'avis que le pays des Francs restait préférable, à condition d'aller assez loin en direction du sud. En effet, le roi de France et l'empereur d'Allemagne étaient en guerre à propos de leurs marches frontières et, en pareille circonstance, les régions côtières étaient généralement des terres propices pour les vikings.

C'est pourquoi ils restèrent du côté franc ; mais ils se tinrent un peu plus au large qu'auparavant et veillèrent attentivement de tous côtés, car ils longeaient maintenant la région que les vikings avaient arrachée au roi de France. Il arrivait certes de temps en temps qu'une vieille croix fût visible sur quelque pointe ou à l'embouchure

* Rappelons que la Baltique, mer presque fermée, ne connaît pas le phénomène des marées.

d'un cours d'eau, mais c'était bien plus souvent une pique sur laquelle était fichée une tête barbue, en signe que les maîtres du lieu ne voyaient pas d'un bon œil la visite de navigateurs venus de leur ancien pays. Krok et ses hommes étaient d'avis qu'un pareil manque d'hospitalité envers des gens du même sang était une grande honte pour des hommes maintenant à la tête de si grandes richesses ; mais que pouvait-on attendre d'autre, dirent-ils, de la part de gens venus de Scanie et de Seeland ? Et ils demandèrent à Orm s'il avait de la famille dans ce pays. Celui-ci répondit qu'il ne le pensait pas, puisque les siens étaient toujours allés en Irlande, mais ces têtes en haut de piques étaient une chose dont il se souviendrait une fois rentré au pays, car cela pouvait s'avérer utile quant à l'élevage des moutons. Cette réponse suscita l'hilarité générale et tous trouvèrent qu'il avait le sens de la répartie.

Ils se mirent en embuscade dans l'estuaire d'une rivière et s'emparèrent de quelques barques de pêcheurs à bord desquelles ils ne trouvèrent rien de valeur ; ils ne purent, non plus, savoir de la bouche de ces hommes s'il y avait, dans le voisinage, de riches villages. Ils en mirent bien quelques-uns à mort mais, voyant que les autres ne répondaient toujours pas de façon intelligible, ils leur laissèrent la vie sauve, parce qu'ils étaient si chétifs qu'ils ne pouvaient ni servir de rameurs ni être vendus. Ils effectuèrent mainte descente nocturne à terre, mais elles ne leur valurent guère de butin, car les gens vivaient dans des villages trop importants et bien défendus et ils durent se hâter de regagner leurs navires, de peur d'être encerclés par des forces supérieures en nombre. Et ils furent réduits à espérer sortir bientôt des limites du pays des Normands.

Un soir, ils croisèrent quatre longs vaisseaux venant du sud à la rame. Ils paraissaient lourdement chargés et

Krok navigua de façon à les approcher d'aussi près que possible, afin de jauger leur équipage. La soirée était calme et les navires vinrent lentement bord à bord. Les étrangers hissèrent en haut du mât de tête un bouclier de forme allongée, en signe qu'ils étaient animés d'intentions pacifiques. Et les hommes de Krok s'entretinrent avec eux à portée de javelot, chaque camp tâchant d'évaluer les forces de l'autre. Les étrangers dirent venir du Jutland et être sur le chemin du retour après un long voyage. A bord de sept navires, ils avaient pillé la Bretagne, l'été précédent, et s'étaient ensuite rendus loin au sud. Ils avaient passé l'hiver sur une île au large de l'estuaire de la Loire et avaient remonté ce fleuve ; mais là, une violente épidémie s'était déclarée parmi eux et ils rentraient maintenant avec les bateaux qu'ils étaient assez nombreux pour équiper. Sur la question du butin qu'ils rapportaient, ils répondirent que le navigateur avisé ne se vantait jamais de ses prises avant de les avoir ramenées à bon port, mais ils pouvaient tout de même dire, étant donné qu'en la présente circonstance ils étaient assez forts pour protéger ce qu'ils avaient gagné, qu'ils n'avaient pas à se plaindre. Il convenait certes de compter avec des temps qui ne seraient peut-être pas toujours aussi favorables, si loin qu'on se hasardât ; mais celui qui avait la chance de trouver une contrée encore non ravagée en Bretagne, ou plus au sud encore, était toujours bien récompensé de sa peine.

Krok leur demanda s'ils avaient du vin ou de la bonne bière à échanger contre de la viande de porc et du poisson séché ; il s'efforça par la même occasion de s'approcher d'eux, car il avait bien envie de tenter sa chance et de gagner ainsi d'un seul coup de quoi rendre tout le voyage fort rentable. Mais le chef des Jutes mit aussitôt tous ses navires en ligne, l'avant tourné vers

Krok, et répondit qu'il avait l'intention de garder son vin et sa bière pour son propre usage.

"Mais tu es le bienvenu à bord, dit-il à Krok, si tu désires goûter à autre chose."

Krok soupesa un javelot et parut hésiter sur la conduite à tenir ; mais, au même moment, un tumulte se déclencha sur l'un des navires étrangers. On vit deux hommes lutter près de la lisse avant de tomber à l'eau dans les bras l'un de l'autre. Tous deux coulèrent à pic et l'un ne reparut plus ; l'autre fit surface à une certaine distance des bateaux, mais plongea à nouveau lorsque, des rangs de ceux qu'il avait quittés, un javelot fut lancé dans sa direction. Des cris s'élevèrent parmi les Jutes mais, lorsque les hommes de Krok leur demandèrent ce qui se passait, ils n'obtinrent pas de réponse. Le crépuscule commençait à tomber et, après un échange de mots qui dura un certain temps, les étrangers repartirent à la rame sans que Krok se soit décidé à les attaquer. Toke, assis à son aviron de bâbord tout près d'Orm, sur le navire commandé par Krok en personne, lança alors à ce dernier :

"Viens voir ! J'ai de plus en plus de chance à la pêche."

Une main s'était agrippée à la rame de Toke, une autre à celle d'Orm et un visage apparaissait entre les deux, à la surface de l'eau, les yeux levés vers le navire. Ceux-ci étaient écarquillés et son teint très pâle, ses cheveux et sa barbe noirs.

"Ce doit être un hardi personnage et un bon nageur, s'écria l'un des hommes de Krok, car il a plongé sous le bateau pour échapper aux Jutes.

— Il doit aussi être intelligent, dit un autre, puisqu'il cherche refuge auprès de nous, nous estimant meilleurs que les Jutes.

— Il est noir comme un troll et jaune comme un mourant, dit un troisième, et il n'a pas l'air d'être bien chanceux ; ça peut être dangereux, de prendre à bord un être pareil."

On discuta de la chose pendant un moment et on posa certaines questions à l'homme qui se trouvait dans l'eau ; mais il resta immobile, s'agrippant aux avirons, clignant des yeux et flottant au gré des vagues. Krok finit par ordonner qu'on le fasse monter à bord ; on pourrait toujours le mettre à mort par la suite, dit-il à ceux qui n'étaient pas de son avis, si cela paraissait la bonne solution.

Toke et Orm rentrèrent leurs avirons et hissèrent l'homme à bord ; il avait la peau toute jaune, était solidement bâti, nu jusqu'à la taille et simplement couvert de loques sur le bas du corps. Il vacillait et était à peine capable de se tenir sur ses jambes, mais il brandit le poing en direction des navires des Jutes qui disparaissaient à l'horizon, cracha vers eux, grinça des dents et cria quelque chose. Un coup de roulis le renversa, mais il se remit aussitôt sur ses pieds, se frappa la poitrine et tendit les bras vers le ciel en lançant des cris d'une voix différente, mais dans une langue que nul n'entendait. En racontant ses souvenirs, sur ses vieux jours, Orm disait toujours qu'il n'avait jamais entendu grincer des dents avec plus de fureur ni personne crier d'une voix à la fois plus forte et plus triste que celle avec laquelle cet étranger s'adressait au ciel.

Il leur parut à tous bien étrange. Ils le pressèrent de questions pour savoir qui il était et ce qui lui était arrivé. Il comprit une partie de ce qu'ils disaient et réussit à leur répondre au moyen de quelques mots en mauvaise langue nordique. Ils crurent alors comprendre qu'il était Jute lui-même, mais qu'il se refusait à ramer le samedi et que c'était là la raison pour laquelle il était tellement en colère contre ceux auxquels il venait d'échapper. Mais cela ne leur parut pas avoir le sens commun et ils pensèrent qu'il était peut-être frappé de folie. On lui donna à boire et à manger et il dévora goulûment les haricots et le poisson, mais repoussa avec horreur la viande de porc salée. Krok émit l'avis qu'il pourrait leur rendre service comme rameur et que, leur voyage une fois terminé, ils auraient toujours la ressource de le vendre pour une somme rondelette. Berse, poursuivit Krok, pourrait peut-être arriver à le comprendre, avec tout son savoir, et essayer de tirer de lui des renseignements utiles sur les régions d'où il venait.

Les jours suivants, Berse resta souvent assis en compagnie de l'étranger, conversant tant bien que mal avec lui. Berse était un homme posé et patient, grand mangeur et connaisseur en matière de poésie, qui avait pris la mer pour fuir une femme particulièrement acariâtre ; il avait bon entendement et beaucoup de savoir et finit par comprendre de mieux en mieux ce que l'étranger avait à dire. Il en informa Krok et ses compagnons.

"Il n'est pas fou, quoi qu'on puisse en penser, dit Berse, et il n'est pas Jute non plus, mais ça se voit bien. Il dit qu'il est juif. C'est un peuple de l'Orient qui a tué l'homme que les chrétiens tiennent pour un dieu. Ceci s'est passé il y a très longtemps, mais les chrétiens haïssent toujours les juifs pour cette raison et les mettent volontiers à mort, plutôt que d'accepter une conciliation et de leur faire payer cet homicide en espèces. C'est pourquoi la plupart des juifs vivent auprès du calife de Cordoue, car là, l'homme tué par leurs ancêtres n'est pas considéré comme un dieu."

Berse ajouta qu'il avait déjà entendu raconter quelque chose de la sorte et plusieurs des membres de l'équipage abondèrent en son sens. Orm s'était laissé dire que le mort avait été cloué sur un arbre, comme les fils de Lodbrok l'avaient jadis fait avec le grand prêtre de l'Angleterre.

Mais ce que nul ne parvenait à comprendre, c'était comment on pouvait continuer à le prendre pour un dieu après que les juifs l'eurent mis à mort, car un dieu véritable ne pouvait être tué par les hommes. Là-dessus, Berse reprit le fil de ce qu'il avait compris des propos de l'étranger :

"Il a été esclave des Jutes pendant un an et a beaucoup souffert de se refuser à ramer le samedi ; car le dieu des juifs est fort courroucé contre quiconque fait quoi que ce soit ce jour-là. Mais les Jutes ne voulaient pas comprendre ça, bien qu'il ait tenté de nombreuses fois de le leur expliquer. Quand il refusait de ramer, ils le frappaient et le laissaient sans manger. C'est auprès d'eux qu'il a appris le peu qu'il sait de notre langue mais, quand il en parle, il les maudit dans son propre idiome car il ne connaît pas assez de mots dans le nôtre. Il dit qu'il a beaucoup pleuré chez eux et qu'il a souvent imploré son dieu de l'aider. Quand il a vu nos navires approcher, il a compris qu'il avait été exaucé et a entraîné par-dessus bord un homme qui l'avait beaucoup frappé. Il a demandé à son dieu d'être pour lui comme un bouclier, mais aussi de faire périr l'autre. C'est pourquoi nul javelot ne l'a atteint et il a eu la force de plonger sous notre bateau. Mais le nom de son dieu est tellement puissant qu'il refuse de me le dire, malgré tous les efforts que j'ai déployés. Voilà ce qu'il raconte des Jutes et de la façon dont il leur a échappé, mais il a encore bien d'autres choses à dire qui peuvent nous être utiles, selon lui. Malheureusement, il y en a une bonne partie que je ne parviens pas vraiment à comprendre."

Krok dit qu'il avait du mal à admettre qu'un dieu puisse se donner le mal de venir en aide à un si pauvre hère, malgré toutes les prières qu'il pouvait lui adresser, mais que l'homme avait sans aucun doute agi à la fois avec courage et de façon intelligente. Les hommes voulurent alors savoir pourquoi il avait repoussé avec tant d'horreur la viande de porc, alors qu'il avalait avidement une nourriture de bien moins bonne qualité. Berse lui répondit qu'il avait l'impression qu'il en allait de cela comme du fait de ramer le samedi : le dieu des juifs s'irritait de voir l'un des siens manger du porc. Mais quant à savoir pourquoi il s'en fâchait tellement, Berse était incapable de l'expliquer. On pouvait peut-être supposer que ce dieu aimait tellement ce genre de nourriture qu'il ne voulait pas en laisser à son peuple ; et les hommes estimèrent que c'était là une explication vraisemblable et jugèrent qu'ils étaient bien heureux d'avoir des dieux qui ne leur imposaient pas pareilles restrictions.

Tout le monde fut alors curieux de savoir ce que ce juif avait encore à dire qui pourrait leur être utile, et Berse déploya tant d'efforts qu'il finit par en comprendre l'essentiel.

"Il dit qu'il est un homme riche chez lui, sous l'empereur de Cordoue ; il s'appelle Salaman et il est orfèvre, mais dit aussi qu'il est un grand poète. Il a été fait prisonnier par un seigneur chrétien venu du nord, qui a effectué une razzia dans son pays. Celui-ci a exigé de lui une forte rançon mais l'a néanmoins vendu à un marchand d'esclaves, car les chrétiens n'estiment pas devoir tenir leur parole envers les juifs, puisque ceux-ci ont tué leur dieu. Ce marchand d'esclaves l'a ensuite vendu à des navigateurs, auxquels les Jutes l'ont arraché. Mais le malheur a voulu qu'il soit aussitôt mis à ramer un samedi. Il est vrai qu'il est animé d'une haine très vive à l'encontre de ces Jutes, mais ce n'est rien à côté de celle qu'il éprouve envers ce seigneur chrétien qui l'a trompé. Celui-ci est très riche et vit à une journée de la mer. Il dit qu'il ne demande pas mieux que de nous conduire jusqu'à lui, afin que nous lui dérobions tout ce qu'il possède, que nous brûlions sa maison, que nous lui crevions les yeux et que nous le laissions tout nu au milieu des ronces et des pierres. Il dit qu'il y a là-bas suffisamment de richesses pour nous tous."

Tout le monde fut d'avis que c'étaient les meilleures nouvelles qu'ils aient entendues depuis longtemps ; et Salaman, qui était resté assis à côté de Berse pendant son récit et avait suivi attentivement tout ce qu'il pouvait en comprendre, se leva alors en poussant un cri et en donnant l'impression d'un très grand bonheur. Il se jeta à plat ventre devant Krok et prit entre ses dents une mèche de sa barbe pour se mettre à la mâcher. Puis il saisit l'un des pieds de Krok et le plaça sur sa propre nuque, en tenant avec fièvre des propos que nul ne put comprendre. Quand il se fut quelque peu calmé, il se mit à chercher parmi les mots qu'il connaissait. Il dit alors qu'il voulait servir fidèlement Krok et ses hommes jusqu'à ce qu'ils aient acquis toutes ces richesses et qu'il ait lui-même obtenu vengeance. Mais il désirait avoir la parole formelle qu'on le laisserait crever lui-même les yeux de ce seigneur chrétien. Krok et Berse furent tous deux d'avis que cette demande était fort raisonnable.

On discuta fermement de ce projet à bord des trois navires et cela mit les hommes de très bonne humeur ; ils dirent que cet étranger n'était peut-être pas très chanceux lui-même, à en juger par les malheurs qu'il avait connus, mais qu'il pourrait bien leur porter d'autant plus bonheur. Toke, pour sa part, estima n'avoir jamais fait meilleure pêche. Ils se montrèrent tous très aimables envers le juif et trouvèrent quelques hardes à son intention. Ils lui donnèrent même de la bière à boire, bien qu'il ne leur en restât pas beaucoup.

La contrée où il désirait les conduire portait le nom de Léon et on avait une vague idée de l'endroit où elle se trouvait : à droite entre le pays des Francs et celui du calife de Cordoue, à cinq jours de navigation, peut-être, de la pointe de la Bretagne, qu'ils avaient maintenant en vue. On fit de nouveaux sacrifices aux divinités de la mer et, le vent étant favorable, on mit le cap sur le large.

IV

COMMENT LES HOMMES DE KROK PARVINRENT AU ROYAUME DE RAMIRE ET VISITÈRENT UN PAYS PROMETTEUR

QUAND IL RACONTAIT ses aventures, sur ses vieux jours, Orm avait coutume de dire qu'il n'avait pas eu beaucoup à se plaindre du temps passé avec Krok, même s'il avait été entraîné bien malgré lui dans ce voyage. Sa blessure à la tête ne lui fit pas mal bien longtemps. Il s'entendait très bien avec les autres hommes et tous avaient bientôt oublié qu'il était en fait leur prisonnier. Ils se souvenaient avec délices des bons moutons qu'ils s'étaient procurés chez lui et il avait plusieurs autres bons côtés à leurs yeux. Il connaissait autant de morceaux de poésie que Berse et avait appris de sa mère l'art de les réciter à la manière des scaldes ; il savait aussi raconter de façon plausible des histoires mensongères, même s'il reconnaissait volontiers que Toke était son maître en ce domaine. On le considérait donc comme un bon camarade, doté de bien des qualités et capable d'agrémenter les longues journées où le vent soufflait régulièrement et où tout le monde était dispensé de ramer.

Certains, à bord, regrettèrent que Krok ait décidé de quitter la Bretagne sans avoir tout d'abord tenté de faire provision de vivres, car ceux qu'ils avaient commençaient à ne plus être très frais : le lard sentait le ranci, la morue était moisie, la farine sure, le pain plein de vers et l'eau croupie. Mais Krok lui-même et les plus expérimentés de ses hommes considéraient que c'était là une excellente pitance dont aucun navigateur ne pouvait se plaindre. Orm avalait sa part avec bel appétit, sans pourtant se priver de parler de toutes les bonnes choses auxquelles il était habitué chez lui. Berse, lui, voyait l'effet d'un ordre divin fort avisé dans le fait qu'en mer on consommait avec joie et profit une nourriture que chez soi, à terre, on se serait refusé à servir aux esclaves ou aux chiens, mais seulement aux cochons ; s'il n'en avait pas été ainsi, les longues traversées auraient été par trop difficiles.

Toke, pour sa part, disait que ce qui lui était pénible, à lui, c'était de ne plus avoir de bière à boire. Il n'était pas difficile et pensait pouvoir manger à peu près tout ce qui risquait de s'avérer nécessaire, y compris ses chaussures en peau de phoque, mais seulement accompagné d'une bonne bière. Il n'arrivait pas à s'imaginer une vie sans bière, que ce soit sur mer ou sur terre, et il ne cessait de poser au juif des questions sur ce breuvage dans le pays d'où il venait, mais sans parvenir à obtenir de réponse satisfaisante. Il racontait aussi les festins bien arrosés auxquels il avait participé et regrettait seulement de ne pas en avoir profité pour boire encore plus.

La deuxième nuit au large, le vent se leva et la mer se fit forte. Mais tous se réjouirent de voir le ciel rester clair, car ils naviguaient d'après les étoiles. Krok commençait à avoir peur d'aller se perdre dans les immensités de l'océan mais ceux de ses hommes qui avaient le plus voyagé lui dirent qu'en maintenant le cap au sud, on serait toujours assuré d'avoir la terre à main gauche, sauf à hauteur du détroit de Niörva*, par lequel on pouvait gagner Rome, qui était le centre du monde. Ceux qui avaient fait

* Gibraltar.

la traversée de Norvège en Islande, dit Berse, avaient couru de bien plus grands risques car, s'ils n'avaient pas touché cette dernière, ils n'auraient plus rien eu d'autre devant eux qu'une étendue d'eau déserte et sans fin.

Le juif connaissait les étoiles et se disait apte à fixer le bon cap ; mais sa science ne leur était pas d'un grand secours, car il leur donnait des noms qui n'étaient pas les mêmes que les leurs et, en outre, il eut le mal de mer. Ce fut aussi le cas d'Orm, et Salaman et lui passèrent de longs moments, penchés côte à côte par-dessus la lisse, à vomir leur nourriture et croire leur dernière heure arrivée. Le juif criait beaucoup dans sa propre langue, quand il ne rendait pas, et Orm lui dit de se taire même s'il avait mal ; mais l'autre lui répondit qu'il parlait à son dieu, qui se trouvait dans la tempête. Orm l'empoigna alors par la nuque et lui dit que, aussi malade qu'il fût lui-même, il serait bien capable de le faire passer par-dessus bord s'il criait encore une seule fois, car il lui semblait que le vent était assez fort comme cela, sans qu'il fût nécessaire d'appeler un dieu à la rescousse.

Salaman se tut ; au petit matin, le vent se calma et tous deux se sentirent mieux. Salaman était vert mais sourit amicalement à Orm et parut ne pas lui garder rancune quand il lui montra le soleil qui se levait sur la mer. Il chercha parmi les mots qu'il connaissait et dit que c'étaient les ailes rouges du matin, tout au bout de l'eau, et que son dieu résidait là-bas. Orm lui répondit qu'il préférait le savoir à bonne distance.

Au matin, on distingua des montagnes, dans le lointain. Ils approchèrent alors de la côte, mais ils eurent du mal à trouver un abri pour leurs navires dans une baie quelconque et le juif dit qu'il ne connaissait pas cette contrée. Ils débarquèrent et durent aussitôt affronter les habitants de l'endroit, qui étaient très nombreux. Mais ceux-ci prirent bientôt la fuite et les hommes de Krok fouillèrent leurs cabanes et en revinrent avec des chèvres et d'autres formes de nourriture, ainsi que quelques prisonniers. Des feux furent allumés et tous se réjouirent d'avoir touché terre et de pouvoir à nouveau manger de la viande grillée. Toke chercha partout de la bière mais ne trouva que quelques outres remplies d'un vin qui était si aigre et si rêche qu'il sentait, disait-il, son estomac se rétrécir quand il en avalait. Il ne parvint donc pas à tout boire à lui seul et donna le reste aux autres, avant d'aller s'asseoir à l'écart pour toute la soirée à chanter tristement, la barbe mouillée de larmes. Berse dit qu'il ne fallait pas le déranger, car il pouvait être dangereux quand il avait bu au point d'en pleurer.

Salaman interrogea les prisonniers ; puis il dit qu'ils se trouvaient sur les terres du comte de Castille et que l'endroit où il voulait les emmener se trouvait plus loin à l'ouest. Krok objecta qu'il leur fallait un autre vent pour partir dans cette direction et que, en attendant, ils pouvaient se reposer et manger autant qu'ils voudraient. Le risque, ajouta-t-il, était qu'ils soient attaqués par des ennemis en nombre important, pendant que le vent soufflait de la mer, ou que des navires hostiles viennent leur barrer la route de sortie de la baie où ils se trouvaient. Salaman expliqua alors de son mieux que ce risque n'était pas bien grand, car le comte de Castille n'avait pratiquement pas de flotte et qu'il lui faudrait bien du temps pour réunir une troupe capable de leur nuire. Jadis, ajouta-t-il, ce comte avait été puissant, mais il était maintenant au pouvoir du calife et devait lui payer tribut. A part l'empereur d'Allemagne, Otton, et celui de Constantinople, Basile, il n'existait pas de souverain au monde aussi puissant que le calife de Cordoue. Les hommes de l'équipage se gaussèrent fort en entendant cela, disant que ces propos prouvaient que ce juif n'en savait pas bien long. N'avait-il pas entendu parler de Harald de Danemark ? demandèrent-ils. Et ne savait-il pas que c'était le roi le plus puissant de la terre ?

Orm n'était pas encore totalement remis de son mal de mer, il n'avait pas d'appétit et avait l'impression qu'il allait être gravement malade, car il s'inquiétait souvent pour sa santé. Il ne tarda pas à s'endormir près d'un feu et se reposa bien ; mais, au milieu de la nuit, alors que tout était calme dans le camp, Toke vint le réveiller. Il pleurait et disait qu'Orm était le seul ami qu'il avait et qu'il voulait donc lui chanter une chanson dont il venait de se souvenir ; elle parlait de deux ours, il l'avait apprise de sa mère étant petit et c'était la plus belle qu'il connût. Il se mit alors à chanter, assis à côté d'Orm, après avoir séché ses larmes. Ce dernier avait la particularité d'éprouver de la difficulté à se montrer aimable quand on le réveillait au beau milieu de son sommeil ; mais il n'en laissa rien paraître, se tourna de l'autre côté et s'efforça de se rendormir.

Toke ne se rappelait pas bien sa chanson, ce qui le rendit triste à nouveau ; il était resté seul toute la soirée et personne n'était venu lui tenir compagnie, dit-il. Mais ce qui lui avait fait le plus de peine, c'était qu'Orm ne soit pas venu le réconforter ; pourtant, il avait toujours considéré celui-ci comme son ami, dès le premier moment. Mais il comprenait bien, maintenant, que c'était un gredin et une canaille, comme tous les Scaniens ; et, quand un blanc-bec comme lui se comportait aussi mal, tout ce qu'il méritait c'était une bonne raclée.

Là-dessus, Toke se leva pour aller chercher un bâton ; mais Orm était maintenant tout à fait éveillé et se mit sur son séant. Lorsque Toke vit cela, il lui décocha un coup de pied. Mais, au même moment, Orm prit un tison dans le feu et le lui jeta au visage. Toke l'esquiva alors qu'il n'était plus que sur un pied, ce qui le fit basculer en arrière. Il ne tarda pourtant pas à se relever, blême de colère et tout à fait hors de lui. Orm fut également très vite sur ses pieds. Il faisait un beau clair de lune, mais Orm se mit à voir rouge de fureur, tandis qu'il se ruait sur Toke, qui essayait de dégainer son épée. Orm, pour sa part, avait posé la sienne près de lui, mais n'avait pas eu le temps de s'en saisir. Toke était un homme grand et fort, très large d'épaules et aux mains puissantes. Orm n'était pas encore dans la force de l'âge, mais déjà de taille à affronter la plupart des adversaires. Il passa l'un de ses bras autour de la nuque de Toke et saisit son poignet droit avec l'autre, pour l'empêcher de tirer son épée. Mais Toke réussit à empoigner ses vêtements, à se redresser brusquement et à faire basculer Orm par-dessus son épaule, les jambes en l'air. Orm ne lâcha pas prise pour autant, bien qu'il eût l'impression d'avoir les reins brisés ; il se retourna, plaça l'un de ses genoux contre le dos de son adversaire et l'entraîna avec lui dans sa chute en arrière. Une fois à terre, il mobilisa toute sa force pour pivoter sur lui-même, de façon à ce que Toke se retrouve sous lui, face contre terre. Plusieurs de leurs compagnons avaient été réveillés par le bruit de la lutte et Berse accourut, tenant à la main une corde, en disant qu'on ne pouvait s'attendre à rien d'autre lorsque Toke avait ingurgité une telle quantité de boisson. Ce dernier se retrouva bientôt pieds et poings liés, bien que se démenant toujours. Il ne tarda pourtant pas à se calmer et dit alors à Orm qu'il se souvenait maintenant de la fin de la chanson. Il se mit à la chanter, mais Berse jeta un seau d'eau sur lui, ce qui le plongea dans le sommeil.

En se réveillant le matin, il se plaignit d'être ligoté, ne se souvenant de rien. On lui raconta alors ce qui s'était passé et il se montra plein de remords envers Orm, disant que c'était son malheur que de causer beaucoup d'ennuis lorsqu'il avait bu ; car la bière faisait de lui un autre homme et il en allait peut-être de même du vin. Il désirait savoir si Orm allait lui garder rancune de cet incident. Celui-ci répondit que non et que, à l'avenir, il ne se refuserait pas à une petite séance de lutte, lorsque Toke en aurait envie. Mais il fallait qu'il lui promette une chose et c'était de ne plus chanter, car le chant de l'engoulevent ou d'une vieille corneille sur le toit d'une grange était bien plus doux à entendre, au milieu de la nuit, que le sien. Toke éclata de rire et promit de s'efforcer de s'amender ; en effet, ce n'était pas un méchant homme quand il n'était pas sous l'empire de la boisson.

Tous furent d'avis qu'Orm s'était tiré d'affaire bien mieux qu'on aurait pu le penser, étant donné son jeune âge ; car la plupart de ceux qui tombaient entre les mains de Toke quand il était ivre au point de pleurer en gardaient des traces durables. Orm monta donc d'un cran à la fois dans sa propre estime et dans la leur. Après cela, on se mit à l'appeler Orm le Rouge, non seulement à cause de la couleur de ses cheveux mais aussi parce qu'il s'était montré homme à rendre coup pour coup et à ne pas se laisser marcher sur les pieds.

Au bout de quelques jours, ils eurent un vent favorable et les navires appareillèrent. Ils se tinrent à bonne distance de la côte, afin d'éviter les courants dangereux, mirent le cap à l'ouest, le long du royaume de Ramire, et allèrent doubler sa pointe occidentale. Ils ramèrent ensuite vers le sud, le long d'une côte escarpée et découpée, puis à travers un archipel que les hommes trouvèrent semblable à celui du Blekinge, avant de parvenir à l'estuaire que recherchait le juif. Ils y pénétrèrent à la marée montante et remontèrent cette rivière jusqu'à ce qu'une cascade vienne leur barrer le chemin. Ils débarquèrent alors pour tenir conseil et demandèrent à Salaman de leur décrire le chemin qu'il restait à accomplir. Il leur répondit que des hommes alertes devaient pouvoir se rendre en moins d'un jour jusqu'à l'endroit où vivait l'homme dont il voulait tirer vengeance, un des margraves du roi Ramire connu sous le nom d'Ordoño, le plus grand bandit et malfaiteur qui existât le long de toute la bordure du pays des chrétiens.

Krok et Berse le pressèrent de questions sur l'endroit où il était retranché, sa situation et son système de défense, ainsi que sur le nombre d'hommes dont il disposait habituellement. Il était situé dans une contrée si rocheuse et si aride, répondit Salaman, que l'armée du calife, surtout composée de cavaliers, n'avait jamais pu s'en approcher. C'est pourquoi c'était un si bon repaire pour les brigands et il renfermait de si grands trésors. Ce fort était construit en bois de chêne et protégé par un rempart en terre surmonté d'une palissade ; sa garnison pouvait être forte de deux cents hommes au maximum. Etant donné qu'il était tellement à l'écart de tout, Salaman ne pensait pas qu'il fût très bien gardé et, très souvent, une bonne partie de l'effectif était occupée à se livrer au pillage, plus au sud.

Krok dit alors que l'importance de la garnison le préoccupait moins que le rempart et la palissade, qui pouvaient retarder une attaque surprise. Certains des hommes dirent alors qu'il devrait être facile de mettre le feu à la palissade, mais Berse objecta que, si tout prenait feu, il ne resterait plus grand-chose à piller. On décida pour finir de s'en remettre à la chance et d'arrêter une stratégie seulement une fois que l'on serait arrivé ; quarante hommes resteraient auprès des navires et les autres se mettraient en marche à la tombée de la nuit, quand il ferait plus frais. On tira au sort pour savoir qui resterait, car tout le monde voulait faire partie d'une expédition qui promettait d'être aussi bénéfique.

On inspecta les armes, avant de s'allonger dans un bois de chêne pour faire la sieste pendant les heures les plus chaudes de la journée. Puis on restaura ses forces et, à la tombée de la nuit, on se mit en marche, au nombre de cent trente-six en tout. Krok marchait en tête, en compagnie du juif et de Berse, les autres suivant les uns derrière les autres. Certains portaient des cottes de mailles, d'autres des vestes de cuir, la plupart étaient armés d'une épée et d'un javelot et beaucoup d'une hache, mais tous portaient un bouclier et un heaume. Orm marchait à côté de Toke, qui exprima l'avis qu'il était agréable de se dégourdir enfin les jambes, après tout ce temps passé assis sur le banc de nage.

Ils traversèrent une contrée désertique où ils ne virent nulle demeure humaine, car cette région frontalière entre les chrétiens et les Andalous était depuis longtemps abandonnée. Ils suivirent la rive nord de la rivière et franchirent à gué de nombreux ruisseaux. La nuit s'épaississant, ils firent halte pour attendre le lever de la lune. Puis ils obliquèrent vers le nord et remontèrent une vallée qui les amena bientôt en pays découvert. Salaman s'avéra un guide très sûr car, dès avant l'aube, ils étaient en vue du fort. Ils se reposèrent un moment, à l'abri de quelques buissons, scrutant l'obscurité devant eux afin de distinguer ce qu'ils pouvaient à la lueur de la lune. Ils furent quelque peu découragés à la vue de la palissade, car celle-ci était faite de gros troncs de chêne et deux fois hauts comme un homme ; la porte donnant accès à l'intérieur était surmontée d'une construction et paraissait bien solide.

Krok dit alors qu'il ne serait peut-être pas facile d'incendier ce genre d'édifice et qu'il aurait préféré s'emparer du fort sans y mettre le feu. Mais il n'y avait sans doute pas d'autre solution. Il faudrait donc apporter des fagots, les empiler contre la palissade et les enflammer, en espérant que tout ne brûlerait pas. Il demanda à Berse s'il avait une meilleure proposition, mais celui-ci se gratta la tête et répondit avec un soupir qu'il ne voyait rien de mieux, bien qu'il fût hostile à l'idée d'avoir recours au feu. Salaman ne trouva pas de meilleure solution, lui non plus, et dit qu'il lui faudrait se contenter de voir brûler le fourbe, alors qu'il avait espéré en tirer une plus belle vengeance.

Toke approcha alors en rampant de Krok et de Berse et leur demanda ce qu'on attendait : il avait soif et, plus vite on s'emparerait de ce fort, plus vite il aurait à boire. Krok répondit que toute la difficulté était d'y pénétrer. Toke lui dit alors que, si on lui donnait cinq javelots, il pensait pouvoir prouver qu'il était bon à autre chose qu'à ramer et à boire de la bière. On lui demanda comment il comptait s'y prendre, mais il répondit simplement qu'il avait l'intention de leur frayer un chemin pour leur permettre de pénétrer dans la place, si tout allait bien, et que les propriétaires de javelots devraient être prêts à mettre de nouveaux manches à leurs armes quand elles leur seraient rendues. Berse, qui le connaissait depuis longtemps, dit alors qu'il fallait lui donner ce qu'il demandait. Ainsi fit-on ; ce sur quoi Toke coupa le manche des javelots un peu au-dessus de la pointe en fer, de façon à n'en conserver qu'environ une aune. Puis il se déclara prêt. Krok et lui se mirent alors à ramper vers la palissade, à l'abri des buissons et des rochers, suivis par quelques hommes soigneusement choisis. Des coqs se mirent à chanter à l'intérieur du fort mais, par ailleurs, il régnait un silence absolu.

Parvenus non loin de la porte d'entrée, ils escaladèrent le rempart. Toke se mit debout tout contre la palissade. A une aune au-dessus du sol, il enfonça la pointe d'un javelot entre deux troncs d'arbre et appuya dessus de toute sa force afin qu'elle reste bien enfoncée. Un peu plus haut, il enfonça une seconde pointe. Après s'être assuré, sans faire de bruit, qu'elles tenaient bon, il monta prudemment sur la partie en saillie et enfonça une troisième pointe dans un nouvel interstice. Il lui fut hélas impossible, de là où il se tenait, de la fixer solidement sans faire de bruit. Krok, qui comprenait maintenant quel était son plan, lui fit signe de redescendre et lui dit qu'il n'y arriverait pas sans le dos d'une hache pour taper dessus, même si cela devait réveiller certains. Toke lui remit alors les pointes de javelot qu'il lui restait et il prit sa place sur les deux marches qui étaient déjà bien fermes. Il enfonça la troisième pointe à l'aide de sa hache, puis fit de même avec la quatrième et la cinquième, un peu plus haut. En montant sur chacune d'elle au fur et à mesure qu'elle était bien enfoncée, il finit par atteindre le sommet de la palissade.

Au même moment, on entendit des cris d'alarme retentir à l'intérieur du fort et des cors se mirent à sonner. Mais d'autres hommes avaient escaladé aussi vite qu'ils le pouvaient l'échelle improvisée de Toke et franchi la crête après Krok. Le long de l'intérieur de la palissade courait une galerie de bois destinée aux archers. Krok et les hommes qui le suivaient se laissèrent tomber sur celle-ci et abattirent quelques gardes mal réveillés qui se précipitaient, armés de javelots et d'arcs. Des flèches furent tirées sur eux depuis le sol et atteignirent quelques-uns d'entre eux ; mais Krok et les autres longèrent la galerie jusqu'à la porte et sautèrent à bas, afin d'ouvrir celle-ci le plus vite possible pour laisser entrer le gros de la troupe. La bataille fit alors rage, car de nombreux défenseurs avaient eu le temps d'accourir et il en arrivait d'autres à tout instant. L'un des vingt hommes qui avaient suivi Krok était resté accroché à la palissade, avec une flèche dans l'œil, et trois autres avaient également été touchés alors qu'ils couraient le long de la galerie ; mais ceux qui avaient atteint le sol se regroupèrent et poussèrent leur cri de guerre en brandissant épée et javelot. La mêlée fut acharnée, dans la pénombre du porche, car ils avaient maintenant des ennemis derrière et devant eux.

Un écho venu de l'extérieur répondit à leur cri, car les hommes qui étaient restés dehors, voyant le succès de leur entreprise, s'étaient précipités vers le rempart. Beaucoup d'entre eux s'attaquèrent à la porte avec leur hache, tandis que d'autres empruntaient l'échelle de Toke, survenant à point pour venir en aide à ceux qui se battaient sous le porche. La lutte y était fort indécise, amis et ennemis se côtoyant. Krok abattit plusieurs de ces derniers avec sa hache, mais fut lui-même frappé à la nuque d'un coup de massue par un homme de forte taille à la barbe noire tressée qui avait l'air d'être un chef. Le heaume de Krok atténua le choc, mais il vacilla et tomba à genoux. Dans cette mêlée d'hommes et de boucliers où il n'était plus possible de se servir de son javelot et où les pieds glissaient sur le sang, Toke, Orm et deux autres parvinrent à se glisser jusqu'à la porte et en tirer les verrous. Les ennemis qui se trouvaient sous le porche furent rapidement occis.

La panique s'empara alors des chrétiens et ils se mirent à fuir, la mort sur les talons. Salaman, qui avait été parmi les premiers à franchir la porte, se rua en avant comme un possédé, trébuchant sur les cadavres, et trouva une épée sur le sol. Il la brandit au-dessus de sa tête et se mit à crier à tue-tête à ses compagnons de se précipiter vers le fort. Encore tout étourdi du coup qu'il avait reçu et incapable de se tenir sur ses jambes, Krok fit de même depuis l'endroit où il se trouvait, sous le porche. Certains des assaillants pénétrèrent dans les huttes situées derrière le rempart, afin d'étancher leur soif ou de chercher des femmes ; mais la plupart poursuivirent les fugitifs jusqu'au donjon, situé au centre de ce camp retranché, dans lequel ceux-ci pénétraient en foule. Poursuivants et fuyards s'y engouffrèrent ensemble avant qu'on ait eu le temps de fermer la porte ; la bataille reprit donc de plus belle à l'intérieur, les fugitifs étant cette fois bien obligés de résister. Le grand homme à la barbe tressée lutta vaillamment et abattit deux de ceux qui se ruaient vers lui ; mais il se trouva coincé dans un angle, reçut plusieurs coups et tomba, grièvement blessé. Salaman, qui arrivait à cet instant précis, se jeta sur lui, le prit par la barbe et lui cracha au visage en criant avec véhémence. Mais l'autre n'eut pas l'air de comprendre grand-chose à ce qui lui arrivait, il eut un frisson, cligna des yeux et mourut.

Salaman exprima alors de façon fort sonore ses regrets d'avoir été privé de la totalité de sa vengeance et de n'avoir pas pu tuer lui-même son ennemi. Maintenant que leur capitaine était mort, les chrétiens cessèrent toute résistance. Certains d'entre eux eurent la vie sauve, car ils pouvaient s'avérer utiles ; et les vainqueurs se servirent largement en nourriture et en boisson, tant en bière qu'en vin. On fouilla ensuite le fort à la recherche de butin et on commença à se disputer à propos de femmes découvertes cachées dans différents recoins, car ces hommes en avaient été privés depuis bien longtemps. On rassembla l'ensemble du butin : pièces de monnaie, bijoux, armes, vêtements, tentures, cuirasses, ustensiles domestiques, harnais, plats d'argent et bien d'autres choses encore ; une fois tout cela en tas, la valeur de l'ensemble apparut à tous nettement supérieure à ce qu'ils avaient pu espérer ; car, dit Salaman, il y avait là une foule de choses prises aux Andalous au cours de nombreuses années. Krok, qui s'était enfin remis sur ses jambes et portait un bandeau trempé dans du vin autour de la tête, se réjouit de ce spectacle mais exprima la crainte qu'on ne pût tout emporter à bord. Berse, pour sa part, était d'avis contraire.

"Car, dit-il, personne ne se plaint de la lourdeur de sa charge, quand ce qu'il porte est du butin."

Ce soir-là ils firent ripaille, débordant de joie à l'idée de ce qu'ils avaient gagné, puis ils s'endormirent ; la nuit venue, ils partirent en direction de leurs navires. Tous les prisonniers étaient lourdement chargés et les vainqueurs eux-mêmes n'avaient pas les mains vides. On avait découvert dans le sous-sol du donjon quelques prisonniers andalous. Ceux-ci pleurèrent de joie en se voyant délivrés, mais ils étaient en bien piteux état et incapables de porter un lourd fardeau. On leur rendit la liberté et ils accompagnèrent leurs libérateurs, afin de poursuivre ensuite leur route vers le sud, avec Salaman, et de rentrer chez eux. On avait aussi fait main basse sur quelques ânes et Krok chevauchait maintenant sur l'un d'eux en tête de la troupe, les jambes traînant par terre. Les autres suivaient derrière, chargés de vivres et de boisson ; mais leur fardeau s'allégea rapidement, car les hommes désiraient souvent faire halte et se rafraîchir.

Berse s'efforçait de leur faire presser l'allure, afin de regagner le plus vite possible les navires. Il avait peur qu'on ne soit à leur poursuite, car certains des défenseurs du fort avaient réussi à s'échapper et avaient pu aller chercher du secours au loin. Mais la plupart des hommes étaient de belle humeur, à moitié ivres, et ne se souciaient pas de ce qu'il disait. Orm portait un ballot de soie, un miroir en bronze et une grande coupe en verre qui l'embarrassait beaucoup. Toke avait hissé sur ses épaules un grand coffre en bois aux belles ferrures rempli d'objets divers, et il tenait par la main une fille qu'il avait trouvée à son goût et qu'il désirait conserver aussi longtemps que possible. Il n'arrêtait pas de rire et dit à Orm qu'il espérait bien que c'était la fille du margrave, mais il s'assombrit bientôt à l'idée qu'il n'y aurait pas de place pour elle à bord. Il n'avait plus la démarche très assurée, à cause de tout ce qu'il avait bu ; pourtant, sa compagne paraissait pleine de sollicitude à son égard et le retenait à chaque fois qu'il allait tomber. Elle était jeune et bien proportionnée, et Orm dit qu'il avait rarement vu aussi belle qu'elle et que tout un chacun pouvait souhaiter avoir autant de chance avec les femmes que Toke. Mais celui-ci répondit que, si bons amis qu'ils fussent, il ne pouvait pas la partager avec lui, car il l'aimait trop et voulait la garder pour lui seul, si c'était possible.

Ils regagnèrent les navires, pour la plus grande joie de ceux qui étaient restés là-bas, quand ils virent l'abondance du butin ; celui-ci devait en effet être partagé entre tous. Salaman fut vivement remercié et comblé de cadeaux, avant de continuer son chemin avec les prisonniers libérés ; il était désireux de s'éloigner le plus vite possible des terres chrétiennes. Toke, qui ne cessait de boire, se mit à pleurer en apprenant que Salaman était parti, disant qu'il n'avait plus personne, maintenant, pour l'aider à parler à sa nouvelle compagne. Il dégaina son épée et voulut se lancer à la poursuite du juif. Mais Orm et les autres parvinrent à le calmer sans avoir recours à la violence et il s'endormit auprès de sa conquête, après s'être attaché à elle pour qu'elle ne puisse s'enfuir ou lui être dérobée pendant son sommeil.

Le lendemain matin, on procéda au partage du butin, ce qui ne fut pas chose aisée. Tout le monde voulait recevoir une part égale, sauf Krok, Berse, les rameurs et quelques autres, qui devaient avoir le triple ; et, bien que le partage ait été confié aux plus sages, pour qu'il soit équitable, il fut difficile de contenter tout le monde. Berse fit valoir que, étant donné que c'était à Toke que revenait l'essentiel du mérite, il était normal qu'il ait triple part lui aussi ; et tout le monde en convint. Mais Toke lui-même déclara qu'il se contenterait d'une part égale à celle des autres si on lui permettait de prendre la fille à bord et de l'y garder en paix.

"Car j'aimerais bien la ramener au pays, dit-il, même si je ne suis pas sûr qu'elle soit fille de comte. Je me plais déjà avec elle et me plairai certainement encore mieux quand elle aura appris notre langue et que nous pourrons nous comprendre."

Berse objecta que ce n'était peut-être pas aussi sûr que Toke le pensait et Krok ajouta que les navires allaient maintenant être tellement chargés, malgré la perte de onze des leurs au combat, qu'il ne pensait pas qu'il y ait de la place pour cette personne à bord ; peut-être devrait-on même laisser la partie la moins précieuse du butin sur place.

Toke se leva alors et hissa la femme sur son épaule en priant les autres de bien regarder comme elle était belle et bien proportionnée.

"Elle me semble pouvoir éveiller le désir de la plupart des hommes, dit-il. S'il existe parmi vous quelqu'un qui la convoite suffisamment, je veux bien me battre avec lui sur le champ, comme il lui plaira, à la hache ou à l'épée. Le gagnant la conservera ; et celui qui trouvera la mort allégera le navire plus qu'elle ne l'alourdira. Ainsi, je pourrai malgré tout la ramener au pays."

La jeune fille avait saisi d'une main les favoris de Toke. Elle se débattait, toute rougissante, sur ses épaules et elle se voila les yeux de l'autre main, mais un instant seulement, paraissant heureuse d'être l'objet d'une telle attention. Tout le monde fut d'avis que la proposition de Toke était judicieuse. Mais personne ne voulut se battre avec lui, malgré la beauté de celle qui constituait l'enjeu, car il était bien aimé de tous et, de plus, redouté pour sa force et son habileté au maniement des armes.

Une fois tout le butin partagé et embarqué, il fut décidé que Toke pourrait prendre la jeune fille à bord, sur le navire de Krok, bien qu'il fût lourdement chargé ; on estima qu'il méritait bien cette récompense, après ce qu'il avait fait lors de l'attaque du fort. On tint alors conseil à propos du retour. On convint de longer les côtes, si on y était contraint par le temps, mais de tenter d'atteindre l'Irlande, afin de regagner le pays en contournant les îles écossaises ; car, avec un si précieux chargement, il serait trop risqué d'emprunter des voies étroites dans lesquelles il fallait s'attendre à de fâcheuses rencontres.

Puis ils mangèrent et burent autant qu'ils le purent, car boisson et nourriture abondaient et il fallait de toute façon en laisser une partie sur place ; tous étaient pleins de gaieté et portés à la plaisanterie et ils se dirent ce qu'ils comptaient faire de leurs richesses, une fois rentrés. Puis ils appareillèrent et descendirent la rivière à la rame. Krok était maintenant à peu près rétabli ; mais le capitaine de l'un des autres navires était tombé au combat et Berse en prit le commandement. Toke et Orm étaient comme jadis aux avirons, sur le navire de Krok, et n'eurent pas à se donner trop de mal pour descendre la rivière. Toke, pour sa part, surveillait d'un œil sa compagne, qui était la plupart du temps assise à ses genoux, afin que personne ne puisse l'approcher sans motif valable.

V

COMMENT LA CHANCE DE KROK TOURNA PAR DEUX FOIS ET COMMENT ORM DEVINT GAUCHER

LS PARVINRENT dans la baie où se jetait la rivière à la marée descendante et sacrifièrent une outre de vin et un chaudron de viande pour obtenir des dieux un heureux voyage de retour ; puis ils mirent à la voile, rentrèrent les avirons et, poussés par une légère brise, longèrent cette vaste baie. Les navires lourdement chargés étaient profondément enfoncés dans l'eau et n'avançaient que lentement. Krok dit alors qu'il faudrait sans doute que les bras des rameurs s'emploient, avant qu'ils ne revoient le pays natal. C'était, devait dire Orm sur ses vieux jours, la parole la plus funeste qu'il ait jamais entendu prononcer, car elle mit aussitôt fin à la chance de Krok, qui avait jusque-là été excellente. On aurait dit qu'un dieu l'avait entendu et avait voulu l'exaucer.

Sept navires doublèrent alors la pointe méridionale de la baie, cap au nord, mais obliquèrent vers l'intérieur de celle-ci quand ils virent les bateaux de Krok, dont ils s'approchèrent très vite à force de rames. Ces vaisseaux étaient différents de ceux que les hommes de Krok avaient vus jusque-là : ils étaient longs, plats et légers. Ils grouillaient d'hommes en armes aux barbes noires et portant des morceaux de tissu autour de leurs heaumes. Les rameurs, au nombre de deux par aviron, étaient nus et leur peau, d'un brun foncé, brillait. Ils souquaient en poussant des cris rauques et au son strident de petits tambours.

Krok fit aussitôt mettre ses propres navires en ordre de bataille et leur commanda de se tenir aussi près du rivage que possible, afin de ne pas se laisser encercler. Mais il se refusa à amener les voiles car, si le vent venait à forcir, dit-il, il pourrait leur être utile. Toke se hâta de dissimuler sa femme au milieu de ballots de butin, la couvrant bien pour la mettre à l'abri des flèches et des javelots. Orm lui prêta main forte, puis ils allèrent prendre place près de la lisse avec les autres. Orm était maintenant bien armé ; dans le fort, il s'était emparé d'une cotte de mailles, d'un bouclier et d'un bon heaume. A côté de lui, un homme demanda si ces étrangers étaient des chrétiens qui venaient venger leurs frères de religion ; mais Orm pensait plutôt que c'étaient des gens du calife, car on ne voyait pas de croix sur leurs boucliers et leurs étendards. Toke dit qu'il se réjouissait d'aborder la bataille bien désaltéré, car elle promettait d'être chaude.

"Et ceux qui y survivront auront quelque chose à raconter, dit-il, car ces hommes ont l'air bien décidés et ils sont bien plus nombreux que nous."

Les étrangers étaient maintenant proches et tiraient des volées de flèches ; ils manœuvrèrent fort habilement, entourèrent les navires de leurs adversaires et les attaquèrent de tous côtés à la fois. Le bateau commandé par Berse se trouvait le plus près du rivage et ne pouvait être encerclé ; mais celui de Krok, qui était le plus loin sur la droite, fut aussitôt l'enjeu d'une lutte acharnée. Deux des navires étrangers vinrent se placer bord à bord avec lui, du côté de la mer, l'un au-delà de l'autre. Ils s'arrimèrent ensemble au moyen de câbles et de grappins et les hommes passèrent en hurlant de celui qui était le plus éloigné à celui qui était le plus proche, après quoi ils se précipitèrent tous à l'abordage. Ils étaient bien supérieurs en nombre et animés d'une grande ardeur belliqueuse, ainsi que très habiles au maniement des armes. Lourdement chargé, le navire de Krok ne cessait de prendre du retard sur les deux autres. Un troisième ennemi vint bientôt s'accrocher également à lui, cette fois du côté de la terre. Le bateau commandé par Berse et le troisième des leurs dérivèrent vers le large, entourés de quatre ennemis, avec lesquels ils avaient fort à faire, tandis que celui de Krok restait sur place, se battant seul contre trois. Le vent se levant, les deux navires de Berse gagnèrent peu à peu le large, dans le fracas des armes, laissant de larges traînées de sang derrière eux.

Les hommes de Krok n'avaient guère le temps de penser aux bateaux de Berse et à ce qui leur arrivait, car chacun d'eux avait assez à faire avec ses ennemis directs. Ceux-ci sautèrent à bord en si grande quantité en même temps que le navire donna de la bande et faillit chavirer ; et, bien que nombreux aient été ceux qui furent abattus et tombèrent à l'eau ou dans leur propre embarcation, il en restait toujours assez et il ne cessait d'en arriver d'autres. Krok se battit vaillamment et ceux qu'ils touchaient n'avaient plus rien à dire, mais il ne tarda pas à se rendre compte que l'ennemi était vraiment trop supérieur en nombre. Il lâcha alors son bouclier, courut le long de la lisse, brandit sa hache à deux mains et sectionna deux des câbles qui maintenaient les navires bord à bord ; mais un ennemi gisant au fond du bateau saisit alors l'une de ses jambes et il reçut un coup de javelot entre les épaules. Il tomba en avant dans le vaisseau ennemi. Là, plusieurs hommes se jetèrent sur lui, le ligotèrent et le firent prisonnier.

Nombreux furent les hommes de Krok qui tombèrent, après s'être défendus aussi longtemps que possible, et le navire finit par être totalement vide, mis à part quelques défenseurs réfugiés tout à l'avant. Toke et Orm étaient parmi ceux-ci. Le premier avait reçu une flèche à la cuisse mais était encore en état de se tenir debout. Orm, lui, n'avait pu éviter un coup au front et avait peine à voir, à cause de tout le sang qui lui coulait dans les yeux. Tous deux étaient à bout de forces. L'épée de Toke se brisa sur la bosse d'un bouclier ; il recula et vint buter contre un baril de bière pris dans le fort et placé à la proue du navire. Il jeta son épée et empoigna le tonneau à deux mains pour le brandir au-dessus de sa tête.

"Il pourra quand même servir à quelque chose", dit-il, en le jetant sur les ennemis les plus proches, écrasant deux de ceux-ci et en renversant quelques autres.

Il cria alors à Orm et aux siens qu'il n'y avait plus rien à faire puis plongea dans la mer, la tête la première, afin de tenter de gagner la côte à la nage. Orm et ceux de ses compagnons qui purent se dégager de l'ennemi l'imitèrent. On décocha dans leur direction des javelots et des flèches et deux d'entre eux furent touchés. Orm plongea à nouveau, puis remonta à la surface et nagea de son mieux. Quand il racontait cette histoire, sur ces vieux jours, il disait toujours que rien n'est plus malaisé que de nager en cotte de mailles quand on est fatigué et que celle-ci est étroite. Toke et Orm furent bientôt à bout de forces et faillirent se noyer ; l'un des navires ennemis approcha alors d'eux et ils ne purent rien faire pour se défendre : ils furent hissés à bord et ligotés.

Les étrangers étaient maintenant victorieux et ils gagnèrent la terre afin de compter leurs prisonniers et leur butin, ainsi qu'enterrer leurs morts. Ils déblayèrent le navire capturé et jetèrent les cadavres par-dessus bord, avant de se mettre à inspecter sa cargaison. Les prisonniers furent conduits à terre et durent s'asseoir sur le rivage, les mains liées et sous bonne garde. Ils étaient au nombre de neuf et tous étaient blessés. Ils s'attendaient à être mis à mort et regardaient la mer sans rien dire. Il n'y avait plus trace des navires de Berse, ni des ennemis lancés à leur poursuite.

Toke poussa un soupir et commença à marmonner tout bas ; puis il dit :

> *"Assoiffé, je laissai*
> *perdre de la bonne bière ;*
> *mais bientôt je boirai*
> *l'hydromel de la divinité guerrière."*

Orm, couché sur le dos, leva les yeux au ciel et dit :

> *"Au pays, dans la demeure*
> *qui m'a vu naître,*
> *plus heureux je pourrais être*
> *avec du pain et du beurre."*

Mais c'était Krok qui était le plus abattu de tous, car pendant tout le voyage, il s'était pris pour un héros favorisé par la fortune et il avait vu celle-ci ruinée en l'espace d'un instant. En voyant les morts jetés par-dessus bord, il s'exclama :

> *"Pour tout salaire*
> *le laboureur de la mer*
> *récolte le malheur,*
> *la mort et la peur."*

Toke se déclara alors stupéfait de voir qu'il y avait trois scaldes parmi eux.

"Et même s'il peut bien se faire, dit-il à Orm et à Krok, que vous ne soyez pas aussi versés que moi dans l'art de composer des vers, vous n'en avez pas moins la consolation de vous dire qu'au banquet des dieux c'est aux poètes que sont réservées les plus grandes cornes à boire."

On entendit alors des cris s'élever du navire : les étrangers avaient en effet découvert la jeune fille dans sa cachette. Ils l'amenèrent à terre et parurent se quereller pour savoir à qui elle appartiendrait. Plusieurs hommes se l'arrachaient en poussant des croassements aigus et en faisant voler leurs barbes noires. Toke dit alors :

"Quand l'épervier est à terre, l'aile brisée, les corbeaux se disputent la poule."

La fille fut amenée devant le chef des étrangers ; c'était un homme grassouillet à la barbe striée de gris et avec des anneaux d'or aux oreilles. Il portait un manteau rouge et tenait à la main un marteau d'argent à long manche. Il la considéra en se lissant la barbe ; puis il lui adressa la parole et il fut alors évident qu'ils se comprenaient. La jeune fille avait bon nombre de choses à dire et, à plusieurs reprises, elle désigna les prisonniers. Mais, à certaines des questions du chef des étrangers, alors qu'il les désignait également, elle répondit par de grands gestes des mains et en secouant la tête. Le chef, lui, hocha la sienne et lui intima un ordre auquel elle n'eut pas l'air de vouloir obéir, car elle tendit les bras vers le ciel en poussant des cris. Il s'adressa à nouveau à elle, cette fois avec sévérité, et elle se montra alors docile, se déshabilla entièrement et resta nue devant lui. Tous ses hommes poussèrent des soupirs, tirèrent sur leur barbe et marmonnèrent des paroles de ravissement, car elle était très belle de la tête aux pieds. Le chef la fit tourner et virer devant lui, en l'examinant de près ; il passa les doigts dans ses cheveux, qui étaient bruns et longs, et tâta sa peau. Puis il se leva et appuya une bague à ses armes, qu'il portait au médius de l'une de ses mains, sur le ventre de la jeune fille, ainsi que sur sa poitrine et sur ses lèvres ; et, tout en disant quelque chose à ses hommes, il ôta de ses épaules le manteau rouge et le posa sur celles de la jeune fille. En entendant ces mots, tous ses hommes portèrent la main au front et marmonnèrent des paroles de vénération en s'inclinant profondément. La jeune fille se rhabilla, mais garda le manteau rouge. De la nourriture et de la boisson lui furent présentés et tous parurent la considérer avec respect.

Les prisonniers assistèrent en silence à ce spectacle et, quand on en arriva au moment où le manteau rouge fut posé sur ses épaules et où la nourriture et la boisson lui furent présentés, Orm dit que c'était elle qui semblait avoir le plus de chance parmi tous les occupants du navire de Krok. Toke fut bien de cet avis et dit qu'il lui était fort pénible de ne pouvoir la voir dans toute sa beauté que maintenant qu'elle était au pouvoir d'un autre ; car il avait manqué de temps et les événements s'étaient précipités. Et désormais, ajouta-t-il, il ne lui restait plus qu'à pleurer à l'idée de ne jamais pouvoir fendre le crâne de ce gros pansu à la barbe grise qui l'avait palpée.

"Mais j'espère bien, dit-il encore, que ce vieux n'en tirera guère de satisfaction car, dès le début, je l'ai trouvée très sage et d'un bon naturel, bien que nous n'ayons pu nous entretenir ; et c'est pourquoi je pense qu'elle trouvera bientôt le moyen de planter un couteau dans la carcasse de ce vieux bouc."

Krok était resté muet, accablé par son triste sort, tourné vers la mer et indifférent à ce qui se passait sur terre. Tout à coup, il poussa un cri et, en même temps, les étrangers commencèrent à s'agiter bruyamment, car quatre vaisseaux faisaient leur apparition dans la baie et approchaient à force de rames. C'étaient ceux qui avaient affronté les navires de Berse. Ils avançaient lentement et on put bientôt constater que l'un d'entre eux était profondément enfoncé dans l'eau et présentait des avaries : l'un de ses bordés était enfoncé, au centre, et nombre de ses avirons étaient brisés.

Bien qu'oppressés par leur malheur, affaiblis par leurs blessures et souffrant fort de la soif, les prisonniers éclatèrent de rire à ce spectacle. Car ils comprirent tout de suite que l'un des navires de Berse avait réussi à éperonner celui-ci, lorsque le vent avait forci, au large, et que les étrangers avaient dû renoncer à poursuivre le combat, voyant qu'ils n'avaient plus que trois bateaux en bon état et qu'ils étaient contraints de ramener à terre celui qui avait été endommagé. Certains exprimèrent alors l'espoir que Berse revienne les délivrer. Mais Krok leur dit :

"Il a perdu de nombreux hommes, car les ennemis étaient montés à bord et il avait fort à faire, quand je l'ai vu pour la dernière fois. Et il doit bien savoir que peu d'entre nous sont encore en vie, puisqu'il n'a pas vu notre navire sortir de la baie. C'est pourquoi je pense qu'il va plutôt tenter de ramener ce qu'il a, soit avec deux bateaux, soit avec un seul, s'il n'a plus assez d'hommes pour les deux. Et il suffit qu'il puisse regagner le pays avec un seul pour que l'expédition de Krok vienne à la connaissance de tous et qu'on s'en souvienne parmi les gens de Lister. Mais nos ennemis vont certainement nous mettre à mort, de rage que deux de nos navires aient pu leur échapper."

Cette dernière prédiction ne se réalisa cependant pas, car on finit par leur donner à manger et à boire et un homme vint panser leurs blessures. Ils comprirent alors qu'ils allaient être emmenés comme esclaves ; certains estimaient qu'il aurait mieux valu mourir, alors que d'autres hésitaient sur le point de savoir quel sort était le pire. Le chef des étrangers fit venir à terre des galériens, dans le but de s'entretenir avec les vikings ; ils semblaient originaires de bien des pays différents et s'exprimer dans de nombreux idiomes, mais aucun ne parlait une langue que les prisonniers comprenaient. Les étrangers demeurèrent quelques jours encore à cet endroit, afin de remettre le navire avarié en état de tenir la mer.

Plusieurs rameurs avaient été tués, sur celui-ci, lorsqu'il avait été éperonné par le bateau de Berse, et les prisonniers durent prendre leur place. Ils étaient habitués à manier les avirons et, au début, le travail ne leur parut pas trop difficile, car ils étaient deux à chaque rame. Mais ils durent souquer à peu près nus, ce qu'ils conçurent pour commencer comme très infamant, et tous avaient une jambe prise au fer. A côté des autres, ils étaient tout d'abord bien pâles de peau ; mais ils eurent bientôt le dos brûlé par les rayons du soleil et chaque aurore leur parut l'annonce de nouvelles souffrances. Au bout d'un certain temps, ils s'endurcirent et oublièrent de compter les jours, ne s'occupant de rien d'autre que de ramer et de dormir, d'éprouver la faim et la soif, d'être rassasiés et de boire, puis de recommencer à souquer. Ils finirent par être tellement épuisés de fatigue qu'ils s'endormaient un instant sur leur rame tout en continuant à l'actionner comme les autres, sans perdre le rythme ni avoir besoin d'être réveillés par le fouet du garde-chiourme. Ils étaient maintenant de parfaits galériens.

Ils ramaient par la canicule aussi bien que sous les averses, parfois sous une agréable fraîcheur, mais jamais dans le froid. Ils étaient les esclaves du calife mais ignoraient où ils allaient ou à quoi ils servaient. Ils longeaient des côtes escarpées aussi bien que de riches plaines et peinaient pour remonter de larges fleuves au courant puissant ; sur la rive, ils voyaient des hommes à la peau brune et noire et, parfois, de loin, des femmes voilées.

Ils franchirent le détroit de Niörva et parvinrent à la limite des terres du calife. Ils virent des îles opulentes et de belles villes dont ils ignoraient le nom. Ils accostèrent dans de grands ports, où ils furent enfermés dans des sortes de prisons jusqu'à ce quèrent dur à la poursuite de navires étrangers, au point de sentir leur cœur sur le point d'éclater, et restèrent tapis à plat ventre au cours d'abordages qu'ils n'avaient pas la force de regarder.

Ils n'éprouvaient ni chagrin ni espoir et n'invoquaient aucun dieu ; ils avaient assez à faire à manier leur aviron et à se protéger de l'homme armé d'un fouet qui les surveillait. Ils le haïssaient violemment quand il les frappait pour les faire ramer plus vite, mais plus encore lorsque, alors qu'ils étaient déjà au maximum de l'effort, il passait dans leurs rangs avec de gros morceaux de pain trempés dans du vinaigre, qu'il leur mettait de force dans la bouche ; car ils savaient alors qu'ils allaient ramer sans trêve tant qu'ils en auraient la force. Ils ne comprenaient pas ce qu'il disait, mais ne tardèrent pas à pouvoir déduire du son de sa voix le nombre de coups de fouet qu'il comptait infliger au fautif ; et leur bonheur était alors d'imaginer pour lui une mort cruelle, la gorge tranchée ou le dos zébré de marques de fouet jusqu'à ce qu'on puisse voir ses vertèbres à travers le sang.

Sur ces vieux jours, Orm disait de cette période de sa vie qu'elle avait été longue à passer mais qu'elle était brève à raconter ; car chaque jour ressemblait au suivant, en sorte que le temps semblait de quelque manière immobile. Mais il avait quelques moyens de s'y reconnaître. Le premier était sa barbe ; il avait été le seul à devenir galérien alors qu'il n'était encore qu'un jeune homme imberbe, mais bientôt sa barbe se mit à pousser, encore plus rousse que ses cheveux, et elle finit par être si longue qu'elle touchait l'aviron quand il se penchait sur lui. Mais, après cela, elle cessa de croître, car le frottement contre celui-ci la limita à cette longueur ; et, de toutes les façons de tailler une barbe, disait-il, celle-là était la pire.

L'autre signe était la croissance de sa force. Quand il avait été réduit à l'état d'esclave, il était déjà fort et habitué à manier la rame depuis qu'il était sur le navire de Krok ; mais la tâche d'un esclave est plus dure que celle d'un homme libre et, au début, après un long effort mobilisant toute son énergie, il lui arrivait d'être pris de vertige et de faiblesse. Il voyait des hommes se rompre le cœur et tomber en arrière sur leur banc, agités de soubresauts et une écume sanglante aux lèvres, mourir et être jetés par-dessus bord ; mais il savait qu'il n'avait le choix qu'entre deux solutions : ramer tant que les autres le faisaient, même s'il devait y laisser la vie, ou bien s'exposer au fouet du garde-chiourme. Il avait l'habitude de dire qu'il choisissait toujours la première, bien que la vie n'eût guère de quoi le retenir car, au tout début, il avait goûté du fouet et, depuis ce jour, il savait que, si cela devait se reproduire, il serait pris d'une telle fureur que sa mort serait chose certaine.

Il ramait donc de toutes ses forces, même s'il était parfois pris de vertige et si ses bras et son dos lui faisaient mal ; mais, au bout d'un certain temps, il avait moins ressenti la fatigue. Il était de plus en plus vigoureux et il dut bien s'observer afin de ne pas souquer trop dur et briser l'aviron, qui lui faisait maintenant l'effet d'un petit morceau de bois entre ses mains ; en effet, une rame brisée valait au coupable une sévère correction par le fouet. Pendant tout le temps où il fut au service du calife, il fut préposé à un aviron de bâbord ; il s'ensuivit ce curieux fait qu'arrivé droitier, il repartit gaucher. Pendant tout le reste de sa vie, il prit sa cuiller aussi bien que son épée de préférence dans sa main gauche ; il continua à être droitier uniquement au lancer du javelot. La force ainsi gagnée, supérieure à celle des autres hommes, lui resta acquise et il en conserva l'essentiel jusqu'à son grand âge.

Mais il y eut aussi un troisième signe, outre sa barbe et sa force croissante, qui lui permit de prendre conscience de la fuite du temps pendant qu'il peinait à la nage ; c'était le fait que, peu à peu, il commençait à comprendre la langue des étrangers, tout d'abord un mot par-ci, par-là, puis de plus en plus. Certains des esclaves venaient de contrées lointaines, au sud et à l'est, et s'exprimaient au moyen d'aboiements que personne d'autre qu'eux ne comprenait ; d'autres étaient originaires de pays chrétiens situés au nord et avaient leur langue à eux. Mais nombreux étaient aussi les Andalous, qui avaient été envoyés aux galères pour brigandage ou rébellion ou encore pour avoir déplu au calife en répandant de nouvelles idées sur leur dieu et leur prophète ; ceux-là parlaient arabe comme leurs maîtres. Le garde-chiourme employait également cette langue et, comme il était toujours utile pour un rameur de s'efforcer de comprendre les désirs de cet homme, ce fut pour Orm un excellent maître de langue malgré lui.

C'était un idiome bien délicat à comprendre et encore bien plus délicat à tenter de prononcer, avec des sons situés très loin dans la gorge et ressemblant au croassement des corbeaux et au coassement des grenouilles, et Orm et ses camarades trouvaient étrange que ces étrangers se donnent la peine de proférer des sons aussi difficiles plutôt que de s'exprimer en une langue humaine comme le faisaient les gens du Nord. Mais Orm s'avéra plus apte que les autres à apprendre cette langue, peut-être du fait qu'il était le plus jeune, mais peut-être aussi parce qu'il avait toujours eu beaucoup de facilité à retenir les mots difficiles qu'on trouvait dans les anciens poèmes scaldiques, même quand il ne les comprenait pas.

Ce fut donc Orm qui fut le premier à comprendre ce qu'on leur disait et aussi le seul à pouvoir répondre un ou deux mots. Cela fit de lui le porte-parole et l'interprète de ses frères de captivité et celui auquel les ordres étaient adressés ; il put également s'informer de bien des choses pour le compte des autres en posant des questions, de son mieux, à ceux des galériens qui parlaient arabe et pouvaient le renseigner. Bien qu'il fût le plus jeune de tous les Nordiques et un esclave comme les autres, il prit de ce fait un peu la stature d'un chef, car ni Krok ni Toke ne parvint à apprendre quoi que ce soit de la langue des étrangers ; par la suite, Orm disait toujours qu'après la chance, la force et l'aptitude au maniement des armes, rien n'était plus utile, lorsqu'on se trouvait au milieu d'étrangers, que la faculté d'apprendre.

Le navire était monté par cinquante hommes d'armes et les rameurs étaient au nombre de soixante-douze, pour dix-huit paires d'aviron. De banc en banc, on ne cessait de chuchoter des confidences sur la possibilité de se libérer de ses chaînes, de maîtriser les soldats et de retrouver la liberté. Mais les fers étaient solides et soigneusement contrôlés et, lorsque les navires étaient à l'ancre, des sentinelles étaient toujours postées. Même lors des affrontements avec des ennemis, certains des hommes d'armes avaient pour mission de surveiller les esclaves et de mettre à mort quiconque osait broncher. Quand on les conduisait à terre, dans l'un des grands ports de guerre du calife, et qu'on les enfermait jusqu'à l'appareillage, ils étaient l'objet d'une surveillance très sévère et on ne leur permettait jamais de se regrouper ; il leur semblait donc ne rien avoir d'autre à espérer que de ramer jusqu'à la fin de leurs jours ou bien jusqu'à ce qu'un navire ennemi l'emporte sur le leur et qu'ils puissent être libérés. Mais la flotte du calife était nombreuse et toujours supérieure en nombre et il ne fallait donc pas trop se faire d'illusions à ce sujet. Ceux d'entre les galériens qui tentaient de regimber étaient fouettés à mort ou jetés vivants par-dessus bord. Parfois, quand il s'agissait d'hommes forts, ils étaient châtrés tout en devant continuer à ramer ; et, bien que les esclaves n'eussent jamais de rapport avec des femmes, ils considéraient ce châtiment comme étant le pire de tous.

Sur ses vieux jours, Orm se rappelait encore, en racontant ses souvenirs de galérien, la place que ses compatriotes occupaient sur le navire, de même que la plupart des autres ; il était donc capable, dans son récit, de passer d'un banc de nage à l'autre et de dire qui y était assis, ceux qui étaient morts à la tâche, qui les avait remplacés et qui recevait le plus de coups de fouet. Il disait qu'il ne lui était pas difficile de se souvenir de tout cela, car il revenait souvent en rêve sur ce navire, il voyait devant lui des dos arqués portant la marque des coups de fouet, entendait les ahans des hommes sous l'effort intense exigé d'eux, de même que le bruit des pas du garde-chiourme qui approchait. Et il fallait que son lit fût fait d'un bois solide pour ne pas qu'il cède lorsque, en rêve, il s'arc-boutait pour donner un coup de rame ; mais il disait qu'aucun bonheur ne pouvait égaler celui de s'éveiller et de se rendre compte que ce n'était qu'un rêve.

Krok avait trouvé place trois rangs devant lui, également à un aviron de bâbord, et c'était maintenant un homme tout différent. Il était évident pour Orm et pour les autres que le sort de galérien l'affectait plus durement que quiconque d'entre eux, car c'était un homme qui était habitué à commander et qui avait longtemps eu foi en son étoile. Il était devenu taciturne et ne répondait que rarement aux propos de ceux de ces compatriotes qui étaient assis près de lui ; et, même si sa force physique lui permettait de manier l'aviron avec facilité, il paraissait ramer tout en dormant et être toujours plongé dans la pensée de quelque chose d'autre. Le garde-chiourme lui administrait alors quelques coups de fouet bien sentis. Mais personne ne l'entendait proférer la moindre plainte ni marmonner le moindre juron. Au prix de quelques coups de rame un peu plus vifs, il reprenait la cadence ; mais son regard suivait pensivement le garde-chiourme en train de s'éloigner, comme celui d'un homme contemplant une guêpe importune qu'il ne peut toucher.

Le rameur assis à côté de Krok se nommait Grunne ; il se plaignait des coups de fouet qu'il recevait par la faute de Krok. Mais ce dernier ne se préoccupait guère de ses plaintes. Un jour, cependant, alors que le garde-chiourme venait de les frapper durement pour la première fois, tous les deux, et que Grunne se plaignait un peu plus fort et plus amèrement que de coutume, Krok le regarda comme s'il s'avisait seulement de sa présence et lui dit :

"Prends patience, Grunne, car tu ne souffriras plus très longtemps à cause de moi. Je suis un chef et ne suis pas fait pour ceci ; mais il me reste une chose à faire, si ma chance veut bien revenir."

Sur ces mots, il se tut, se refusant à dire de quelle chose il s'agissait, et Grunne fut incapable de le lui arracher.

Juste devant Orm étaient assis deux hommes appelés Halle et Ögmund ; ils aimaient beaucoup s'entretenir du bon vieux temps, de nourriture et de boisson, ainsi que des filles du pays et imaginer divers moyens de tuer leur garde-chiourme ; mais ils ne purent jamais les mettre à exécution. Orm lui-même était à côté d'un étranger basané auquel on avait coupé la langue, pour le punir de quelque méfait ; bien qu'il fût fort bon rameur, Orm aurait préféré avoir près de lui un compatriote ou, tout du moins, un homme capable de parler. Le pire, pensait-il, était que cet homme qui n'était pas en mesure de parler n'en toussait que plus et était affligé de la pire toux qu'Orm eût jamais entendue. Son visage devenait alors tout gris, il haletait comme un poisson qu'on vient de sortir de l'eau et avait l'air tellement mal en point qu'on avait l'impression qu'il allait mourir d'un instant à l'autre. Ceci ne laissait pas d'inquiéter Orm pour son propre compte. Certes, la vie de galérien ne lui paraissait pas digne de regrets ; mais il n'aimait guère l'idée de mourir de cette toux, il était au moins sûr de cela après avoir entendu son voisin, l'homme sans langue. Toutes ces pensées le déprimaient et il aurait bien voulu avoir Toke près de lui.

Celui-ci était placé quelques rangs plus loin et ils ne pouvaient que très rarement échanger quelques mots, quand on les amenait à terre ou bien les ramenait sur le navire ; car, dans le bâtiment qui leur servait de prison, ils étaient enchaînés quatre par quatre dans de petites chambres, en fonction de leur place sur la galère. Pourtant, Toke n'avait rien perdu de sa bonne humeur et trouvait toujours matière à rire. Il se disputait souvent avec son camarade de banc, un homme nommé Tume, auquel il reprochait de ne pas faire sa part du travail mais de consommer plus que la moitié de ce qu'on leur donnait à manger ; il se divertissait donc à composer des strophes injurieuses, tantôt sur Tume, tantôt sur leur garde-chiourme, et les chantait à la manière de chansons de galériens, de façon à ce qu'Orm et les autres puissent les entendre.

Mais son esprit était surtout occupé à imaginer un moyen de recouvrer la liberté ; et, la première fois qu'Orm et lui purent s'entretenir, il lui confia qu'il avait mis au point les grandes lignes d'un très bon plan : tout ce dont il avait besoin, c'était d'un morceau de fer convenable. A l'aide de celui-ci, il comptait faire sauter un maillon de la chaîne qui les entravait, de préférence par une nuit sans lune, alors qu'ils étaient au port et que tous dormaient, sauf les sentinelles. Il ferait alors passer le morceau de fer de main en main et chacun pourrait se libérer de ses liens. Un fois que tous les vikings seraient libres, il ne leur resterait plus qu'à étrangler leurs gardiens, sans faire de bruit, et à s'emparer des armes de ceux-ci ; après avoir gagné la terre, ils trouveraient toujours un moyen de prendre la fuite.

Orm dit que ce serait là un très bon plan, si seulement il pouvait être mis à exécution ; et il pensait pour sa part être en mesure de se rendre utile en ce qui concernait le moyen de se débarrasser de leurs gardes, si contre toute attente ils pouvaient en arriver là. Mais où trouveraient-ils le morceau de fer en question ? Et comment des hommes comme eux, quasi nus, pourraient-ils l'apporter à bord sans se faire remarquer ? Toke poussa un soupir et répondit que cette difficulté valait qu'on y réfléchisse ; mais il n'y avait pas de meilleur plan possible, il fallait donc attendre et espérer une circonstance favorable.

Il réussit également à parler à Krok et à lui exposer son plan ; mais celui-ci ne lui prêta qu'une oreille distraite et ne lui répondit pas grand-chose.

Peu après, leur navire fut tiré au sec dans l'un des chantiers navals du calife, afin d'y être caréné et enduit de poix ; bon nombre de galériens, enchaînés deux à deux, furent employés à ce travail et les vikings, qui s'entendaient bien à la construction navale, furent parmi eux. Des sentinelles en armes étaient postées tout autour et le garde-chiourme passait dans leurs rangs avec son fouet, pour accélérer le travail ; deux hommes munis d'arcs et d'épées le suivaient de près pour le protéger. La poix était chauffée près du navire, dans un gros chaudron, et, tout à côté, se trouvait un tonneau contenant l'eau potable destinée aux esclaves.

Krok et Grunne se tenaient là, en train de boire, quand un galérien approcha, portant dans ses bras un camarade qui avait glissé pendant le travail et s'était foulé le pied au point de ne plus pouvoir se tenir sur celui-ci ; on le posa à terre et on lui donna à boire, et le garde-chiourme approcha pour voir ce qui se passait. Le blessé gisait sur le sol, hurlant de douleur, et le garde-chiourme, méfiant de nature, lui asséna quelques coups de fouet, afin de s'assurer qu'il ne pouvait vraiment pas tenir debout. Mais le blessé resta à terre et tous les yeux se tournèrent vers lui.

Krok se tenait quelques pas derrière Orm et Grunne, de l'autre côté du tonneau ; il s'approcha d'eux et attira subrepticement Grunne à l'écart, soudain débarrassé de cette indifférence à tout. Quand il fut arrivé assez près du garde-chiourme, et après s'être assuré que sa chaîne était suffisamment longue, il fit un bond, saisit ce dernier par la nuque et à la ceinture et le souleva de terre. L'autre poussa un hurlement et le garde le plus proche se retourna et frappa Krok de son épée. Celui-ci ne parut cependant s'apercevoir de rien et alla planter le garde-chiourme, la tête en bas, dans la poix en ébullition. Au même moment, l'autre garde le frappa à la tête. Krok chancela mais, tout en gardant les yeux fixés sur ce qu'on voyait encore de leur tortionnaire, il éclata de rire en disant :

"Je crois que ma chance est revenue."

Sur ces paroles, il s'effondra, mort ; des rangs des galériens s'éleva alors, au spectacle du sort qu'avait connu le garde-chiourme, un immense cri de joie. Mais les hommes de Krok furent également plongés dans la peine et, par la suite, ils parlèrent souvent de son exploit et de ses dernières paroles. Tous furent d'accord pour dire qu'il avait agi en chef véritable et ils espéraient que le garde-chiourme, alors qu'il était plongé dans le chaudron, avait eu le temps de comprendre ce qui lui arrivait. Toke composa alors une strophe en l'honneur de Krok :

"Pire que le fouet fut le sort
du fouetteur lui-même quand au fond
du chaudron sa tête fut trempée
dans la poix bouillante
préparée pour les flancs du coursier des mers.
Krok, dont la fortune avait fait
un galérien, à la rame enchaîné,
y trouva vengeance et liberté,
sa chance il a retrouvée."

Quand ils appareillèrent à nouveau, ils avaient un nouveau garde-chiourme ; mais ils eurent bien vite l'impression que celui-ci n'avait pas oublié ce qui venait de se passer et n'était pas aussi prompt à se servir de son fouet.

VI

DU JUIF SALAMAN ET DE LA REINE SUBAÏDA ET COMMENT ORM GAGNA L'ÉPÉE LANGUE BLEUE

L'HOMME à qui on avait coupé la langue, et qui ramait sur le même banc qu'Orm, ne cessait de dépérir ; il finit par ne plus être bon à rien et, alors que le navire se trouvait dans l'un des ports de guerre au sud des terres du calife, du nom de Malaga, il fut débarqué pour céder sa place à un autre. Les derniers temps, Orm avait dû accomplir l'essentiel de la tâche et il était donc curieux de savoir si son nouveau camarade allait être un peu plus efficace. Le lendemain, celui-ci monta à bord. Il fut traîné par quatre soldats qui eurent bien du mal à lui faire franchir la passerelle et, de loin, on pouvait déjà être sûr qu'il avait toujours sa langue. C'était un homme jeune et bien découplé, imberbe et gracile, mais il criait et jurait plus fort que tout ce qu'on avait entendu jusque-là sur le navire.

On le porta jusqu'à sa place et l'y maintint de force tandis qu'on passait la chaîne autour de son pied ; on vit alors des larmes couler le long de son visage, mais elles semblaient surtout le fait de la colère. Le capitaine de la galère et le garde-chiourme vinrent tous deux le voir ; il se mit aussitôt à les abreuver d'injures et de menaces, les traitant d'une foule de noms qu'Orm n'avait encore jamais entendus et les autres rameurs s'attendaient à ce qu'il soit aussitôt fouetté vigoureusement. Mais le capitaine et le garde-chiourme se contentèrent de lire un document que les soldats avaient apporté, tout en caressant leur barbe et en prenant un air pensif. A certains passages ils hochaient la tête, à d'autres ils la secouaient, et ils s'entretinrent gravement l'un avec l'autre tandis que le nouveau venu hurlait des invectives, les traitant de fils de garces, de mangeurs de lard et d'êtres ayant pour habitude de forniquer avec des ânesses. Finalement, après l'avoir menacé du fouet et lui avoir dit de se tenir tranquille, le garde-chiourme s'éloigna en compagnie du capitaine. Là-dessus, l'étranger éclata pour de bon en sanglots, tremblant de tous ses membres.

Orm trouva cela étrange et se dit qu'il n'avait guère d'aide à attendre d'un tel compagnon, à l'aviron, à moins qu'on ne le fouette ; il se réjouit cependant d'avoir désormais un voisin qui puisse parler, au lieu de l'homme sans langue. Au début, le nouveau venu n'eut pas grand-chose à lui dire, malgré les amabilités qu'il lui prodigua, et, quant à sa façon de souquer, elle n'avait rien de bien efficace non plus. Il avait du mal à s'habituer à tout et, pour commencer, se plaignit amèrement de la nourriture qu'on leur servait, bien que celle-ci, aux yeux d'Orm, fût très bonne, même si elle n'était pas très abondante. Mais le viking se montra patient envers son nouveau compagnon et rama pour deux, tout en lui prodiguant des encouragements du mieux qu'il pouvait et en le pressant de questions pour savoir qui il était et pourquoi il était là. L'autre le toisa de haut et haussa les épaules ; il finit pourtant par répondre qu'il était de noble famille et n'avait pas l'habitude d'adresser la parole à des esclaves incapables de parler correctement. Orm lui dit alors :

"Je pourrais t'empoigner par la peau du cou et te faire regretter les mots que tu viens de prononcer. Mais il vaut mieux que la paix règne entre nous et que nous fassions connaissance. Nous sommes tous esclaves, ici, toi comme les autres, et tu n'es pas le seul, à bord, à être de bonne famille ; moi aussi, par exemple. Je m'appelle Orm et je suis fils de chef. Et s'il est vrai que je m'exprime mal dans ta langue, toi tu t'exprimes encore plus mal dans la mienne, dont tu ne connais pas un traître mot. C'est pourquoi il me semble que nous sommes égaux, toi et moi, ou bien, si l'un vaut mieux que l'autre, ce ne peut guère être toi.

— Tu parles mal, répondit le nouveau venu, mais il me semble que tu as tous tes esprits. Il se peut que tu comptes des ancêtres respectables dont ton lignage, mais tu ne saurais rivaliser avec moi car, du côté maternel, je descends en droite ligne du Prophète, que la paix soit avec lui ! Et sache que je parle la langue qu'emploie Allah lui-même, alors que les démons ont inventé toutes les autres pour empêcher la vraie foi de se répandre. C'est pourquoi nous ne sommes pas égaux, toi et moi. Je m'appelle Khalid et je suis fils d'Yazid ; mon père occupait une place éminente à la cour du calife, je possède de grandes richesses et ne m'occupe que de mon jardin, de musique et de poésie, ainsi que de donner des festins. Il est vrai qu'on m'impose maintenant une autre tâche, mais cela ne saurait durer bien longtemps, puissent les vers dévorer les yeux de celui qui m'a envoyé ici ! J'ai composé des poèmes que l'on chante dans tout Malaga et peu de scaldes actuellement vivants peuvent se mesurer avec moi."

Orm dit alors qu'il devait donc y avoir beaucoup de poètes sur les terres du calife, car il en avait déjà rencontré un. Khalid répondit qu'ils étaient en effet nombreux, en un certain sens, car bien des hommes tentaient de pratiquer l'art des mots ; mais les vrais poètes n'étaient pas légion.

Ils commencèrent alors à mieux s'entendre, bien que Khalid soit demeuré un bien piètre rameur et ne fût même, à certains moments, d'aucune utilité, car ses mains étaient écorchées par l'aviron au point d'être à vif. Il ne tarda pas à raconter à Orm comment il se faisait qu'on l'ait mis aux galères. Il lui fallut pour cela se répéter bien souvent et parfois s'expliquer en employant d'autres mots, car il était malaisé à comprendre ; mais Orm finit par saisir l'essentiel.

Khalid dit que son malheur venait du fait que la plus belle vierge de tout Malaga était la fille du gouverneur de la cité et que cet homme était de basse extraction et de nature bien méchante. Mais la beauté de sa fille était telle que même un poète ne pouvait en rêver de plus grande ; or, Khalid avait eu l'occasion de la voir non voilée, un jour, lors de la fête de la moisson. Depuis ce temps, il l'aimait plus que toutes les autres femmes au monde et avait composé en son honneur des chants qui fondaient dans la bouche ; en montant sur une terrasse près de la maison de sa bien-aimée, il avait pu la contempler alors qu'elle était seule sur la sienne. Il l'avait alors saluée avec fièvre, lui avait tendu les bras et elle avait à nouveau soulevé son voile. C'était signe que, de son côté, elle l'aimait également et, comme elle était si belle, il avait été transporté d'allégresse.

Dès qu'il avait été sûr des dispositions dans lesquelles elle se trouvait à son égard, il avait fait de riches présents à sa servante afin qu'elle transmette ses messages à l'objet de ses vœux. Sur ces entrefaites, le gouverneur s'était rendu à la cour du calife, afin de rendre compte de sa gestion, et la jeune fille avait fait parvenir à Khalid une fleur rouge. Celui-ci s'était alors déguisé en vieille femme et, avec l'aide de la servante, il avait pu parvenir près de sa bien-aimée et jouir ainsi avec elle, à plusieurs reprises, des plaisirs de l'amour. Mais un jour, le frère de celle-ci était venu droit vers lui, dans la rue, armé d'une épée. Dans la bataille, Khalid, plus habile aux armes, avait blessé son adversaire. Lorsque le gouverneur était rentré, il avait donc été arrêté et traîné devant celui-ci.

Parvenu à ce point de son récit, Khalid se rembrunit de colère. Il cracha de haine et abreuva le gouverneur de malédictions ; puis il reprit :

“D'après la loi, il n'avait nul droit de me traduire en justice. J'avais certes fait l'amour avec sa fille mais, en contrepartie, j'avais fait d'elle le sujet de mainte belle chanson ; et son père lui-même devait bien comprendre qu'un homme de mon rang ne pouvait épouser la fille d'un Berbère d'aussi bas lignage. J'avais également blessé son fils ; mais celui-ci m'avait attaqué et n'avait dû qu'à ma mansuétude d'avoir la vie sauve. S'il avait été équitable, le gouverneur aurait donc dû m'être reconnaissant ; mais il n'a écouté que sa méchanceté, sans pareille dans tout Malaga, et voilà ce qu'il a trouvé. Ecoute, ô païen, et étonne-toi !”

Orm écouta volontiers, bien que nombre des mots employés par Khalid lui fussent inconnus ; et les hommes assis sur les bancs voisins prêtèrent aussi l'oreille, car il ne baissait nullement la voix pour faire le récit de ses malheurs.

“Il fit réciter l'un de mes plus beaux poèmes et me demanda si j'en étais l'auteur. Je répondis que chacun, à Malaga, connaissait ce chant et savait que je l'avais composé, car il était à la gloire de la cité et c'était le plus beau qui existât. Il comportait en particulier ces vers :

Et je sais une chose avec certitude : le Prophète
eût-il goûté une seule fois à la récolte des vignobles
il n'aurait jamais, comme il l'a fait en trouble-fête,

jeté dans le livre l'interdit contre des grappes si nobles.
Non, heureux, la coupe pleine et le rouge aux babines,
il aurait, en célébrant le vin, perfectionné sa doctrine."

Après avoir récité ces vers, Khalid fondit en larmes et dit que c'était à cause d'eux qu'il avait été condamné aux galères. Car, en tant que gardien de la vraie foi et représentant du Prophète sur la terre, la calife avait décidé que quiconque L'offenserait ou oserait critiquer Sa doctrine serait sévèrement châtié. Le vindicatif gouverneur avait jugé que c'était la meilleure façon d'assouvir sa vengeance, sous prétexte de défendre la foi.

"Mais je me console à la pensée que ce ne saurait durer longtemps ; car ma famille est plus puissante que la sienne et bien vue du calife, aussi ma délivrance ne peut-elle tarder. C'est pourquoi personne, ici, n'ose me faire tâter du fouet ; chacun sait que nul ne porte impunément la main sur un descendant du Prophète."

Orm lui demanda quand ce Prophète avait vécu et Khalid lui répondit qu'il y avait plus de trois cent cinquante ans de cela. Orm dit alors que ce Prophète devait, en vérité, être un homme bien puissant, puisqu'il était encore capable de protéger les membres de sa famille et de décider de ce que son peuple devait boire. Personne, chez lui, en Scanie, n'avait détenu un pouvoir aussi grand, même pas le roi Ivar aux longs Bras, qui avait été le plus redoutable de tous ceux qui y avaient vécu.

"Mais il est vrai, ajouta-t-il, que chez nous personne ne s'occupe de ce que boit l'autre, qu'il soit roi ou non."

Orm fit de gros progrès en langue arabe, une fois qu'il eut Khalid pour camarade, car celui-ci n'arrêtait pas de parler et avait beaucoup de choses à dire. Après un certain temps, il désira savoir où se trouvait le pays d'Orm et comment ce dernier était arrivé parmi eux.

Orm lui raconta alors l'expédition de Krok, comment il avait été amené à y participer et ce qui s'était passé ensuite. Après avoir narré tout cela de son mieux, il ajouta :

"Une bonne partie de ce qui nous est arrivé est donc dû à notre rencontre avec le juif Salaman. Il avait peut-être de la chance en ce qui le concernait, puisqu'il a été délivré de sa captivité ; et, tant qu'il a été avec nous, les choses se sont bien déroulées. Il disait être un homme important dans la ville de Tolède, où il exerçait le métier d'orfèvre et était le plus grand des poètes."

Khalid répondit qu'il connaissait fort bien Salaman, car ses orfèvreries étaient très célèbres ; et, comme poète, il était également bon, pour quelqu'un qui était originaire de Tolède.

"Il n'y a pas très longtemps, dit Khalid, j'ai entendu un poème de lui que chantait un troubadour itinérant venu du nord ; il y racontait qu'il était tombé aux mains d'un margrave des Asturies qui l'avait fait beaucoup souffrir, mais qu'il lui avait ensuite échappé et qu'il avait guidé de sauvages pirates jusqu'à son repaire, qu'ils avaient pris celui-ci d'assaut et avaient tué le margrave, avant de ficher sa tête en haut d'une pique et de rentrer chez eux avec ses trésors. Il était assez bien composé, ce poème, malgré la simplicité de son art, bien que dénué de cette douceur de ton qui est de mise parmi les meilleurs versificateurs de Malaga.

— Il n'est pas avare de ses exploits, dit Orm ; et, s'il a pu faire tant de choses pour se venger d'un ennemi, il devrait bien en faire un peu, aussi, pour récompenser les amis qui lui sont venus tellement en aide. C'est nous qui l'avons libéré, qui avons pris d'assaut ce fort et qui avons exécuté sa vengeance ; s'il est aussi puissant que cela dans ce pays, il pourrait bien nous rendre un service, à nous qui en sommes réduits à ce triste sort. Car je vois mal comment nous pourrions recouvrer la liberté, autrement."

Khalid dit que Salaman était bien connu pour sa richesse et qu'il était bien vu du calife, quoi qu'il ne professât pas la vraie foi. Orm se mit à nourrir certains espoirs, mais se garda bien de révéler à ses compatriotes ce qu'il venait d'apprendre de la bouche de leur compagnon d'infortune. Khalid finit par lui promettre de faire parvenir un message de leur part à Salaman, dès qu'il serait libre.

Voyant les jours passer sans que sa délivrance intervienne, Khalid se montra de plus en plus inquiet et s'en prit avec une véhémence croissante aux membres de sa famille, leur reprochant leur apathie ; il commença aussi à composer un long poème sur les méfaits du vin, qu'il espérait pouvoir coucher par écrit dans quelque port et faire ensuite parvenir au calife, afin que sa pensée sur ce point soit mieux connue ; mais, une fois parvenu à l'endroit où il s'agissait de vanter l'eau et le jus de citron, en fait de boisson, son inspiration s'avéra légèrement défaillante. Bien que continuant toujours à invectiver ceux qui commandaient le navire, dans ses moments les plus sombres, il ne reçut jamais le moindre coup de fouet ; Orm voulut y voir le signe qu'il ne serait pas des leurs bien longtemps.

Un matin, dans un port oriental où leur navire faisait relâche, après avoir, en compagnie de plusieurs autres, mené rudement la chasse à des pirates africains, quatre hommes montèrent à bord. A leur vue, Khalid explosa de joie, sans se soucier de répondre aux questions que lui posait Orm. L'un de ces hommes était un fonctionnaire portant une haute coiffe et un manteau lui descendant jusqu'aux pieds : il remit au capitaine une lettre que celui-ci toucha tout d'abord avec son front, avant de la lire avec tous les signes du respect le plus profond. Un autre semblait être un parent de Khalid car, dès que celui-ci fut libéré de ses fers, ils se jetèrent dans les bras l'un de l'autre, s'embrassèrent et se mirent à se parler en se coupant mutuellement la parole. Les deux derniers étaient des serviteurs qui portaient des paniers et des vêtements ; ils passèrent à Khalid une très belle robe et lui donnèrent à boire. Orm l'interpella pour lui rappeler sa promesse, mais Khalid était déjà très occupé à réprimander son parent, qui avait oublié de faire venir avec lui un barbier, et ne l'entendit pas. Aussitôt après, Khalid débarqua avec sa suite, humblement salué au passage par le capitaine ; il se contenta d'un signe de tête, ne semblant pas vraiment s'apercevoir de la présence de qui que ce soit, avant de s'éloigner en tenant le bras de son parent.

Orm en fut bien attristé, car Khalid avait été pour lui un bon compagnon et il avait peur que, maintenant qu'il était libre, il ne s'estime trop important pour se souvenir de sa promesse. Un nouveau galérien prit place à côté d'Orm, un commerçant surpris à utiliser des poids truqués. Il se lassait bien vite, n'était pas bon à grand-chose et tâta du fouet à plusieurs reprises, ce qui lui fit pousser de grands cris et marmonner des prières dans sa barbe. Orm n'eut guère à se louer de sa compagnie et ce fut sa période la plus pénible sur cette galère. Il espérait toujours en Khalid et Salaman, mais cet espoir décroissait au fil des jours.

C'est à Cadix que la chance fut enfin avec eux. Un officier monta à bord, à la tête d'un groupe de soldats, et tous les vikings furent libérés de leurs chaînes. On leur donna des vêtements et des chaussures et on les transféra sur un autre navire, qui remonta le large fleuve jusqu'à Cordoue. Ils durent encore aider à ramer tout ce temps, mais sans être entravés ni fouettés, et furent fréquemment relayés ; ils purent même s'asseoir les uns près des autres et se parler librement, pour la première fois depuis bien longtemps. Ils étaient alors aux galères depuis plus de deux années, et la troisième était bien entamée. Toke, qui chantait et riait tout son soûl, dit qu'il ne savait pas vraiment ce qu'il allait advenir d'eux, mais qu'il était certain d'une chose : il était grand temps qu'il puisse étancher sa soif. Orm lui répondit qu'il préférait qu'il attende pour cela des circonstances plus favorables ; car il serait bien dommage qu'il s'ensuive des violences, comme il en survenait volontiers, d'après ses souvenirs, lorsque Toke buvait autant qu'il le voulait. Celui-ci tomba d'accord pour dire qu'il serait bon que cela tarde un peu, en effet, mais que cette attente lui serait bien pénible. Tous se demandaient ce qu'on allait faire d'eux et Orm leur raconta alors ce que Khalid lui avait dit du juif. Ils firent l'éloge de ce dernier et, bien qu'Orm fût le plus jeune d'entre eux, ils le considérèrent dès lors comme leur chef.

Orm interrogea l'officier sur le sort qui leur était réservé et lui demanda s'il connaissait le juif Salaman. Mais tout ce que savait l'autre, c'était qu'on lui avait ordonné de les conduire à Cordoue. Quant à ce juif, il lui était inconnu.

Ils arrivèrent à la ville du calife et virent celle-ci étaler des deux côtés du fleuve ses maisons serrées les unes contre les autres, ses palais immaculés, ses palmeraies et ses tours. Ils s'étonnèrent de sa taille et de sa beauté, qui dépassaient tout ce qu'ils auraient pu croire ; et cette richesse leur paraissait suffisante pour fournir du butin à profusion à tous les hardis navigateurs du royaume de Danemark.

On leur fit traverser la ville et ils virent avec curiosité la foule qui les entourait ; les hommes se plaignirent du petit nombre de femmes qu'on y remarquait et du peu qu'on pouvait distinguer de celles-ci, car elles étaient toutes voilées de la tête aux pieds.

"Je ne sais pas ce qu'il faudrait, dit Toke, pour qu'une femme ne me semble pas belle, maintenant, si seulement j'avais l'occasion de lui adresser la parole ; car voilà trois ans que nous sommes parmi ce peuple sans avoir pu en approcher une seule.

— Si on nous rend notre liberté, dit Ögmund, nous pourrons nous procurer des femmes aussi bien ici qu'ailleurs ; car leurs hommes ne nous arrivent pas à la cheville.

— Il paraît, dit Orm, que dans ce pays chaque homme peut avoir quatre femmes, s'il professe la foi du Prophète. Mais, dans ce cas, il n'a plus le droit de boire de vin.

— C'est un choix bien difficile à faire, répondit Toke, car leur bière n'est guère à mon goût. Mais il se peut que nous n'ayons pas goûté les meilleures. Et quant à quatre femmes, il me semble bien que c'est ce dont j'ai besoin."

Ils furent conduits dans une vaste enceinte, où il y avait de nombreux soldats et où ils passèrent la nuit. Le lendemain matin, un étranger vint les emmener dans une maison située non loin de là. Ils y furent confiés aux soins de barbiers et de baigneurs et on leur apporta des boissons fraîches dans de belles petites coupes. Puis on leur donna des vêtements plus fins, qui ne leur écorchaient pas autant la peau car, depuis le temps qu'ils vivaient nus, tout tissu un peu rêche leur faisait mal. Ils se regardèrent et se mirent à rire en voyant à quel point ils étaient transformés ; et ils n'étaient pas encore revenus de leur étonnement quand ils furent conduits dans une salle de festin, où un homme vint à leur rencontre pour leur souhaiter la bienvenue. Ils reconnurent aussitôt Salaman, bien que celui-ci eût beaucoup changé, lui aussi, depuis le dernière fois qu'ils l'avaient vu ; il était évident, maintenant, que c'était un homme riche et puissant.

Il se montra très aimable envers eux, leur offrit à boire et à manger et les pria de se considérer comme chez eux ; mais il avait oublié la plus grande partie de ce qu'il avait appris en matière de langue norroise et seuls Orm et lui purent donc s'entretenir. Il dit qu'il avait fait tout ce qu'il avait pu pour eux, dès qu'il avait appris quel était leur sort ; car ils lui avaient un jour rendu le plus grand service et c'était un plaisir pour lui que de les payer de retour. Orm le remercia de son mieux ; mais ce qu'il désirait savoir avant tout, dit-il, c'était s'ils étaient désormais des hommes libres ou bien toujours des esclaves.

Salaman dit que les esclaves du calife le restaient à jamais, il ne pouvait rien à cela ; mais ils allaient maintenant servir dans sa garde, qui était composée des meilleurs prisonniers de guerre et d'esclaves achetés dans les pays étrangers. Les califes de Cordoue avaient de tout temps eu une telle garde, car ils se sentait plus sûrs de l'avoir auprès d'eux que leurs propres sujets en armes, ceux-ci pouvant plus facilement être incités par leur famille et leurs amis à porter la main sur leur souverain quand le mécontentement grondait dans le pays.

Mais, avant d'être incorporés dans cette garde, dit-il, ils allaient tout d'abord être ses hôtes, afin de se remettre quelque peu de leurs peines ; ils restèrent donc chez lui pendant cinq jours, au cours desquels ils menèrent l'existence des héros à la table d'Odin. Ils purent se repaître de mets délicieux et on leur apporta à boire quand ils le désiraient ; des musiciens jouèrent pour eux et, tous les soirs, ils allèrent se coucher gavés de vin, car aucun Prophète n'avait interdit à Salaman l'usage de celui-ci. Mais Orm et les autres ne lâchèrent pas Toke du coin de l'œil, de peur qu'il ne se mette à boire un peu trop, puis à pleurer et à devenir dangereux. Leur hôte leur fournit à chacun une esclave pour leur tenir compagnie au lit et cela les réjouit plus que tout le reste. Ils louèrent sa munificence, digne d'un chef et même d'un viking ; et Toke put répéter qu'il n'avait jamais fait meilleure pêche que le jour où il avait tiré de l'eau ce noble juif. Ils restèrent au lit tard le matin, sur les matelas les plus doux qu'ils eussent connus et, à table, ils se disputaient sans animosité pour savoir lequel avait droit à la plus belle esclave, aucun d'eux ne voulant échanger la sienne.

Le troisième soir, Salaman dit à Orm et à Toke de le suivre, car il y avait une autre personne envers laquelle ils devaient être reconnaissants de leur liberté et qui avait peut-être fait plus pour eux que lui-même. Ils le suivirent le long de mainte petite rue et Orm demanda si Khalid, le grand poète de Malaga, se trouvait à Cordoue et si c'était lui qu'ils allaient voir. Mais Salaman lui répondit qu'il s'agissait d'un bien plus grand personnage encore.

"Et seul un étranger, ajouta-t-il, peut croire que ce Khalid est un grand poète, même s'il se donne pour tel lui-même. Lorsque je fais le compte des grands poètes véritables qui comptent parmi les sujets du calife, je nous trouve au nombre de cinq. Et Khalid n'en sera jamais, aussi appliqué puisse-t-il être à l'art des rimes. Mais tu as raison, Orm, d'avoir envers lui d'amicales pensées car, sans le message qu'il m'a fait parvenir, je n'aurais jamais eu connaissance de ton sort et de celui de tes hommes ; c'est pourquoi, si tu le rencontres et qu'il se pare du titre de poète, ne le contredis pas."

Orm répondit qu'il avait assez de bon sens pour ne pas contrarier les poètes à propos de leur grandeur ; et Toke voulut savoir pourquoi on l'avait emmené, alors qu'il ne comprenait pas un mot de ce qui se disait et qu'il se trouvait si bien dans la maison où il était. Salaman lui répondit que sa présence était nécessaire, car ordre en avait été donné.

Ils arrivèrent à un jardin entouré d'une clôture et à une petite porte qui s'ouvrit devant eux ; ils entrèrent et se trouvèrent au milieu de beaux arbres et de plantes de toutes les couleurs, parvenant pour finir à un endroit où jouait un grand jet d'eau et où une eau limpide serpentait en petits ruisseaux entre des herbes fleuries. Du côté opposé s'avança une chaise portée par quatre esclaves, suivis par deux femmes de la même condition et de deux hommes de couleur armés d'une épée.

Salaman s'arrêta et Orm et Toke l'imitèrent ; la chaise fut posée sur le sol et les femmes s'empressèrent de venir respectueusement se placer de chaque côté de la portière, lorsqu'une femme voilée en descendit. Salaman s'inclina profondément devant elle à trois reprises, les mains sur le front, et Orm et Toke comprirent qu'elle devait être de sang royal ; mais ils restèrent droits, car il leur semblait indigne d'un homme de s'incliner devant une femme.

Elle salua Salaman d'un signe de tête très digne et regarda Orm et Toke en marmonnant quelque chose sous son voile ; ses yeux traduisaient la bienveillance. Salaman s'inclina à nouveau devant elle et dit :

"Guerriers venus du Nord, remerciez Son Altesse la princesse Subaïda ; c'est à son pouvoir que vous devez votre liberté."

Orm dit alors à celle-ci :

“Si tu as contribué à notre libération, nous t’en devons la plus grande gratitude. Mais nous ne savons pas qui tu es ni pourquoi tu nous as fait cette faveur.

— Pourtant, nous nous sommes déjà rencontrés, dit-elle, et peut-être ne m’avez-vous pas totalement oubliée depuis ce temps, tous les deux.”

En prononçant ces paroles elle ôta son voile et Salaman s’inclina à nouveau. Toke se passa la main sur la barbe et dit à Orm :

“C’est la jeune fille du fort, et elle est encore plus belle maintenant que jadis. Elle est certainement favorisée par la fortune, si elle a pu devenir reine. J’aimerais bien savoir si elle est heureuse de me revoir.”

Elle regarda Toke et dit :

“Pourquoi parles-tu à ton ami et pas à moi ?”

Orm répondit que Toke ne parlait pas la langue arabe mais qu’il se souvenait bien d’elle et qu’il trouvait que sa beauté était encore plus grande que la dernière fois qu’il l’avait vue.

“Et nous sommes tous deux bien heureux, dit Orm, que tu sois au comble du bonheur et du pouvoir ; car tu nous parais mériter l’un autant que l’autre.”

Elle regarda Orm avec un petit sourire et lui dit :

“Mais toi, homme aux cheveux roux, tu as appris cette langue, toi comme moi. Quel est le meilleur guerrier des deux, toi ou bien ton ami, qui était mon maître ?

— Nous sommes tous deux estimés être des hommes de valeur, répondit Orm, mais je suis jeune et n’ai pas encore autant d’expérience que lui ; et il a acquis beaucoup de gloire le jour où nous avons pris d’assaut le fort où tu étais. C’est pourquoi je pense qu’il est encore le meilleur de nous deux, bien qu’il ne puisse te le dire lui-même dans la langue de ce pays. Mais, encore au-dessus de nous, il y avait Krok, qui est mort désormais."

Elle dit qu'elle se souvenait de Krok et que les bons chefs vivaient rarement bien longtemps. Orm lui narra les circonstances de sa mort, elle hocha la tête et dit :

"Entre vous et moi, le destin a tissé une toile bien étrange. Vous avez pris d'assaut le fort de mon père, vous l'avez tué, ainsi que la plupart de ceux qui se trouvaient là, et je devrais donc en vouloir à votre vie. Mais mon père était un homme cruel, en particulier envers ma mère, je le haïssais et le craignais à l'égal d'un diable velu. Sa mort m'a fait l'effet d'une bonne chose et je n'ai pas eu de peine de me retrouver au milieu d'étrangers ; pas plus que d'être aimée de ton ami, bien que nous ayons eu le malheur de ne pouvoir nous parler. Je n'aimais pas beaucoup l'odeur de sa barbe ; mais il avait des yeux gais et un rire aimable, et cela me plaisait. Il me touchait délicatement, même quand il était pris de boisson et brûlant de désir. Aucun bleu n'est venu meurtrir mon corps pendant que j'étais avec lui et il m'a donné un fardeau facile à porter, pour regagner le navire. C'est pourquoi je l'aurais volontiers suivi dans votre pays. Dis-le lui de ma part !"

Orm répéta à Toke ce qu'elle avait dit. Celui-ci fut tout content d'entendre ces propos et dit :

"Tu vois comme j'ai de la chance avec les femmes. Mais elle est au-dessus de toutes les autres, dis-le lui de ma part. Crois-tu qu'elle veuille faire de moi l'un des grands personnages de ce pays ?"

Orm répondit qu'elle n'avait rien dit à ce sujet ; et, après lui avoir traduit les paroles de Toke, il la pria de raconter ce qui lui était arrivé depuis leur séparation.

"Le commandant du navire m'a amenée, ici, à Cordoue, dit-elle ; pour sa part, il ne m'a pas touchée, bien que j'aie dû me mettre nue devant lui. Il avait compris que j'étais un présent digne de son maître, le vizir. J'appartiens maintenant à Almansur, le vizir du calife et l'homme le plus puissant du pays ; après m'avoir fait instruire dans la religion du Prophète, il m'a fait passer du rang d'esclave à celui de première épouse, car il estimait ma beauté supérieure à celle des autres femmes. Allah soit loué de m'avoir fait cette faveur ! Mais c'est grâce à vous que j'ai eu cette chance car, si vous n'étiez pas venus prendre d'assaut le fort de mon père, j'y serais encore à trembler de peur devant lui et j'aurais eu un mauvais époux malgré toute ma beauté. Et c'est pour cette raison que j'ai voulu vous venir en aide, dans la mesure de mes moyens, quand Salaman, qui forge mes plus beaux bijoux, m'a appris que vous étiez encore en vie.

— Nous sommes redevables à trois personnes, dit Orm, de nous avoir aidés à quitter le banc des galériens ; à toi et à Salaman et à un homme de Malaga du nom de Khalid. Mais nous savons désormais que c'est ton pouvoir qui l'emporte sur les autres et c'est pourquoi nous te remercions plus que quiconque. Notre chance a voulu que notre chemin croise celui de personnes comme toi et les deux autres, sinon nous serions encore dans cette galère sans autre perspective que la mort. Nous sommes donc tout disposés à entrer au service de ton maître et à l'aider contre ses ennemis. Mais il est étrange que ton pouvoir ait été assez grand pour le convaincre de nous relâcher car, depuis le temps des fils de Lodbrok, nous autres vikings sommes considérés comme des ennemis, dans ces contrées.

— Vous avez rendu à Almansur, mon maître, le service de vous emparer de la forteresse de mon père et de me faire tomber entre ses mains. Et il est bien connu parmi nous que les gens de votre pays sont des hommes de parole et de bons guerriers. Car le calife Abderrachman le Grand, de même que son père l'émir Abdallah, avaient de nombreux hommes du Nord dans leur garde personnelle ; ils ravageaient alors sans pitié les côtes de l'Espagne mais, depuis ce temps-là, peu nombreux sont ceux qui sont venus ici et, avant vous, il n'y en avait aucun dans la garde. Si vous servez fidèlement mon maître Almansur, vous serez récompensés avec largesse et le chef de la garde vous donnera, à vous et à vos hommes, une armure complète et de bonnes armes. Mais, pour vous deux, j'ai un cadeau personnel."

Elle appela alors l'une des esclaves qui se tenait près de la chaise à porteurs et celle-ci s'avança avec deux épées ; elles étaient présentées dans des fourreaux artistiquement ciselés, au bout de ceintures ornées de lourdes boucles d'argent. Elle tendit l'une à Orm et l'autre à Toke. Ceux-ci les reçurent avec beaucoup de joie car tous deux avaient eu l'impression d'être un peu nus, sans armes, comme ils l'avaient été jusque-là. Chacun dégaina son épée, en examina la lame de près et fit l'essai de la poignée. Salaman observa ces épées et dit :

"Elles viennent de Tolède, où sont les meilleurs fondeurs, tant d'argent que d'acier. On y fabrique encore des épées droites, comme au temps des rois goths, avant que les serviteurs du Prophète n'arrivent dans ce pays. Et personne, de nos jours, ne fabrique de meilleures épées."

Toke exprima son contentement au moyen d'un rire très sonore, marmonna quelque chose dans sa barbe et dit :

"Longtemps les mains des guerriers
ont tenu la rame de bois :
il est bon d'avoir enfin à soi
la lame d'un soldat."

Orm ne voulut pas être en reste en matière de poésie ; il réfléchit un instant, tint l'épée devant lui et dit :

> *"Cette épée, don d'une belle,*
> *je la tiens de ma main gauche*
> *comme Tyr, gaucher du ciel :*
> *le serpent peut mordre à nouveau*."*

Subaïda éclata de rire et dit :

"Donner une épée à un homme, c'est comme donner un miroir à une femme : ils n'ont d'yeux que pour cela, l'un et l'autre. Mais il est bon de voir son cadeau aussi bien accueilli ; puissiez-vous le porter avec bonheur !"

Orm lui dit alors :

"Nous avons l'impression d'être des chefs, Toke et moi, car nous n'avons jamais vu d'aussi bonnes épées que celles-ci. Et, si Almansur, ton maître, te ressemble, il est digne qu'on le serve."

Ceci marqua le terme de leur rencontre, car Subaïda dit qu'il était temps pour elle de prendre congé, mais qu'ils auraient peut-être l'occasion de la revoir ; là-dessus, elle monta dans sa chaise et les porteurs l'emmenèrent.

Ils revinrent chez Salaman en compagnie de celui-ci et tous eurent beaucoup à dire à la louange de Subaïda et de ses présents. Salaman dit qu'il la connaissait depuis plus d'un an, car il lui avait à plusieurs reprises vendu des bijoux, et il avait tout de suite vu que c'était la même personne que Toke avait enlevée dans le fort du margrave, bien que sa beauté n'ait fait qu'augmenter depuis lors. Toke répondit :

"Elle est belle et bonne et n'oublie pas ceux qu'elle aime ; mais pour moi il est dur, maintenant que je l'ai

* Jeu de mots entre le nom du héros et celui qui veut dire "serpent".

revue, de savoir qu'elle est mariée à un grand de ce monde. Pourtant, je suis heureux qu'elle n'appartienne pas à ce gros pansu au marteau d'argent qui nous a faits prisonniers ; j'en aurais encore bien plus souffert. Et je ne veux pas trop me plaindre, car celle que m'a donnée Salaman est bien belle aussi."

Orm posa alors certaines questions à propos d'Almansur, le maître de Subaïda. Il voulait surtout savoir comment celui-ci pouvait être l'homme le plus puissant du pays ; car, logiquement, c'était le calife qui devait l'être. Salaman lui expliqua alors ce qu'il en était. Hacham le Grand, ancien calife de Cordoue et fils d'Abderrachman le Grand, avait été un très puissant seigneur, bien qu'il ait passé la moitié de sa vie à lire des livres et à parler avec des érudits. A sa mort, il avait laissé un enfant en bas âge du nom de Hischam, l'actuel calife. Pour gouverner le pays pendant la minorité de celui-ci, Hacham avait désigné le meilleur de ses fonctionnaires et le favori de son épouse, la mère de l'enfant. Mais ceux-ci avaient pris goût au pouvoir et gardaient maintenant le calife prisonnier dans son palais, sous prétexte qu'il était trop pieux pour s'occuper des affaires de ce monde. En sa qualité de régent, ce fonctionnaire avait remporté de nombreuses victoires sur les chrétiens du nord, ce qui lui avait valu le surnom d'Almansur, ce qui veut dire : le victorieux. La reine, mère du calife, avait aimé Almansur plus que tout au monde, mais celui-ci s'était lassé d'elle, car elle était plus vieille que lui et parfois bien susceptible quant à l'exercice du pouvoir. C'est pourquoi elle était maintenant sa prisonnière, comme son fils le calife, et Almansur gouvernait seul le pays au nom de ce dernier. Bien des gens le haïssaient pour ce qu'il avait fait au calife et à sa mère ; mais d'autres l'aimaient pour ses victoires sur les chrétiens.

Envers sa garde personnelle, c'était un bon maître, car il se reposait sur elle pour le protéger contre tous ceux qui le haïssaient et l'enviaient. C'est pourquoi on pouvait présumer qu'Orm et ses hommes auraient la vie assez facile dans le palais d'Almansur, en temps de paix, mais aussi tout leur soûl de combats, car chaque année Almansur partait en campagne à la tête d'une nombreuse armée, soit contre le roi des Asturies et le comte de Castille, soit contre le roi de Navarre et les comtes d'Aragon, tout là-haut dans le nord, près des marches franques. Tous ces hommes le redoutaient beaucoup, et c'est pourquoi ils préféraient parfois lui payer tribut, plutôt que s'exposer à recevoir sa visite.

"Mais ils ont du mal à se libérer de lui de la sorte, poursuivit Salaman, et c'est dû au fait que c'est un homme malheureux. C'est un homme puissant et victorieux et il connaît le succès dans toutes ses entreprises ; pourtant, tout le monde sait qu'il est sans cesse en proie à une grande frayeur. En effet, il a porté la main sur le calife, qui est l'ombre du Prophète, et lui a dérobé le pouvoir. C'est pourquoi il craint la colère d'Allah et son âme ne peut trouver le repos. Chaque année, il tente d'apaiser celui-ci au moyen d'une nouvelle campagne contre les chrétiens et c'est pourquoi il ne perçoit jamais tribut de tous les princes chrétiens à la fois, et seulement de chacun pendant une brève période. En effet, il veut toujours en avoir à sa disposition, pour les frapper de son épée, dans son zèle pour la religion. Parmi tous les guerriers nés dans ce pays, c'est lui qui est le plus redoutable et il a juré solennellement qu'il mourrait en campagne, la face tournée vers ceux qui adorent plusieurs dieux et pensent que le fils de Joseph était de nature divine. Il ne se soucie guère de poésie et de musique et les temps sont difficiles pour les scaldes, en ce moment, en comparaison de ce qu'il en était à l'époque de Hacham le Savant ; mais, à ses heures de loisir, il s'intéresse à l'orfèvrerie d'or, d'argent et aux pierres précieuses ; c'est pourquoi je ne suis pas de ceux qui disent du mal de lui. Cette maison, où nous sommes, je l'ai achetée afin de pouvoir plus facilement commercer avec lui ; puisse-t-il donc être florissant pendant longtemps et jouir de la vie car, pour un orfèvre, c'est en vérité un fort bon maître."

Voilà, entre autres choses, ce que Salaman raconta à Orm, et que celui-ci répéta à Toke et aux autres ; et tous furent d'avis que cet Almansur devait être un prince très puissant. Mais ils avaient du mal à comprendre sa peur d'Allah, car craindre les dieux était pour les hommes du Nord quelque chose d'inconnu.

Avant que le moment ne soit venu pour eux de quitter sa demeure, le juif leur donna de bons conseils sur bien des points ; quant à Toke, il lui recommanda de ne jamais laisser paraître qu'il avait autrefois possédé Subaïda.

"Car les princes n'aiment pas plus que nous autres la vie de ceux qui ont avant eux eu commerce avec leurs femmes, dit-il ; et il était courageux de sa part, à elle, d'oser vous rencontrer tous les deux, même s'il y avait des témoins pour veiller à ce que tout se passe en tout bien tout honneur. Almansur est un homme qui voit clair, en cela comme en toute autre chose, et c'est pourquoi Toke doit faire bien attention sur ce point."

Ce dernier répondit qu'il n'y avait aucune crainte à avoir en ce domaine et que ce qui le préoccupait le plus en ce moment, c'était de trouver un nom convenable pour son épée. En effet, une arme comme la sienne était sans aucun doute un aussi beau travail d'art que Gram, celle de Sigurd, ou Mimming, celle de Didrik, ou encore Skofnung, que portait Rolf Krake. Il fallait donc qu'elle ait un nom, tout comme ces dernières. Pourtant, il avait beau y réfléchir, il ne parvenait pas à en trouver un qui fût satisfaisant. Orm, pour sa part, appela la sienne Langue bleue.

Ils prirent congé de Salaman en se répandant en remerciements et furent conduits au palais d'Almansur, où ils furent accueillis par un officier de la garde qui les fit équiper et armer. Ils purent alors prendre leur service. Et Orm fut nommé à la tête de ses sept compatriotes.

VII

DU SERVICE D'ORM DANS LA GARDE D'ALMANSUR ET COMMENT IL VOGUA AVEC LA CLOCHE DE SAINT JACQUES

ORM ENTRA au service d'Almansur au cours de la huitième année du califat de Hischam, soit trois ans avant l'expédition de Bue le Fort et de Vagn Åkesson en Norvège*. Il y resta quatre ans.

Les hommes de la garde personnelle du calife jouissaient d'une grande renommée et étaient plus richement vêtus que les autres. Leurs cottes de mailles étaient minces et légères, mais meilleures et mieux trempées que toutes celles qu'Orm et ses hommes avaient vues jusque-là. Leurs heaumes avaient des reflets d'argent et, par-dessus leur armure, ils portaient parfois des manteaux écarlates. Leurs boucliers étaient ornés, sur le pourtour, d'une bande portant une inscription finement calligraphiée. Les mêmes signes se retrouvaient sur le grand étendard d'Almansur, toujours porté devant lui au cours de ses campagnes et ils voulaient dire : "Personne ne peut vaincre Allah."

Quand Orm et ses hommes se trouvèrent pour la première fois devant Almansur, afin de lui être présentés par le commandant de la garde, ils s'étonnèrent à sa vue, car ils s'étaient imaginé qu'il était de la taille des héros. Mais c'était un homme d'aspect banal, maigre et à moitié

* Cette expédition eut lieu en 986. (Voir p. 9.)

chauve, le visage verdâtre et les paupières lourdes ; il était assis au milieu de coussins, sur un large divan, et se grattait la barbe tout en parlant très vite à deux fonctionnaires assis pour leur part sur le sol, devant lui, et occupés à prendre note de ses ordres. Sur une table, près de la couche, se trouvaient un petit coffre en cuivre, et, juste à côté, une coupe contenant des fruits et une cage en osier dans laquelle de petits singes jouaient et faisaient tourner une roue. Pendant que ses employés notaient ce qu'il venait de dire, il prenait des fruits et les passait entre les barreaux de la cage, pour voir les singes se disputer ceux qu'il leur offrait et tendre leurs petits bras pour en demander d'autres. Mais il ne souriait pas au spectacle de ce comportement, se contentant de les regarder avec un air triste tout en leur présentant d'autres fruits et en se mettant à parler de nouveau à ses scribes.

Au bout d'un moment, il se désintéressa de ceux-ci et ordonna au chef de sa garde d'approcher avec ses hommes ; il leva les yeux de la cage et regarda Orm et ses compagnons. Ses yeux étaient noirs et tristes ; mais on aurait dit que quelque chose brûlait et étincelait, tout au fond de ceux-ci, de sorte qu'il était difficile de croiser son regard plus qu'un bref instant. Il examina attentivement, l'un après l'autre, les hommes qui se trouvaient devant lui et hocha la tête.

"Ces gens ont l'air de vrais guerriers, dit-il alors au commandant. Comprennent-ils notre langue ?"

L'officier désigna Orm du doigt et dit que celui-là entendait la langue arabe, mais les autres très peu ou pas du tout, et qu'ils considéraient Orm comme leur chef.

Almansur dit alors à ce dernier :

"Quel est ton nom ?"

Orm lui répondit, précisant ce qu'il signifiait. Almansur reprit alors :

"Quel est ton roi ?

— Harald Gormsson, répondit Orm, et il règne sur tout le pays des Danois.

— Je n'ai jamais entendu son nom, dit Almansur.

— Tu n'as qu'à t'en féliciter, ô maître, reprit Orm, car aussi loin que vont les navires de sa flotte, les souverains ont pâli en entendant prononcer ce nom."

Almansur regarda Orm, puis il poursuivit :

"Tu me sembles prompt à la répartie et mériter le nom que tu portes. Ton roi est-il l'ami des Francs ?"

Orm esquissa un sourire avant de répondre :

"Il était leur ami tant qu'il avait du mal à asseoir son pouvoir dans son propre pays. Mais, maintenant que la fortune est avec lui, il brûle leurs cités, tant en terre des Francs qu'en Saxe. Et c'est un roi qui est très favorisé par la fortune.

— Il se peut que ce soit un bon roi, voulut bien admettre Almansur. Qui est ton dieu ?

— Il est beaucoup plus difficile de répondre à cette question-là, dit Orm. Mes dieux sont ceux de mon peuple et on les tient pour puissants, de même que nous. Ils sont nombreux, mais certains d'entre eux sont vieux et peu de gens s'en soucient encore, mis à part les poètes. Le plus fort d'entre eux a pour nom Thor ; il est roux comme moi et passe pour l'ami de tous les humains. Mais le plus sage s'appelle Odin ; c'est le dieu des guerriers et c'est grâce à lui que nous autres, hommes du Nord, sommes tellement aptes au combat. Quant à savoir si l'un d'entre eux a fait quelque chose pour moi, je l'ignore ; en revanche, je sais bien, moi, que je n'ai guère fait pour eux. Et ils me semblent être bien éloignés de ce pays.

— Ecoute bien, païen, ce que je vais te dire, reprit Almansur. Il n'est d'autre dieu qu'Allah. Ne dis pas qu'ils sont nombreux, ne dis pas qu'ils sont trois ; il vaudra mieux pour toi, le jour du jugement, que tu ne l'aies pas dit. Allah est un, c'est l'Eternel, le Très-Haut, et Mahomet est son prophète. C'est la vérité et c'est ce que tu dois croire. Lorsque je pars en campagne contre les chrétiens, c'est pour Allah et pour le Prophète, et il ne serait pas convenable que les hommes de mon armée ne fassent pas preuve de respect envers eux. C'est pourquoi, à partir de maintenant, tes hommes et toi ne devrez invoquer d'autre dieu que le vrai."

Orm répondit :

"Nous avons coutume, nous autres gens du Nord, de ne pas invoquer inutilement nos dieux, car nous avons peur de les importuner avec nos cris. Dans ce pays, nous n'en avons invoqué aucun depuis le jour où nous avons sacrifié à celui de la mer pour lui demander un heureux retour au pays. Ce sacrifice-là a été bien vain puisque, aussitôt après, tes navires sont arrivés et nous qui sommes là avons été faits prisonniers. Il se peut que nos dieux n'aient guère de pouvoir sur ce pays et c'est pourquoi, ô maître, je ferai comme tu le désires et, près de toi, je révérerai le tien. Et je peux demander aux autres, si tu le veux, ce qu'ils comptent faire à ce propos."

Almansur opina du chef et Orm dit à ses hommes :

"Il dit que nous devons révérer son dieu. Il n'en a qu'un, il s'appelle Allah et n'aime pas du tout les autres. Je pense pour ma part que ce dieu est puissant dans ce pays, alors que les nôtres sont bien faibles, aussi loin de notre terre natale. Nous serions mieux considérés si nous nous conformions à l'usage d'ici et il serait mal avisé d'aller à l'encontre de la volonté d'Almansur sur ce point."

Les hommes furent d'avis qu'ils n'avaient guère le choix, étant donné qu'il serait bien fou de contrarier un maître tel qu'Almansur ; la conclusion de cet entretien fut donc qu'Orm se tourna à nouveau vers Almansur et lui dit qu'ils acceptaient tous de vénérer Allah et de ne pas invoquer d'autre dieu.

Almansur fit alors venir deux prêtres et un juge et, devant ceux-ci, Orm et les siens durent prononcer le serment des serviteurs de Mahomet, en répétant ce qu'Almansur avait dit à Orm, à savoir qu'il n'existe pas d'autre dieu qu'Allah et que Mahomet est son prophète. Il leur fut difficile à tous, mis à part Orm, de prononcer ces mots, bien qu'on les leur eût épelés avec grand soin.

Une fois cette cérémonie terminée, Almansur eut l'air très satisfait et il dit à ses prêtres qu'il estimait avoir rendu là un grand service à Allah ; ils parurent tous en convenir. Il plongea alors la main dans le coffret de cuivre qui se trouvait sur sa table et en sortit des pièces d'or ; il en donna quinze à chacun des hommes et le double à Orm. Ceux-ci le remercièrent et ils furent ramenés à leur quartier par le chef de la garde.

Toke dit alors :

"Nous avons renoncé aux dieux qui étaient les nôtres, et il convient peut-être de le faire en terre étrangère, où règnent d'autres que ceux-là ; mais, si jamais je reviens dans mon pays, je me soucierai plus d'eux que de cet Allah. Je pense simplement qu'il est le meilleur ici et nous avons déjà reçu de l'or à cause de lui. Il ne lui reste plus qu'à me donner des femmes pour que je lui voue un culte très sincère."

Peu après, Almansur décida de lancer une campagne contre les chrétiens et partit vers le nord avec sa garde et une nombreuse armée qui mit à sac pendant trois mois la Navarre et les comtés d'Aragon ; Orm et ses hommes y gagnèrent du butin et des femmes et furent très contents de leur condition. Par la suite, leur existence se déroula comme suit : au printemps et en automne, ils faisaient la guerre avec Almansur, mais pendant les grosses chaleurs de l'été et la période que les habitants de ces terres méridionales qualifiaient d'hiver, ils restaient à Cordoue. Ils s'efforcèrent de s'habituer aux coutumes du pays et n'eurent pas à se plaindre d'Almansur car celui-ci leur faisait souvent de riches présents, afin d'entretenir leur fidélité. Quant à ce sur quoi ils mettaient la main lors des assauts et des pillages, ils avaient le droit de le conserver, une fois prélevé le cinquième à l'intention de leur maître.

En revanche, il leur était parfois assez malaisé de faire en sorte de ne pas déplaire à Allah et au Prophète. Lorsque, au cours de leurs campagnes contre les chrétiens, ils trouvaient du vin et du lard, ils n'avaient pas le droit d'en consommer, aussi fort que fût leur désir d'y goûter. Et ils n'osaient que rarement contrevenir à cet interdit, qui leur semblait plus stupide que tout autre du même genre, car Almansur était d'une grande sévérité sur ces choses-là. Ils trouvaient aussi les prières à Allah et les prosternations devant le Prophète un peu trop souvent revenues car, lorsque Almansur était sur le sentier de la guerre, toute son armée tombait à genoux matin et soir, le visage dans la direction où on disait que se trouvait la cité du Prophète, et chacun devait s'incliner à plusieurs reprises jusqu'à toucher le sol avec le front. Ceci leur paraissait bien inconvenant pour des hommes et seulement digne de moqueries, et ils ne purent jamais s'y habituer tout à fait ; mais ils étaient d'accord pour s'en accommoder de leur mieux et pour faire comme tous les autres.

Ils se distinguèrent au combat et acquirent une grande renommée parmi tous les membres de la garde. Ils estimaient d'ailleurs eux-mêmes être les meilleurs de celle-ci et, au moment du partage du butin, personne ne leur contestait leur part. Ils étaient au nombre de huit : Orm et Toke, Halle et Ögmund, Tume qui avait partagé le banc de Toke, Gunne celui de Krok, Rapp le Borgne et Ulf, le plus âgé d'entre tous et qui, bien longtemps auparavant, lors du banquet du solstice d'hiver, avait eu la bouche fendue à la commissure des lèvres et était depuis ce temps connu sous le nom d'Ulf la Grimace, du fait que sa bouche était de travers et plus large que celle des autres. Leur chance à la guerre fut telle qu'ils ne perdirent qu'un seul des leurs au cours des quatre années où ils furent au service d'Almansur.

Pendant cette période, ils virent beaucoup de pays ; car la barbe d'Almansur ayant commencé à grisonner, celui-ci était pris d'une ardeur de plus en plus vive contre les chrétiens et restait de moins en moins en paix, chez lui, à Cordoue. Ils l'accompagnèrent tout au nord jusqu'à Pampelune, dans le royaume de Navarre, qu'ils tentèrent vainement, à deux reprises, de prendre d'assaut avant d'y réussir la troisième fois et de mettre la ville à sac ; c'est là que Tume, l'ancien compagnon d'Orm sur le banc de nage, trouva la mort, frappé par un projectile lancé par une catapulte. Ils montèrent à bord du navire amiral d'Almansur pour se rendre à Majorque et mettre à la raison le gouverneur de cette ville, qui s'était révolté ; et ils montèrent la garde quand on coupa la tête de celui-ci et de trente des membres de sa famille. Ils se battirent dans la poussière et la canicule, à Hénares, où l'armée du comte de Castille les mit en danger mais fut finalement encerclée et anéantie ; le soir, les cadavres des chrétiens furent rassemblés pour former un énorme tas du haut duquel les prêtres d'Almansur appelèrent les serviteurs du Prophète à la prière. Ils participèrent ensuite à la grande expédition contre le royaume de Léon, où le roi Sanche le Gros fut mis à rude épreuve, jusqu'à ce que ses propres hommes le jugent inutile, maintenant que son embonpoint l'empêchait de monter à cheval, et le déposent avant de venir payer tribut à Almansur.

Pendant toutes ces campagnes, Orm et ses hommes furent étonnés de la sagacité, de la puissance et de la chance d'Almansur dans ses entreprises, mais surtout de la crainte qu'il éprouvait envers Allah et de la façon dont il espérait se concilier les faveurs de son dieu. La poussière qui se déposait sur ses vêtements et sur ses chaussures, lorsqu'il était sur le sentier de la guerre, était chaque soir recueillie dans un sac de soie et, à l'issue de chaque expédition, ramenée à Cordoue. Il avait en effet donné pour instruction qu'on l'enterre avec toute la poussière amassée au cours de ses guerres contre les chrétiens ; car le Prophète avait dit : "Bienheureux ceux qui auront foulé des chemins poussiéreux pour faire la guerre aux infidèles."

Mais, en dépit de toute cette poussière, la peur qu'Almansur avait de son dieu ne s'atténuait pas ; il finit par décider une entreprise bien plus ambitieuse encore que toutes les autres et qui était de détruire la ville sainte des Asturies où était enterré l'apôtre Jacques, qui avait accompli de si grands miracles aux yeux des chrétiens. A l'automne de la douzième année du califat de Hischam, qui fut la quatrième du service d'Orm et des siens auprès d'Almansur, celui-ci rassembla une armée plus grande encore que jamais auparavant et partit vers le nord-ouest, traversant le Pays Inhabité, ancienne marche entre les Andalous et les chrétiens des Asturies.

Il atteignit les terres de ces derniers, de l'autre côté de ce désert, dans lequel aucune armée andalouse ne s'était aventurée de mémoire d'homme ; chaque jour avait lieu une escarmouche, car les chrétiens se défendaient bien dans les montagnes et dans les chemins creux. Un soir, au camp, alors qu'Almansur se reposait dans sa grande tente après la prière, les chrétiens se livrèrent à une attaque par surprise qui fut tout d'abord couronnée de succès ; une escouade d'ennemis parvint à pénétrer dans le camp, causant un grand tumulte d'appels au secours et de cris de ralliement. Almansur sortit en toute hâte de sa tente, son heaume sur la tête et l'épée à la main, mais sans cotte de mailles, afin de voir ce qui se passait. Orm et deux de ses hommes, Halle et Rapp le Borgne, montaient la garde à l'entrée de la tente ce soir-là. Soudain, un groupe de cavaliers ennemis arriva au galop et, voyant Almansur et le reconnaissant au voile vert de son heaume (il était seul de toute l'armée à porter cette couleur), ils poussèrent des hurlements de joie et lancèrent leurs javelots contre lui. Il faisait presque nuit et Almansur était maintenant trop âgé pour parer le coup de lui-même. Orm, qui se trouvait juste à côté, se jeta en avant et le fit tomber à terre. Son propre bouclier fut atteint par deux des javelots et il reçut un troisième dans l'épaule. Quant au quatrième, il toucha Almansur au côté, tandis qu'il gisait à terre, faisant jaillir le sang. Halle et Rapp se ruèrent vers l'ennemi et lancèrent leurs propres javelots, abattant l'un des assaillants. Les soldats d'Almansur surgirent alors de toutes parts et les chrétiens furent tués ou mis en fuite.

Orm retira le javelot qui l'avait atteint et aida Almansur à se remettre sur ses pieds, se demandant un peu comment celui-ci allait accepter d'avoir été ainsi bousculé et renversé. Mais il se montra heureux de sa blessure, qui était la première qu'il ait jamais eue ; car il estimait que c'était un grand honneur de verser son sang pour Allah, d'autant plus que le mal n'était pas grand. Il fit appeler trois des commandants de sa cavalerie et leur reprocha devant ses officiers assemblés d'avoir si mal monté la garde sur le camp. Ceux-ci se jetèrent à ses pieds en pleurs, reconnaissant leur faute ; comme il en avait l'habitude lorsqu'il était d'humeur clémente, Almansur leur donna le temps de faire leurs prières avant d'avoir la tête tranchée.

Il donna à Halle et Rapp une poignée de pièces d'or chacun ; puis, devant tous les officiers de l'armée assemblés, il fit approcher Orm. Il le regarda et dit :

"Tu as porté la main sur ton seigneur et maître, rouquin, et nul guerrier n'a le droit de le faire. Et tu as porté atteinte à mon honneur en me jetant à terre. Qu'as-tu à dire pour ta défense ?

— Plusieurs javelots étaient en l'air, dit Orm, et il n'y avait rien d'autre à faire. Et je pense, ô maître, que ta gloire est telle qu'elle ne saurait souffrir d'une si petite atteinte. De plus, tu es tombé face à l'ennemi et nul ne peut dire que tu t'es dérobé."

Almansur resta silencieux, palpant sa barbe. Puis il hocha la tête et dit :

"Il me paraît que ta défense est judicieuse. Il est vrai que tu m'as sauvé la vie, et celle-ci peut encore servir à quelque chose."

Il fit alors tirer du coffre contenant son trésor un lourd collier d'or et dit :

"Je vois que tu as été touché à l'épaule par un javelot qui doit te faire bien mal. Mais voici de quoi te guérir."

Il passa le collier au cou d'Orm, ce qui constituait un honneur bien rare ; après cela, Orm et les siens furent encore plus en faveur auprès de lui que jamais auparavant. Toke examina le collier de près et se déclara fier de voir son ami posséder un bijou d'une telle valeur.

"Il est certain, dit-il, qu'Almansur est le plus grand des princes qu'on puisse servir. Pourtant, je considère comme une grande chance pour toi, Orm, et pour nous tous, que tu ne l'aies pas culbuté sur le dos."

L'armée poursuivit sa marche et finit par arriver devant la ville sainte des chrétiens, où l'apôtre Jacques est enterré sous un grand sanctuaire élevé à sa mémoire. La bataille fut acharnée, car les chrétiens pensaient que leur apôtre allait leur venir en aide, et ils résistèrent jusqu'au bout ; mais ils succombèrent finalement sous le nombre et les troupes d'Almansur emportèrent la ville et y mirent le feu.

De grands trésors y avaient été accumulés par les chrétiens du pays tout entier, car la cité n'avait jamais été menacée par un ennemi quelconque ; on fit donc ample butin et force prisonniers. Mais ce qu'Almansur désirait surtout détruire, c'était la grande église édifiée au-dessus de la tombe de l'apôtre. Or, celle-ci était en pierre et impossible à incendier. Il donna donc l'ordre de la faire démolir par les prisonniers et par ses propres soldats. Dans les tours se trouvaient douze grosses cloches, chacune appelée d'après l'un des apôtres ; elles avaient un fort beau timbre et étaient considérées comme des merveilles par les chrétiens, et en particulier la plus grosse d'entre elles, qui portait le nom de Jacques.

Almansur ordonna que ces cloches soient transportées jusqu'à Cordoue par les chrétiens faits prisonniers, afin qu'elles soient installées dans la grande mosquée, la gueule en l'air, et remplies d'huiles odorantes qui brûleraient en l'honneur d'Allah et du Prophète. Elles étaient fort lourdes à porter et de grandes litières furent donc fabriquées à cet effet ; soixante captifs se relaieraient pour transporter chacune d'entre elles. Mais celle de saint Jacques s'avéra trop lourde pour qu'on puisse la transporter de cette façon ; il était également impossible de lui faire franchir les routes de montagne sur des chariots tirés par des bœufs. Pourtant, Almansur ne voulait à aucun prix laisser sur place cette cloche, qu'il estimait être son butin le plus précieux.

Il fit alors construire une plate-forme sur laquelle poser la cloche ; elle devait ensuite être amenée, sur des rondins, jusqu'à une rivière située à proximité, d'où un navire la transporterait à Cordoue. Une fois la plate-forme terminée et placée sur ces rondins, des madriers furent passés dans la boucle de la cloche et une foule d'hommes s'employa à tenter de la charger. Mais ces méridionaux n'étaient pas de taille pour cela, ni assez puissants, et, lorsqu'ils s'avisèrent d'utiliser des madriers plus longs, afin d'être plus nombreux à soulever, ceux-ci se brisèrent et la cloche demeura là où elle se trouvait. Orm et les siens, arrivant sur ces entrefaites, virent ce spectacle et se mirent à rire. Toke dit alors :

"Six hommes adultes n'auraient pas de mal à la soulever.

— M'est avis, coupa Orm, que quatre suffiraient."

Sur ces mots, il s'avança, en compagnie de Toke, d'Ögmund et de Rapp le Borgne. Ils passèrent une courte barre dans la boucle de la cloche et hissèrent celle-ci sur la plate-forme.

Almansur, qui s'était approché sur son cheval, s'arrêta pour les regarder faire ; puis il fit venir Orm et lui dit :

"Allah – béni soit son nom ! – vous a fait don, à toi et à tes hommes, d'une grande force. Il me semble donc que vous êtes tout indiqués pour placer cette cloche à bord d'un navire et la convoyer jusqu'à Cordoue ; car personne d'autre ne peut en venir à bout."

Orm s'inclina devant lui et lui répondit qu'il ne lui paraissait pas difficile de s'acquitter de cette tâche.

Là-dessus, Almansur fit désigner un certain nombre de bons esclaves parmi les prisonniers afin qu'ils descendent la cloche jusqu'à la rivière, à l'endroit à partir duquel celle-ci était navigable, et pour faire office de rameurs sur un navire pris aux Asturiens qui les attendait. Deux fonctionnaires de sa chancellerie étaient chargés de veiller à ce que le transport se déroule bien.

Des cordes furent passées autour de la plate-forme et Orm et ses hommes s'éloignèrent, avec la cloche et ceux qui étaient chargés de la faire avancer ; certains des esclaves tiraient le chargement, d'autres s'occupaient des rondins. Ce fut un trajet bien pénible à effectuer, car la route était presque partout en pente et la cloche leur échappait parfois, écrasant au début certains de ceux qui devaient changer les rondins de place. Orm fit alors attacher des cordes à l'arrière de la plate-forme, ce qui permit de la retenir aux endroits les plus escarpés ; cela facilita grandement les choses et ils purent ainsi gagner la rivière et le bateau qui les attendait.

C'était un navire de commerce qui n'était pas très grand, mais bien construit et ponté ; il était doté d'un mât et d'une voile, en plus de dix paires d'avirons. Orm et ses hommes hissèrent la cloche à bord et l'arrimèrent solidement à l'aide de cordes et de cales de bois ; puis ils assignèrent leurs places aux esclaves et se mirent à descendre la rivière. Celle-ci coulait en direction de l'ouest, un peu au nord de celle que le navire de Krok avait jadis remontée pour atteindre le fort du margrave ; et les vikings étaient bien aise d'être à nouveau les maîtres d'un bateau.

Ils se relayaient pour surveiller les rameurs, qui ne tardèrent pas à se révéler rétifs et maladroits ; ils s'affligèrent de constater que les galériens n'avaient pas été ferrés, en sorte qu'il fallait monter la garde sur eux pendant toute la nuit. Pourtant, quelques-uns d'entre eux réussirent à s'échapper, après avoir tâté du bâton. Orm et les siens furent d'accord pour penser qu'ils n'avaient jamais vu d'aussi piètres rameurs et qu'ils ne pouvaient pas continuer ainsi jusqu'à Cordoue.

A l'embouchure de la rivière, ils retrouvèrent plusieurs des gros navires de guerre d'Almansur, qui n'avaient pas pu la remonter ; ceux-ci avaient dépêché la plus grande partie de leur équipage vers l'intérieur des terres, afin de participer au pillage des Asturies. Orm et ses hommes furent bien aise de les voir et ils envoyèrent les deux scribes emprunter des chaînes à bord de ces navires, jusqu'à ce qu'ils en aient assez. Les esclaves furent alors mis aux fers et Orm reçut suffisamment de provisions pour tout le voyage jusqu'à Cordoue, qui promettait d'être long. Ils restèrent ensuite assez longtemps le long des navires de guerre, dans une baie bien abritée, dans l'attente de vents favorables.

Le soir, Orm descendit à terre en compagnie de Toke et de Gunne, laissant les autres de ses hommes monter la garde sur le navire. Ils suivirent le rivage jusqu'à des baraques de pêcheurs, où des marchands s'étaient installés pour acheter des éléments du butin en échange de fournitures de mer. Arrivés à proximité de l'une de ces échoppes, ils virent six marins y entrer et Gunne s'arrêta net à leur vue.

"Voici des hommes qui nous intéressent, dit-il. Avez-vous remarqué les deux premiers ?"

Ni Orm ni Toke n'avait observé quoi que ce soit.

"Ce sont ceux qui ont tué Krok", dit Gunne.

Orm devint blême et se mit à trembler.

"En ce cas, ils ont assez vécu", dit-il.

Et ils dégainèrent leurs épées. Orm et Toke portaient celles que leur avait données Subaïda. Toke n'avait pas encore trouvé pour la sienne un nom qui fût aussi satisfaisant que Langue bleue.

“Krok passe avant Almansur, déclara Orm, et nous avons tous l’occasion de nous venger, mais surtout moi qui lui ai succédé en tant que chef. Passez derrière la baraque, tous les deux, afin que personne ne puisse s’enfuir par là.”

L’échoppe avait une porte sur chaque pignon. Orm entra par celle qui était la plus proche et trouva les six hommes, ainsi que le marchand. En voyant Orm pénétrer, l’épée dénudée, ce dernier se tapit derrière des sacs, mais les six marins tirèrent leur arme et demandèrent à Orm ce qu’il voulait. La boutique n’était pas grande et, en outre, elle était fort obscure ; pourtant, Orm vit tout de suite l’un de ceux qui avaient tué Krok.

“As-tu dit ta prière ?” demanda-t-il en lui assénant un tel coup d’épée en travers de la gorge que sa tête se détacha.

Deux des autres croisèrent alors le fer avec Orm, qui eut fort à s’employer ; pendant ce temps, les trois derniers sortirent par la porte de derrière, mais tombèrent sur Toke et Gunne. Le premier abattit aussitôt l’un d’eux en criant le nom de Krok et attaqua rapidement le suivant. Dans la boutique, le combat faisait rage, au milieu des marchandises. L’un des adversaires d’Orm bondit sur un banc pour lui porter un coup de son épée, mais celle-ci alla se ficher dans une des poutres et Orm lui jeta son bouclier au visage. La pointe de celui-ci le toucha à l’œil et il tomba sur le sol sans pouvoir se relever. Après cela, la lutte fut brève. Le second des meurtriers de Krok fut tué par Gunne ; Orm s’était maintenant débarrassé de deux ennemis et Toke de trois. Le marchand, que l’on voyait à peine, dans le coin où il s’était réfugié, eut la vie sauve, car il n’avait rien à voir dans cette histoire.

En sortant de la boutique avec leurs épées en sang, ils virent approcher plusieurs hommes qui avaient été attirés par le bruit. Mais, à leur vue, ceux-ci tournèrent les talons et s'enfuirent. Toke tendit son arme devant lui : un sang épais coulait le long de la lame et tombait de sa pointe en grosses gouttes.

"Je peux maintenant te donner un nom, sœur de Langue bleue, dit-il. Dorénavant, tu t'appelleras Bec rouge."

Orm regarda les hommes qui s'enfuyaient.

"Il me semble que nous ferions bien de ne pas tarder, nous non plus, dit-il, car nous sommes maintenant hors-la-loi en ce pays. Mais notre vengeance valait bien cela."

Ils se hâtèrent de regagner le navire et racontèrent aux autres ce qui s'était passé. Ils appareillèrent aussitôt, bien qu'il fît nuit noire. Tous étaient heureux que Krok ait été vengé et ils comprirent qu'ils devaient s'éloigner au plus vite de ce pays ; ils s'entraidèrent donc pour stimuler les rameurs. Orm lui-même avait pris la barre et scrutait l'obscurité ; les deux scribes d'Almansur, qui ne comprenaient rien à ce qui se passait, le pressèrent de questions, sans guère obtenir de réponse. Le navire parvint finalement à sortir de la baie et la voile put être hissée pour profiter d'un bon vent du sud. Ils mirent donc cap au nord et vers le large jusqu'à l'arrivée de l'aube, où ils purent constater qu'ils n'étaient pas poursuivis.

Ils avisèrent quelques îles à main droite et Orm accosta à l'une d'elles. Il y fit déposer les deux scribes, en les priant de transmettre ses salutations à Almansur.

"Nous ne voulons pas prendre congé d'un tel maître sans lui fournir des explications, dit-il. Informez-le donc de notre part que le sort a voulu que nous mettions à mort six de ses hommes, afin de venger Krok, notre chef. Et ce n'était pas cher payé pour la vie d'un homme tel que lui. Nous emmenons le navire et les esclaves qui sont à bord, mais Almansur s'apercevra à peine de cette perte. Quant à la cloche, nous l'emportons aussi, car elle stabilise le navire, or nous avons devant nous des mers périlleuses. Nous pensons qu'il a été un bon maître pour nous et, si cet événement n'était pas survenu, nous aurions volontiers continué à le servir pendant longtemps ; mais telles que sont les choses, nous n'avons pas d'autre moyen de lui échapper vivants."

Les scribes promirent de transmettre, mot pour mot, ce qu'Orm avait dit ; celui-ci ajouta alors :

"Nous aimerions bien aussi, quand vous rentrerez à Cordoue, que vous alliez saluer de notre part un riche juif du nom de Salaman, qui est à la fois poète et orfèvre, et que vous lui fassiez part de notre gratitude pour nous avoir témoigné d'une telle amitié ; il est en effet probable que nous ne le reverrons jamais.

— Et dites à la princesse Subaïda, ajouta Toke, que deux vikings de sa connaissance la saluent et la remercient bien. Dites-lui aussi que les épées qu'elle nous a données nous ont été fort utiles et qu'elles ne sont toujours pas ébréchées, malgré l'usage que nous en avons fait. Mais il faudra lui dire cela sans qu'Almansur puisse l'entendre."

Les scribes avaient sorti leurs tablettes et pris bonne note de tout cela. Là-dessus, on les laissa sur cette île, avec toute la nourriture dont ils pouvaient avoir besoin jusqu'à ce qu'un navire quelconque les découvre ou bien qu'ils puissent regagner la terre par leurs propres moyens.

Les rameurs s'agitèrent et poussèrent les hauts cris quand ils virent que le navire se dirigeait vers le large ; sans doute auraient-ils préféré être eux aussi abandonnés sur l'île où les deux scribes avaient été débarqués. Les hommes d'Orm durent passer dans leurs rangs et les frapper avec des verges et des morceaux de corde pour les calmer et les obliger à se remettre à ramer ; car le vent avait maintenant molli et il était urgent de s'éloigner de ces parages.

"Heureusement que nous les avons mis aux fers, dit Gunne, sans cela ils auraient tous sauté par-dessus bord, malgré nos épées ; mais il est bien dommage que nous n'ayons pas pensé à emprunter un fouet, en plus des fers, car les verges et les cordes ne semblent pas faire beaucoup d'effet sur des hommes aussi récalcitrants.

— Il est curieux de constater que tu as raison, dit alors Toke ; car, lorsque nous étions nous-mêmes aux galères, nous n'aurions guère pensé que nous chanterions un jour les louanges du fouet.

— Chacun souffre surtout de son propre dos, répondit Gunne, mais ces hommes vont devoir souffrir plus qu'ils ne le font en ce moment, si nous voulons réussir à nous enfuir.

Toke était bien d'accord avec cela et ils firent à nouveau le tour du navire pour fustiger les rameurs de leur mieux et les faire accélérer l'allure. Mais ils ne parvenaient pas à souquer bien en mesure et le bateau n'avançait donc pas vite. Orm s'en avisa et dit :

"Nous ne parviendrons pas à leur apprendre à ramer simplement en leur faisant mal, étant donné qu'ils n'ont pas l'habitude. Mais peut-être notre cloche pourrait-elle nous y aider."

Il prit alors une hache et se mit à frapper en cadence sur la cloche avec le dos de celle-ci ; la cloche fit entendre un son très puissant et tous les rameurs dressèrent l'oreille, ce qui améliora quelque peu leur nage. Orm organisa un tour de rôle auprès de la cloche parmi ses hommes ; ils finirent par s'aviser que c'était en la frappant avec une massue de bois entourée de cuir qu'ils obtenaient le meilleur son et ils s'en amusèrent beaucoup.

Mais le vent se leva bientôt à nouveau et il ne fut plus nécessaire de ramer ; il forcit même au point de virer à la tempête et la situation devint alors préoccupante. Ulf la Grimace fit remarquer qu'il ne fallait pas s'attendre à autre chose, puisqu'on avait appareillé sans faire de sacrifice aux divinités de la mer. Mais certains le contredirent, rappelant celui qu'ils avaient fait un jour, juste avant que les navires d'Almansur leur apportent le malheur. Gunne était d'avis qu'il serait plus sûr de sacrifier à Allah et deux autres abondèrent en son sens. Mais Toke objecta qu'Allah n'avait, selon lui, pas grand pouvoir sur la mer. Orm dit alors :

"Je pense, pour ma part, que personne ne connaît très bien la puissance de chacun des dieux et en quoi il peut nous être utile ; et il vaut peut-être mieux ne pas négliger l'un au profit de l'autre. Ce qui est certain, c'est qu'il en existe un qui nous est déjà venu en aide au cours de ce voyage et c'est saint Jacques ; en effet, sa cloche stabilise le navire et nous a également été utile pour donner la cadence aux rameurs. C'est pourquoi il ne faut pas l'oublier."

Les hommes estimèrent que c'était là fort bien parler et ils sacrifièrent alors de la viande et de la boisson à Ägir, à Allah et à saint Jacques, se sentant plus confiants une fois que cela fut fait.

Ils ne savaient pas au juste où ils se trouvaient, mis à part qu'ils étaient au large des Asturies. Mais ils étaient certains que, s'ils faisaient voile vers le nord, poussés par la tempête, et ne dérivaient pas trop vers l'ouest, ils finiraient par toucher terre, soit en Irlande soit en Angleterre, à moins que ce ne fût en Bretagne. Ils ne se laissèrent donc pas abattre et subirent vaillamment les assauts de la mer ; à plusieurs reprises, ils purent apercevoir les étoiles et il leur sembla alors qu'ils allaient dans la bonne direction.

Ce furent surtout les esclaves qui leur donnèrent du mal ; car, bien qu'ils n'aient plus à manier les avirons, ils furent épouvantés, souffrirent du mal du mer, de l'humidité et du froid au point d'être verts, de grincer des dents et même, pour deux d'entre eux, de mourir. Il n'y avait presque pas de vêtements chauds à bord, or la température baissait de jour en jour, car l'automne était maintenant bien avancé. Orm et ses hommes étaient très préoccupés par le misérable état de santé des esclaves et soignaient ceux-ci de leur mieux, leur donnant la meilleure nourriture possible, quand ils étaient capables d'en avaler ; ils pouvaient en effet en tirer de belles sommes, s'ils parvenaient à toucher terre avec eux.

Finalement, la tempête se calma et, pendant une journée, ils eurent très beau temps et un vent favorable qui les poussa vers le nord-est ; les esclaves reprirent des forces en voyant les rayons du soleil. Mais, le soir venu, le vent tomba complètement et une brume de plus en plus épaisse s'abattit sur eux. Celle-ci était humide et glaciale et tous eurent à nouveau froid, en particulier les esclaves. Il n'y avait pas le moindre souffle d'air et le navire montait et descendait au gré de la houle, sans avancer. Orm dit alors :

"Nous sommes dans une situation bien délicate ; car, si nous restons ici à attendre le vent, les esclaves vont mourir, et, si nous les obligeons à ramer, ils vont sans doute mourir également, tant leur état de santé est mauvais. Et nous n'avons guère de moyen de nous diriger, tant que nous ne pourrons voir le soleil ou les étoiles.

— Il me semble que le mieux est de les faire ramer, dit Rapp, ça les réchauffera. Et naviguons dans le sens de la houle, puisque la tempête venait du sud ; nous ne pouvons pas nous fier à autre chose, tant que cette brume ne se lèvera pas."

L'avis de Rapp fut jugé bon et les esclaves durent reprendre les rames, malgré leurs plaintes et leur peu de forces. Les hommes se relayèrent à nouveau pour rythmer la cadence sur la cloche et il leur sembla que son timbre était encore plus beau qu'auparavant ; chaque coup frappé sur elle était en effet suivi par une note prolongée qui leur tenait compagnie dans la brume. De temps à autre, ils laissèrent les esclaves se reposer et dormir un moment ; mais on rama pendant toute la nuit en se guidant sur la houle. Hélas, la brume ne se levait toujours pas.

Au matin, Ögmund était à la barre et Rapp frappait sur la cloche ; les autres dormaient. Soudain, les deux hommes dressèrent l'oreille et se regardèrent, puis ils entendirent à nouveau quelque chose : un son très ténu leur parvenait de loin. Surpris, ils éveillèrent les autres et tous tendirent alors l'oreille. On entendait toujours le même son, qui semblait venir de l'avant.

"On dirait que nous ne sommes pas les seuls à naviguer au son d'une cloche, dit Toke.

— Il faut faire attention, dit Ulf la Grimace, car ce peut très bien être Ran et ses filles, qui attirent les navigateurs par leurs chants et leurs jeux.

— J'ai plutôt l'impression de nains en train de forger, dit Halle, et cela peut aussi s'avérer dangereux, si nous approchons un peu trop d'eux. Il se peut que nous soyons près de quelque îlot hanté par les trolls."

Le son venu de loin continuait à leur parvenir et tous se sentaient maintenant bien inquiets, attendant ce qu'allait dire Orm. Les esclaves tendaient l'oreille, eux aussi, et se mirent à bavarder entre eux ; mais Orm et les siens ignoraient tout de leur langue.

"Nul ne peut savoir ce que c'est que ce bruit, dit Orm, mais il serait mal avisé de notre part d'avoir peur pour si peu. Continuons donc à ramer comme nous le faisions et surveillons bien la mer tout autour de nous. Pour ma part, je n'ai jamais entendu dire que les trolls exercent leurs sortilèges le matin."

Ils convinrent de cela et on se remit à ramer ; l'étrange bruit ne faisait qu'amplifier. De légers souffles de vent leur parvinrent et la brume commença à se lever. Tout à coup, tous s'écrièrent qu'ils voyaient la terre. C'était une côte rocheuse qui avait l'air d'une île ou d'un promontoire ; il était maintenant évident que c'était de là que provenait le bruit, mais il cessa alors. Ils virent une herbe verte et des chèvres en train de brouter ; puis ils aperçurent des habitations de fortune et, près de celles-ci, des hommes qui avaient les yeux braqués vers le navire.

"Je ne vois là ni trolls ni filles de Ran, dit Orm ; descendons à terre, afin de savoir où nous sommes."

Ainsi fut fait. Les gens vivant sur cette île ne parurent nullement effrayés de voir débarqués des hommes habillés en soldats et ils vinrent même les saluer très amicalement. Ils étaient au nombre de six, tous assez âgés, et portaient des barbes blanches et de longs manteaux bruns. Mais personne ne comprenait un mot de ce qu'ils disaient.

"En quel pays sommes-nous, demanda Orm, et qui est votre maître ?"

L'un des vieillards comprit ces paroles et cria aux autres : "Lochlannach ! Lochlannach !" Puis il répondit à Orm dans la langue de celui-ci :

"Tu es en Irlande et nous sommes les serviteurs de saint Finnian."

En entendant ces mots, Orm et les siens furent soulagés et eurent presque l'impression d'être de retour dans leur pays. Ils pouvaient maintenant se rendre compte qu'ils étaient sur une petite île et discerner dans le lointain la côte de l'Irlande. Sur cette petite île, il n'y avait que ces vieux bergers et leurs chèvres.

Les vieillards s'entretenaient avec vivacité et avaient l'air bien surpris ; celui qui entendait la langue norroise dit alors à Orm :

"Tu parles la langue des gens du Nord et cette langue, je la comprends car j'ai beaucoup fréquenté les navigateurs venus de ce pays au cours de ma jeunesse, avant d'arriver sur cette île. Mais il est vrai que je n'ai jamais vu des hommes de Lochlann vêtus comme toi et comme tes compagnons. D'où venez-vous ? Etes-vous des Lochlannach blancs ou bien noirs ? Et comment se fait-il que vous naviguiez au son d'une cloche ? Aujourd'hui, c'est la fête de saint Brendan, nous sonnions la nôtre pour honorer sa mémoire et nous avons entendu la vôtre qui nous répondait depuis la mer ; nous avons alors pensé que c'était saint Brendan lui-même qui nous répondait, car ce fut un grand navigateur. Mais, par Jésus-Christ, vous êtes certainement tous baptisés, puisque vous naviguez au son d'une cloche consacrée ?

— Ce vieil homme a la langue bien pendue, dit Toke. Tu vas avoir de l'ouvrage pour répondre à toutes ses questions."

Orm répondit au vieillard :

"Nous sommes des Lochlannach noirs, des hommes venus du pays du roi Harald ; il est vrai que je ne sais pas si celui-ci vit encore, car cela fait bien longtemps que nous en sommes partis. Nos manteaux et nos vêtements sont espagnols, car nous venons d'Andalousie, où nous étions au service d'un puissant seigneur du nom d'Almansur. Et notre cloche a pour nom Jacques, car elle vient de l'église, dans les Asturies, où l'apôtre ainsi appelé est enterré, et c'est la plus grosse de toutes celles de cette église ; mais il serait trop long de vous raconter comment il se fait qu'elle nous accompagne dans notre voyage. Nous connaissons le Christ mais, dans le pays d'où nous venons, il n'est pas vénéré et nous ne sommes pas baptisés. Puisque vous êtes chrétiens vous-mêmes, vous serez peut-être heureux d'apprendre que nos rameurs le sont également. Ils sont nos esclaves et viennent du même endroit que la cloche. Mais ils sont épuisés par la traversée et ne sont plus bons à grand-chose. C'est pourquoi il serait bien qu'ils puissent débarquer sur votre île, afin de se reposer un peu, avant que nous poursuivions notre voyage. Vous n'avez pas à avoir peur de nous, car vous avez l'air d'être des hommes de bien et nous n'avons jamais recours à la violence contre ceux qui ne nous résistent pas. Vous allez sans doute perdre quelques chèvres, mais c'est sans doute ce que vous aurez de plus grave à subir de notre part, car nous n'avons pas l'intention de rester longtemps."

Lorsque les vieillards eurent compris tout cela, ils hochèrent la tête et eurent un petit sourire amical ; leur porte-parole dit alors qu'il leur arrivait fréquemment d'accueillir des navigateurs sur leur île et que personne ne leur faisait de mal.

"Car nous ne faisons nous-mêmes de mal à personne, dit-il, et tout ce que nous possédons, c'est nos chèvres, notre champ de raves et nos cabanes ; en outre, toute l'île appartient à saint Finnian et celui-ci est puissant, près de Dieu, et étend sur nous sa main protectrice. Il a d'ailleurs béni nos chèvres d'une belle progéniture, cette année, et la nourriture ne manque donc pas. Pour nous qui sommes vieux et qui sommes seuls sur cette île, la plupart du temps, c'est une joie d'écouter ce que des hommes venus d'aussi loin peuvent avoir à raconter."

Les esclaves furent alors débarqués et le navire tiré au sec. Orm et ses hommes se reposèrent pendant quelque temps sur l'île de saint Finnian et s'entendirent très bien avec les moines. Ils allèrent à la pêche avec eux et firent bonne prise, ils purent ainsi donner à manger aux esclaves pour que ceux-ci aient un peu meilleure mine. Orm et les siens durent aussi narrer par le menu toutes leurs aventures car, bien que la traduction fût pénible, les vieillards étaient très curieux de nouvelles ayant trait aux pays lointains. Mais ils étaient surtout en admiration devant la cloche, qui était plus grosse que toutes celles dont ils avaient entendu parler en Irlande. Ils dirent que c'était un grand miracle que saint Jacques et saint Finnian se soient appelés mutuellement au moyen de leur cloche. Il leur arrivait même parfois, au cours de leurs offices, de faire sonner celle de Jacques au lieu de la leur, et ils se réjouissaient d'entendre sa puissante voix retentir très loin sur la mer.

VIII

DU SÉJOUR D'ORM PARMI LES MOINES DE SAINT FINNIAN ET COMMENT UN MIRACLE SE PRODUISIT A JELLINGE

ENDANT LEUR SÉJOUR chez les moines de saint Finnian, Orm et les siens se concertèrent longuement quant à la ligne de conduite à adopter, une fois que les esclaves seraient suffisamment rétablis pour poursuivre le voyage. Tous désiraient rentrer au pays, aussi bien Orm que les autres, et ils n'avaient guère à craindre de rencontrer des pirates, car peu de navires prenaient la mer en cette saison. En revanche, la traversée pouvait s'avérer difficile, en hiver, et les esclaves risquaient donc de dépérir ; c'est pourquoi il pouvait être sage de s'efforcer de les vendre le plus vite possible. Pour cela, ils avaient le choix entre se rendre à Limerick, où le père d'Orm était bien connu, ou bien à Cork, où Olof aux Joyaux faisait depuis longtemps ce genre de commerce sur une grande échelle. Ils s'enquirent auprès des moines afin de savoir quelle était la meilleure solution.

Une fois que ceux-ci eurent compris ce qu'ils voulaient, ils se mirent à discuter entre eux, puis leur porte-parole répondit :

“On voit bien que vous venez de loin et que vous n'êtes pas bien informés de ce qui se passe en Irlande en ce moment. Il ne vous sera possible de faire le commerce que vous envisagez ni à Limerick ni à Cork, car c'est maintenant Brian Boru qui détient le pouvoir, en Irlande ; vous avez peut-être déjà entendu parler de lui, bien que vous ne soyez pas de ce pays."

Orm dit qu'il avait souvent entendu son père parler d'un roi Brian, qui faisait la guerre aux vikings à Limerick.

"Il ne fait plus la guerre contre eux, dit le moine, Au début, il était le chef des Dalcassiens : c'était alors les vikings qui lui faisaient la guerre. Puis il devint roi de Thomond : il fit alors la guerre aux vikings de Limerick. Mais ensuite il devint roi de tout le Munster : il prit alors Limerick d'assaut et tua la plupart des vikings qui s'y trouvaient, tandis que les survivants prenaient la fuite. Maintenant, c'est le principal chef de guerre de l'Irlande, roi du Munster, seigneur du Leinster, percevant tribut de tous les étrangers vivant encore dans leurs villes le long des côtes. Et il s'attaque maintenant à Malachie, le roi suprême de l'île, afin de s'emparer de sa femme et de son trône. Olof aux Joyaux lui paie tribut et doit lui fournir des soldats pour sa campagne contre le roi Malachie. Il n'est pas jusqu'à Sigtrygg à la Barbe de soie, le plus puissant des étrangers de cette île, qui ne lui ait payé tribut à deux reprises.

— Ce sont là de grandes nouvelles, dit Orm, et il semble que ce roi Brian est un bien puissant seigneur, même si nous en connaissons un qui est plus puissant encore. Mais si tout ce que tu dis est vrai, pourquoi ne pourrions-nous pas lui vendre nos esclaves ?

— Le roi Brian n'achète pas d'esclaves, dit le moine. Il se procure lui-même tous ceux dont il a besoin, à la fois parmi ses voisins et parmi les hommes de Lochlann. En outre, tout le monde sait qu'il y a trois choses qu'il aime par-dessus tout et trois choses qu'il déteste, et ces dernières sont à votre désavantage. Les trois choses qu'il aime sont : le pouvoir suprême, mais il le détient déjà ; de l'or plus que quiconque, mais c'est déjà fait, et enfin la plus belle femme au monde, et le monde entier sait que c'est Gormlaith, sœur de Maelmora, roi de Leinster, qu'il n'a pas encore gagnée. Elle a d'abord été mariée au roi Olof Kvaran de Dublin, qui l'a répudiée à cause de sa mauvaise langue ; maintenant, elle est l'épouse de Malachie, le roi suprême de l'île, mais celui-ci passe son temps à babiller à ses pieds et n'a plus vraiment le courage de faire la guerre ; quand Brian l'aura vaincu, il possédera Gormlaith car, ce qu'il s'est promis, il le fait. Mais les trois choses qu'il déteste sont : ceux qui ne sont pas chrétiens, les hommes de Lochlann et les poètes qui chantent les louanges d'autres rois. Sa haine est aussi forte que son amour et rien ne peut l'apaiser sur ces points. Or, vous n'êtes pas chrétiens et vous venez de Lochlann ; nous vous conseillons donc de ne pas l'approcher de trop près, car nous ne souhaitons pas votre perte."

Les hommes écoutèrent attentivement toutes ces explications et furent d'avis qu'il était inutile de chercher à faire commerce avec le roi Brian. Orm dit alors :

"Il me semble que la cloche de saint Jacques nous a été bénéfique, en nous conduisant là où nous sommes et non pas sur les terres du roi Brian.

— Celle de saint Finnian vous a bien aidés aussi, dit le moine ; et maintenant que vous avez constaté ce que peuvent faire les saints, même pour des hommes qui n'embrassent pas notre foi, ne serait-il pas bien avisé de votre part de commencer à croire en Dieu et de vous faire chrétiens ?"

Orm répondit qu'il n'avait pas encore réfléchi à la chose et qu'elle ne lui paraissait pas urgente.

"Elle est peut-être plus urgente que tu ne le penses, dit le moine, car il ne reste plus que onze années avant la fin du monde et la venue du Christ dans le ciel afin de juger tous les êtres humains. Il faut qu'avant cette date tous les païens soient baptisés et il ne serait guère judicieux d'être parmi les derniers. Les incroyants se convertissent en ce moment en bien plus grand nombre qu'auparavant, il n'en restera donc bientôt plus beaucoup qui demeurent plongés dans leurs ténèbres. En vérité, l'avènement du Christ est proche, maintenant que le plus endurci des païens, le roi Harald de Danemark, s'est fait baptiser. C'est pourquoi vous devriez abandonner vos faux dieux et embrasser la vraie foi."

Les vikings le regardèrent avec étonnement et certains d'entre eux éclatèrent même de rire en se tapant sur les genoux.

"Pourquoi ne pas dire, pendant que tu y es, qu'il s'est fait moine comme toi, dit Toke, et qu'il s'est coupé les cheveux ?

— Nous avons parcouru le vaste monde, dit Orm, et toi tu es là, avec tes frères, sur une toute petite île ; et pourtant, c'est toi qui as les plus grandes nouvelles à annoncer. Mais tu nous en demandes beaucoup, quand tu veux nous faire croire que le roi Harald s'est fait chrétien et j'ai bien peur que quelque navigateur ait abusé de ta crédulité en te racontant cela."

Mais le moine maintint que ce qu'il avait dit était la vérité et non quelque histoire de marin. Car il tenait cette grande nouvelle de la bouche même de son évêque, lorsque celui-ci était venu les voir, deux ans auparavant ; et ils avaient fait action de grâces à Dieu pendant sept dimanches en remerciement d'un événement aussi heureux pour tous les chrétiens victimes des incursions des hommes du Nord.

Cet argument vint à bout des réticences d'Orm et des siens et ils ajoutèrent foi aux paroles du moine, bien qu'ayant toujours du mal à comprendre une si grande nouvelle.

"Il descend pourtant en droite ligne d'Odin, dirent-ils en se regardant ; comment a-t-il pu prendre un autre dieu ?

— Et il a été favorisé par la fortune pendant toute sa vie, dirent-ils encore ; or, celle-ci était bel et bien un don des Ases. Et puis ses navires ont effectué de nombreuses expéditions parmi les chrétiens et y ont amassé ample butin. Qu'a-t-il donc à attendre du dieu de ces derniers ?

Ils secouèrent la tête et restèrent perplexes.

"Il est vieux, maintenant, dit Ulf la Grimace, et il se peut qu'il soit retombé en enfance, de même que le roi Ane, à Uppsala, jadis. Car les rois boivent une bière plus forte que les autres hommes et ils ont bien des femmes. Avec le temps, cela peut finir par les affaiblir et obscurcir leur raison au point qu'ils ne sachent plus ce qu'ils font. Mais, comme ils sont rois, ils n'en font qu'à leur guise, même s'ils n'ont plus toute leur tête. C'est peut-être bien ainsi que le roi Harald s'est laissé prendre aux filets des chrétiens."

Les hommes opinèrent et se mirent à raconter l'histoire de vieilles personnes de chez eux qui, sur le tard, étaient devenues bizarres et avaient causé bien des soucis à leur famille par leurs lubies ; ils furent bien d'accord pour estimer qu'il n'était guère souhaitable de vivre jusqu'à ce que les dents vous tombent de la bouche et que la raison se mette à défaillir. Le moine dit alors qu'il leur arriverait bien pire que cela car, le jour du jugement, dans onze ans, ils seraient tous soudain arrachés à la terre. Mais les hommes répondirent que c'était un délai qui leur convenait fort bien et qu'ils ne jugeaient pas bon de se faire chrétiens pour autant.

Orm avait maintenant de quoi se creuser la tête, car il fallait décider ce qu'ils allaient faire, puisqu'ils n'osaient pas se risquer à visiter les foires de l'Irlande. Il finit par dire à ses hommes :

"C'est une chose agréable que d'être chef lorsqu'il s'agit de répartir le butin et de faire servir la bière à la ronde, mais c'est beaucoup moins plaisant quand il faut prendre des décisions. Et je n'ai rien de bien intéressant à vous proposer. Mais nous ne pouvons pas rester ici, car les esclaves sont aussi reposés qu'ils peuvent l'être et ont repris des forces en faisant bonne chère. Plus nous tarderons, plus notre voyage sera risqué. Il me semble que le mieux est d'aller trouver le roi Harald. Il est entouré d'hommes riches et puissants qui nous donneront peut-être un bon prix de nos esclaves et, s'il est maintenant chrétien, je crois que nous avons un riche présent à lui faire pour nous faire rapidement bien voir de lui. Je préférerais le servir plutôt que d'être le plus jeune dans la ferme de mon père, si le vieux est encore en vie, ainsi qu'Odd, mon frère. Quant à vous autres, si vous désirez rentrer au pays, vous n'aurez pas de mal à regagner le Blekinge, une fois que nous aurons fait affaire et partagé le profit. Mais le plus difficile sera de veiller sur les esclaves, afin qu'ils ne meurent pas quand nous arriverons dans le froid."

Il dit alors aux moines qu'il leur proposait un marché. Ceux-ci lui donneraient toutes les peaux de chèvres qu'ils avaient et les vêtements dont ils pouvaient se passer ; en échange, il leur laisserait les deux esclaves les moins valides. En effet, ceux-ci risquaient fort de mourir au cours du voyage, alors qu'ils pouvaient être utiles aux moines s'ils guérissaient. A cela, il ajouterait quelques pièces d'argent andalouses. Les moines eurent un petit sourire et dirent qu'aucun Irlandais n'avait jamais conclu meilleur marché avec des hommes de Lochlann, mais qu'ils auraient tout de même préféré la cloche de saint Jacques. Orm répondit qu'ils ne pouvaient pas s'en passer et on conclut donc le marché de la façon qui avait été dite. Les esclaves furent ainsi convenablement vêtus pour affronter l'hiver.

Ils firent alors fumer du poisson et de la viande de chèvre, en guise de provisions de route, et les moines leur donnèrent de leurs raves, les aidant en tout et faisant preuve d'une grande gentillesse, s'abstenant même de se plaindre de la diminution de leur troupeau au cours du séjour des vikings ; ils regrettaient seulement que la cloche reste aux mains de païens et qu'Orm et les siens ne veuillent pas voir leur propre intérêt et se faire chrétiens. En prenant congé de ceux qui partaient, ils leur parlèrent une dernière fois du Christ, de saint Finnian et du jugement dernier, ainsi que de tout ce qui allait leur arriver s'ils refusaient d'embrasser la vraie foi. Orm leur répondit qu'il n'avait pas le temps de prêter l'oreille à ce genre de propos, mais il ajouta qu'il serait un bien piètre chef si, en s'en allant, il ne se montrait pas généreux envers de si bons hôtes. Il plongea alors la main dans sa ceinture et en tira trois pièces d'or qu'il leur donna.

Lorsque Toke vit cela, il se gaussa d'une pareille prodigalité, mais ajouta qu'il n'était pas plus mal loti qu'Orm ; car, le moment venu, il avait l'intention d'acquérir par mariage l'une des plus belles fermes de Lister et de devenir un des notables du pays. Il remit alors, lui aussi, trois pièces d'or aux moines. Ceux-ci furent fort stupéfaits d'une telle générosité. Les autres hommes n'eurent pas l'air d'apprécier beaucoup tout cela mais, pour ne pas perdre la face, ils donnèrent aussi quelque chose ; tous sauf Ulf la Grimace. Celui-ci fut alors traité de pingre, mais il se contenta, pour toute réponse, de fendre son visage encore un peu plus et de gratter ses favoris, très satisfait de lui-même.

“Je ne suis pas un chef, dit-il, et, de plus, je commence à me faire vieux ; aucune fille ayant de la terre pour dot ne m’épousera, aucune vieille femme non plus. Et c’est pourquoi j’ai bien le droit de me montrer avare.”

Une fois les esclaves montés à bord et attachés, Orm appareilla, s’éloigna de l’île de saint Finnian et contourna l’Irlande, poussé par un bon vent. Tous souffrirent du froid de l’automne, en dépit des peaux de chèvre dont ils s’enveloppaient. En effet, Orm et les siens étaient restés si longtemps dans les pays du Sud qu’ils ressentaient plus les morsures du froid que jadis. Pourtant, ils étaient tous de bonne humeur, se sentant si proches du pays, s’inquiétant seulement à l’idée de rencontrer des navires montés par des compatriotes et scrutant attentivement la mer pour les découvrir de loin. En effet, les moines leur avaient dit que les vikings danois étaient maintenant plus nombreux que jamais à hanter les côtes de l’Angleterre, depuis que le roi Brian leur interdisait la plus grande partie de l’Irlande par la puissance de ses armes. L’Angleterre avait maintenant la réputation d’être le pays le plus propice au pillage. De peur d’être pris en chasse par des compatriotes, Orm se tint à bonne distance de la côte lorsqu’ils franchirent le détroit de la Manche. Mais ils eurent la chance d’éviter toute rencontre. Ils retrouvèrent ensuite la haute mer et les embruns se firent alors plus froids. Mais ils ne tardèrent pas à apercevoir la côte du Jutland. Tous poussèrent alors des cris de joie, car il était bon de revoir une terre appartenant au royaume de Danemark, et ils se montrèrent du doigt des amers qu’ils avaient vus quand ils étaient passés près de là avec Krok, longtemps auparavant.

Ils doublèrent la pointe de Skagen, mirent cap au sud et furent bientôt à l’abri de la terre ; les esclaves durent alors se remettre à ramer, de leur mieux, au rythme de la cloche de saint Jacques. Ils s'entretinrent avec des pêcheurs de rencontre et s'informèrent auprès d'eux de la distance qui les séparait encore de Jellinge, où se trouvait le roi Harald. Et ils astiquèrent leurs armes et réparèrent leurs vêtements afin de faire bonne figure devant celui-ci.

C'est au petit matin qu'ils parvinrent à Jellinge et accostèrent à un ponton. De là, ils voyaient la résidence royale, située sur une butte, un peu à l'intérieur des terres, et entourée d'un rempart de terre et d'une palissade. Sortant de cabanes au bord de l'eau, des gens vinrent dévisager Orm et ses hommes, qui leur faisaient l'effet d'être des étrangers. Ils débarquèrent alors la cloche sur sa plate-forme, ainsi que les rondins qu'ils avaient utilisés en Andalousie ; nombreux furent les curieux qui sortirent de chez eux pour voir un spectacle aussi singulier et pour savoir d'où venaient ces visiteurs. Orm et les siens trouvèrent bizarre d'entendre à nouveau leur propre langue dans la bouche de tous, après avoir si longtemps séjourné en terre étrangère. Ils détachèrent les esclaves et les attelèrent à la cloche, afin de tirer celle-ci jusque chez le roi.

On entendit alors, venant du haut de la butte, des cris et du tapage, et ils virent un gros homme vêtu d'un long manteau descendre de là-haut et approcher d'eux en courant. Il avait les cheveux courts, portait une croix d'argent sur la poitrine et la frayeur se lisait sur son visage. Il parvint tout essoufflé près des cabanes et leva les bras au ciel.

“Des sangsues ! Des sangsues ! s'écria-t-il. N'y a-t-il pas une âme charitable qui ait des sangsues ? Il me faut des sangsues sans tarder, des bonnes et bien vigoureuses !”

On remarquait, à sa façon de parler, qu'il n'était pas du pays. Pourtant, il s'exprimait en langue danoise avec aisance, bien qu'il eût le souffle court.

“Nos sangsues, là-haut, sont malades, dit-il, et elles ne veulent plus prendre. Or, c’est le seul remède qui le calme, quand il a mal aux dents. Au nom du Père, du Fils et du Saint-Esprit, n’y a-t-il personne qui ait des sangsues ?”

Aucun des habitants des cabanes n’avait de sangsues chez lui et le gros prêtre gémissait, l’air désespéré. Il était arrivé sur le ponton auquel était amarré le navire d’Orm et il vit alors la cloche et les hommes qui s’affairaient autour d’elle. Il écarquilla les yeux et approcha rapidement.

“Qu’est-ce que c’est ? s’écria-t-il. Une cloche, une cloche consacrée ? Est-ce que je rêve ? Est-ce un mirage inspiré par Satan ou bien une cloche véritable ? Comment est-elle arrivée jusqu’ici, dans ce pays des ténèbres et des diables ? Jamais de la vie je n’ai vu une cloche aussi grosse, même pas à Worms, dans l’église de l’empereur.

— Elle porte le nom de l’apôtre Jacques, dit Orm, et nous l’avons amenée ici depuis l’église de ce saint, dans les Asturies. Nous avons entendu dire que le roi Harald s’est fait chrétien et nous avons pensé qu’un tel présent pourrait lui faire plaisir.

— Miracle ! Miracle ! s’écria le prêtre en sanglotant et en levant les bras vers le ciel. Les anges de Dieu ont vu le malheur qui nous a frappé quand nos sangsues sont tombées malades. Mais voici meilleur remède que les sangsues. Hâtez-vous donc, hâtez-vous, vite, vite ! Il y a péril à tarder, car il souffre abominablement.”

Les esclaves se mirent alors à tirer la cloche vers la résidence royale, sur la butte, et le prêtre exhorta les hommes à les aiguillonner autant qu’ils le pouvaient. Il n’arrêtait pas de parler, comme s’il n’avait plus toute sa raison, et se séchait les yeux et tournait le visage vers le ciel, l'invoquant dans la langue des prêtres. Orm et les siens comprirent que le roi avait une rage de dents, mais ne virent pas en quoi la cloche pouvait y remédier. Pendant ce temps, le prêtre continuait à exulter de bonheur, les qualifiait d'envoyés du ciel et promettait que tout allait bien se passer.

"Il ne lui reste plus guère de dents dans la bouche, dit-il, loué soit le Tout-Puissant ! Mais celles qu'il a lui causent autant de tourments que toutes les autres diableries de ce pays car, en dépit de son grand âge, elles lui font souvent mal, mises à part les deux qui sont bleues. Et, quand la douleur s'installe, il est dangereux de l'approcher et il jure sans la moindre retenue. Un jour, l'été dernier, alors qu'il avait mal à une molaire, il a failli faire connaître le martyre à frère Willibald, car il a frappé celuici à la tête avec notre gros crucifix, qui devait contribuer à atténuer ses souffrances. Frère Willibald est maintenant rétabli, Dieu soit loué, mais il a dû rester alité, en proie à de grandes douleurs et de graves vertiges. Nous avons fait don de nos vies à Dieu, frère Willibald et moi, en accompagnant l'évêque Poppo dans ce pays de ténèbres pour lui apporter l'Evangile et notre science médicale. Mais il est bien fâcheux de risquer le martyre pour quelques vieilles dents. Et nous n'avons même pas le droit de lui en arracher une seule, il nous l'a interdit sous peine de mort ; car il dit qu'il ne veut pas devenir comme l'un des anciens rois des Suédois qui, sur ses vieux jours, en était réduit à boire du lait dans une corne. Mais nous sommes résolus à endurer toutes ces difficultés et ces épreuves auprès de ce roi, afin d'œuvrer pour le royaume de Dieu : frère Willibald qui est le meilleur médecin de tout l'archevêché de Brême et moi qui suis à la fois chantre et médecin et m'appelle frère Matthias."

Il reprit alors son souffle et essuya la sueur qui lui coulait sur le visage, tout en criant aux esclaves de se dépêcher. Puis il reprit :

"Le pire, pour nous médecins dans ce pays, c'est que nous ne disposons d'aucune relique pour nous venir en aide. Même pas la plus petite des dents de saint Lazare, qui sont infaillibles contre ce genre de douleurs, et qui existent en grande quantité un peu partout dans le monde chrétien. En effet, on ne nous donne pas de reliques, à nous qui partons pour les pays païens, parce que celles-ci pourraient tomber entre les mains des incroyants et être souillées. Nous ne pouvons nous fier qu'à nos prières et à la croix, ainsi qu'à certains remèdes profanes, et cela n'est pas toujours suffisant. Personne ne pourra donc opérer de guérison miraculeuse, parmi les Danois, tant que nous n'y disposerons pas de reliques, et ce n'est pas encore pour demain. Il est vrai que trois évêques et de nombreux prédicateurs ont été tués par les gens d'ici, et que les cadavres de plusieurs de ces martyrs ont été sauvés et enterrés en terre consacrée ; mais la sainte Eglise a interdit de déterrer les ossements des évêques et des martyrs pour les utiliser comme remèdes avant qu'il se soit écoulé trente-six ans après leur mort ; jusque-là, nous serons donc bien dans l'embarras, nous autres médecins."

Il secoua la tête et se mit à marmonner tristement dans sa barbe ; mais, peu après, son visage s'éclaira à nouveau :

"Mais, maintenant que Dieu a permis ce grand miracle, frère Willibald et moi allons avoir la tâche plus facile. Il est vrai que je n'ai jamais vu, dans les traités savants, citer saint Jacques comme étant d'une efficacité particulière en matière de mal de dents ; mais je suis sûr que sa cloche, qui vient tout droit de sa sainte sépulture, renferme de grandes vertus contre tous les maux, et donc également contre la rage de dents. Tu nous es donc assurément, ô chef, envoyé par Dieu, à frère Willibald et à moi, ainsi qu'à toute œuvre chrétienne en ce pays.

— Explique-moi, docte maître, dit Orm, comment tu guéris le mal de dents à l'aide d'une cloche ? Mes hommes et moi sommes allés dans des pays lointains et avons contemplé des choses bien étranges, mais celle-ci me paraît les surpasser toutes.

— Nous connaissons deux façons différentes, nous autres savants, répondit frère Matthias, l'une aussi efficace que l'autre. Mais il me semble – et frère Willibald sera certainement d'accord avec moi sur ce point – que la vieille recette préconisée par saint Grégoire est la meilleure. Et tu vas bientôt pouvoir le constater."

Ils étaient maintenant parvenus à la levée de terre et à la palissade, et la grande porte d'entrée leur fut ouverte par un vieux gardien, tandis qu'un autre sonnait du cor pour annoncer l'arrivée d'étrangers. Frère Matthias prit la tête du cortège et entonna d'une voix forte le cantique Vexillia regis prodeunt. Derrière lui venaient Orm et Toke, suivis des esclaves et de la cloche, poussés par les autres vikings.

A l'intérieur de la palissade se trouvait mainte construction faisant partie du domaine royal. Car le roi Harald menait plus grand train que ses ancêtres ; il avait fait agrandir et embellir la grande salle d'apparat du roi Gorm et édifier diverses dépendances pour les membres de sa garde et pour ses domestiques. Sa cuisine et sa brasserie avaient été chantées par les poètes, sitôt construites, et les hommes bien informés les tenaient pour plus vastes que celles du roi d'Uppsala. Frère Matthias les guida vers le bâtiment dans lequel dormait le roi, que Harald ne quittait plus guère, sur ses vieux jours, et où il se reposait au milieu de ses femmes et des coffres contenant son trésor.

C'était une maison en bois assez haute de toit et spacieuse ; mais elle était en général moins fréquentée qu'autrefois. Car, depuis les nombreuses remontrances faites par l'évêque Poppo au roi Harald, lui disant qu'il devait s'efforcer de mener en tous points une vie chrétienne, ce dernier avait répudié la plupart de ses femmes, ne conservant que les plus jeunes d'entre elles ; celles parmi les plus vieilles qui lui avaient donné des enfants logeaient maintenant dans un autre bâtiment. Ce matin-là, pourtant, l'agitation régnait autour de la maison, et on voyait beaucoup de gens – aussi bien des hommes que des femmes – courir dans tous les sens, sous le coup de l'inquiétude ou de la hâte. Nombre d'entre eux s'arrêtèrent pour regarder ces étrangers et pour demander ce qui se passait ; mais frère Matthias cessa de chanter et passa rapidement près d'eux pour pénétrer dans la chambre du roi, suivi d'Orm et de Toke.

"Frère Willibald, frère Willibald, s'écria-t-il, il est encore du baume en Giléad ! Sire, réjouis-toi et loue le Seigneur, car un grand miracle vient de se produire en ta faveur et tu ne vas pas tarder à être délivré de ton mal. Je suis comme Saül, le fils de Kis, car je suis parti en quête de sangsues et j'ai ramené un objet sacré."

Et, tandis que les hommes d'Orm faisaient, à grand peine, pénétrer la cloche dans la chambre du roi, frère Matthias se mit à raconter ce qu'il en était.

Orm et les siens saluèrent très respectueusement le roi Harald et tous le regardèrent avec curiosité. Ils avaient en effet entendu parler de lui depuis autant de temps qu'ils pouvaient s'en souvenir et il leur semblait étrange de le voir aussi affligé de douleur.

Son lit était placé le long du mur du fond, en face de la porte. Il était solidement charpenté, très haut et couvert d'édredons et de fourrures ; il était si large que trois ou quatre personnes pouvaient y dormir sans être à l'étroit. Le roi Harald était assis sur le bord, entouré de coussins ; il portait sur la tête un bonnet en laine de couleur jaune et était drapé dans une longue pelisse en peau d'otarie. A ses pieds, deux jeunes femmes étaient accroupies sur le sol, un brasero entre elles, tenant chacune dans leur giron un de ses pieds, qu'elles frottaient pour le réchauffer.

Chacun pouvait constater que Harald était un grand roi, même dans cette position et bien qu'il ne fût entouré d'aucune pompe et que son regard trahît une grande angoisse. Il regarda tristement, et d'un air d'impatience, ceux qui se trouvaient dans sa chambre et la cloche qu'on y faisait pénétrer, sans paraître se soucier de ce qu'il voyait, haletant comme s'il avait le souffle court. Ses douleurs venaient en effet de se calmer un instant et il s'attendait à ce qu'elles reprennent d'un moment à l'autre. Il était grand et fort, large de poitrine et bedonnant ; son visage était gros et rouge et sa peau était lisse et dépourvue de rides. Ses cheveux étaient blancs mais sa barbe, qui était large et touffue et dont les pointes recouvraient sa poitrine, était jaunâtre. En son milieu, une bande assez étroite partant de sa lèvre inférieure était demeurée d'un jaune clair, sans la moindre touche de blanc. Autour de sa bouche, elle était humide de tout ce qu'il avait avalé contre la douleur, ce qui avait pour résultat que ses deux canines bleues, célèbres non seulement pour leur couleur mais aussi pour leur taille, luisaient encore plus que d'habitude, comme les défenses d'un vieux sanglier. Ses yeux étaient exorbités et injectés de sang ; ils exprimaient une force redoutable, de même que son large front et ses gros sourcils gris.

Tel était le roi Harald la première fois qu'Orm et ses hommes le virent ; et Toke put dire par la suite qu'il avait alors pensé que peu de vieux rois affligés d'une rage de dents auraient pu avoir une allure aussi royale que lui.

L'évêque Poppo ne se trouvait pas dans le chambre, car il avait veillé toute la nuit près du roi à prier pour lui et à essuyer menaces et blasphèmes quand la douleur se faisait trop forte ; il avait donc dû aller chercher un peu de repos. Mais frère Willibald, qui avait pourtant, lui aussi, passé une nuit blanche à tenter toutes sortes de remèdes, était toujours alerte et plein de courage. C'était un petit homme rabougri, complètement chauve, avec un grand nez et les lèvres pincées ; il arborait, en travers du crâne, une énorme cicatrice rouge. Il ne cessa de hocher la tête en écoutant le récit de frère Matthias et leva les bras au ciel quand on introduisit la cloche dans la chambre.

"En vérité, c'est là un miracle, dit-il d'une voix vive et fiévreuse. De même que les corbeaux ont apporté à manger au prophète Elie alors qu'il était seul dans le désert, ces voyageurs sont venus à notre secours avec une force miraculeuse. Avec les seuls remèdes profanes, nous n'aurions jamais pu faire céder cette douleur un seul instant ; car, dès que notre seigneur le roi ouvrait la bouche d'impatience, elle revenait. Il en a été ainsi toute la nuit. Mais nous avons maintenant le moyen d'y mettre un terme. Hâte-toi, frère Matthias, de laver cette cloche à l'eau bénite ; pour cela, il me paraît opportun que tu la fasses mettre sur le côté, afin de pouvoir pénétrer à l'intérieur car, à l'extérieur, je ne vois aucune trace de la poussière dont nous avons besoin. Pendant ce temps, je vais préparer le reste.

La cloche fut basculée et frère Matthias la lava avec un chiffon trempé dans l'eau bénite, qu'il tordit ensuite au-dessus d'une coupe. Ce n'était pas la poussière de longue date qui manquait à l'intérieur, aussi l'eau extraite du chiffon fut-elle bien noire, ce dont frère Matthias se réjouit hautement. Pendant ce temps, frère Willibald sortit ses remèdes d'un grand coffre en cuir, tout en fournissant des explications à tous ceux, dans la chambre, qui voulaient bien l'écouter.

"La vieille recette de saint Grégoire est surtout efficace dans des cas comme celui-ci et, pour les rages de dents, elle est simple et dépourvue de mystère : du jus de prunelle, du fiel de porc, du salpêtre et du sang de bœuf, une pincée de raifort et quelques gouttes d'essence de genièvre : le tout mélangé à une quantité égale d'eau bénite, dans laquelle la sainte relique a été lavée. Le malade doit conserver cette potion dans la bouche le temps que l'on récite trois psaumes ; répéter l'opération par trois fois. C'est le remède le plus sûr prescrit par la science médicale contre le mal de dents ; si la relique est suffisamment puissante, il est infaillible. Les docteurs apuliens du vieil empereur Otton conseillaient le sang de grenouille de préférence à celui de bœuf, mais cette pratique est désormais abandonnée ; et il est bon qu'elle le soit car, en hiver, il est difficile de se procurer du sang de grenouille.

Il sortit de son coffre deux petites fioles de métal, les déboucha et en sentit l'odeur ; il secoua alors la tête et envoya un serviteur dans la cuisine quérir du sang de bœuf et du fiel bien frais.

"Dans un cas comme celui-ci, on ne saurait en effet se contenter que de ce qu'il y a de meilleur, dit-il ; et, si puissante que soit la relique, il convient de prêter grande attention aux ingrédients utilisés."

Il s'était déjà écoulé un certain temps et le roi Harald semblait moins souffrir de ses dents. Il posa le regard sur Orm et sur Toke et eut l'air de trouver curieux de voir des étrangers vêtus de costumes exotiques, car ils portaient toujours les manteaux rouges et les boucliers ornés d'Almansur, et leurs casques étaient dotés d'un nasal et leur descendait très bas sur les joues et sur la nuque. Il leur fit signe d'approcher.

"Qui servez-vous ? leur demanda-t-il.

— Nous sommes à ton service, sire, répondit Orm. Mais nous venons en fait d'Andalousie. Là-bas, nous étions au service du puissant Almansur, jusqu'à ce qu'une affaire de sang nous sépare de lui. Krok de Lister était notre chef, tout d'abord, et nous sommes partis en expédition avec lui à bord de trois navires. Mais il est mort, maintenant, et bien d'autres avec lui. Moi, je suis Orm, fils de Toste, de Kullen, en Scanie, et chef de ceux qui ont survécu. Nous sommes venus t'apporter cette cloche. Quand nous avons appris que tu avais embrassé la foi chrétienne, sire, nous avons pensé que c'était un présent qui te conviendrait. Quant à son efficacité contre le mal de dents, je n'en ai aucune idée, mais sur la mer elle nous a été fort utile. Et c'était la plus grosse de toutes celles du tombeau de saint Jacques, dans les Asturies, où il y avait quantité de merveilles ; nous y sommes allés avec Almansur, notre maître, et il tenait cette cloche pour un objet fort précieux."

Le roi Harald hocha la tête sans rien dire ; mais l'une des deux jeunes femmes accroupies à ses pieds tourna la tête et regarda Orm et Toke et dit très rapidement en langue arabe :

"Par Allah, le Miséricordieux, le Compatissant ! Etes-vous des hommes d'Almansur ?"

Ils la regardèrent tous deux, stupéfaits d'entendre parler cette langue à la cour du roi Harald. Elle était belle à voir, avec ses grands yeux bruns, très écartés, dans un visage au teint pâle ; elle avait des cheveux noirs qui pendaient de ses tempes en deux longues nattes. Toke n'avait jamais parlé avec facilité la langue arabe ; mais il y avait aussi bien longtemps qu'il n'avait pas adressé la parole à une femme et c'est pourquoi il trouva vite quoi lui répondre :

"Tu dois aussi être Andalouse. J'ai vu là-bas des femmes qui te ressemblaient, bien que peu aient été aussi belles."

Elle eut un petit sourire à son adresse, découvrant ses dents blanches, mais retrouva aussitôt son air triste.

"Tu peux constater, ô étranger qui parle ma langue, ce que m'a valu ma beauté, dit-elle de sa voix douce. Je suis, moi, une Andalouse de race kelbitique, esclave chez les païens au pays des ténèbres profondes, le visage honteusement découvert, et je frotte les orteils vermoulus de ce vieil homme aux dents bleues. Cette terre ne connaît que froid et ténèbres, peaux de bêtes et poux, et une nourriture que les chiens de Séville cracheraient de dégoût. En vérité, je cherche refuge auprès d'Allah pour oublier tout ce que ma beauté m'a valu.

— Tu me sembles bien trop belle pour la tâche que tu accomplis en ce moment, lui dit gentiment Toke ; tu devrais pouvoir trouver un homme qui ait autre chose à te donner que ses orteils."

Elle eut à nouveau un petit sourire lumineux à son intention, malgré les larmes qu'elle avait aux yeux l'instant auparavant ; mais le roi Harald s'impatienta soudain et dit d'une voix acrimonieuse :

"Qui es-tu, pour te mettre à parler ainsi, dans la langue des corbeaux, à l'une de mes femmes ?

— Je suis Toke, fils de Gulle le Gris, de Lister, répondit-il ; mon épée et ma langue bien pendue sont tout ce que je possède. Et, si je bavardais avec cette femme, sire, ce n'était aucunement par manque de respect pour toi. Elle m'a interrogé à propos de cette cloche et je lui ai répondu ; et elle m'a dit qu'elle pensait que c'était un aussi beau cadeau qu'elle-même et qu'il te serait tout aussi utile."

Le roi Harald ouvrit à nouveau la bouche pour répondre mais, au même moment, son visage s'assombrit et il poussa un cri en se jetant en arrière sur ses coussins, ce qui fit basculer sur le sol les deux jeunes femmes qui se trouvaient à ses pieds ; la douleur venait à nouveau de frapper dans sa dent malade.

Le tumulte se propagea dans la chambre et ceux qui se tenaient près du lit du roi s'en écartèrent, redoutant son courroux. Mais frère Willibald avait maintenant fini de préparer sa potion et il s'approcha vaillamment, l'air empressé et des mots d'encouragement à la bouche.

"Voilà, sire ! Voilà, sire !" dit-il en faisant le signe de la croix tout d'abord sur le roi puis sur la coupe contenant le breuvage qu'il tenait dans l'autre main. Puis, avec la droite, il sortit une petite cuiller en corne et récita solennellement :

> *"La douleur qui te torture*
> *et qui t'abat*
> *vite s'éteindra*
> *au fond de cette mixture :*
> *Point ne tarderas*
> *à sentir cette cure."*

Le roi le regarda ainsi que la coupe, puis il pouffa de colère et secoua la tête en gémissant ; il écarta ensuite le moine et cria d'une voix forte, au milieu de sa douleur :

"Va-t'en, prêtre ! Va-t'en avec tes philtres et ton breuvage ! Hallbjörn, mon écuyer, Arnkel, Grim ! Brandissez vos haches et écrasez ce chien de prêtre !"

Mais ses hommes, qui avaient bien souvent entendu ce genre de propos, ne bougèrent pas ; frère Willibald ne se laissa pas émouvoir non plus et continua à dire d'une voix forte :

"Sois patient, sire, assieds-toi et prends ceci dans ta bouche. Il y a là grande vertu miraculeuse et tout ce que cela comporte. Trois cuillers, pas plus, sire, et point n'est besoin de les avaler. Chante, frère Matthias !"

Celui-ci se tenait derrière frère Willibald, le gros crucifix à la main, et il se mit à entonner un cantique :

"Solve vincla reis,
profer lumen caecis
mala nostra pelle
bona cuncta posce !"

Le roi parut désarmé par ce chant, car il se laissa alors redresser sans opposer de résistance. Frère Willibald en profita pour lui glisser une cuiller de sa mixture dans la bouche et se mit aussitôt à chanter avec frère Matthias, tandis que tous, dans la chambre, regardaient ce spectacle, l'attente inscrite sur le visage. La face du roi bleuit sous la violence du remède, mais il garda malgré tout la bouche fermée ; et, quand les trois strophes furent chantées, il recracha docilement ce qu'il avait dans la bouche, ce sur quoi frère Willibald lui en fourra une nouvelle dose entre les lèvres.

Par la suite, tous furent d'accord pour dire que fort peu de temps après cette seconde cuillerée, avant même qu'on ait pu chanter une strophe en entier, le roi avait fermé les yeux et s'était raidi. Puis il ouvrit à nouveau les yeux et cracha ce qu'il avait dans la bouche. Il poussa ensuite un grand soupir et demanda qu'on lui apporte de la bière. Frère Willibald arrêta de chanter et se pencha vivement en avant :

"Vas-tu mieux, sire ? La douleur a-t-elle cessé ?

— Elle a cessé, dit le roi, en crachant à nouveau ; ta potion était bien amère, mais elle a fait de l'effet."

Frère Willibald leva les bras au ciel de bonheur.

“Hosanna ! s’écria-t-il. Tout est consommé ! Saint Jacques d’Espagne nous est venu en aide. Loue Dieu, sire, car des jours moins sombres s’annoncent. Le mal de dents n’obscurcira plus ton esprit et ne suscitera plus l’angoisse dans le cœur de tes serviteurs.”

Le roi Harald hocha la tête et écarta sa barbe de ses lèvres. Puis il saisit à deux mains une cruche de belle taille qu’un écuyer venait d’apporter et la porta à sa bouche. Il parut d’abord avaler avec précautions, de peur que la douleur ne reprenne, mais but ensuite à longues gorgées, jusqu’à ce que la cruche fût vide. Il demanda aussitôt qu’on la remplisse et la tendit alors à Orm.

“Sois le bienvenu ! dit-il. Je te remercie de ton aide.”

Orm prit la cruche et but. C’était la meilleure bière qu’il ait goûté, elle était forte et riche, comme seuls les rois ont les moyens d’en faire brasser, et il l’avala de bon cœur. Toke le regarda en soupirant ; puis il finit par dire :

“Le voyageur venant de loin
a la bouche et la gorge sèches ;
puissant seigneur, offre au moins
à Toke un peu de bière fraîche.

— Si tu es poète, tu vas avoir à boire, dit le roi Harald ; mais il faut que tu continues à chanter !”

La coupe pleine fut tendue à Toke, il la porta à sa bouche et but, la tête de plus en plus renversée en arrière. Dans la chambre du roi, tous furent d’avis qu’on avait rarement vidé un pichet aussi promptement que cela. Toke réfléchit un instant, en essuyant l’écume de sa barbe, et dit alors :

“J’ai enduré bien des choses sans bière,
j’ai ramé et combattu sans bière ;
salut à toi, puissant fils de Gorm,
qui ne me laisse pas languir de bière !”

Tous ceux qui étaient présents trouvèrent ces vers bien tournés et le roi déclara :

“Les poètes commencent à se faire rares, de nos jours, et en particulier ceux qui sont capables d’improviser aussi vite. On m’a déjà proposé bien des strophes scaldiques très savantes, mais j’ai eu ensuite le déplaisir de voir ceux qui les avaient composées rester tout l’hiver le nez dans leur bière, sans être capables de grand-chose, après avoir récité les vers qu’ils avaient apportés avec eux. Je préfère ceux qui ont l’inspiration facile et peuvent nous distraire quotidiennement dans notre salle de banquet ; et il me semble que toi, Toke de Lister, tu es plus habile à cet art que tous ceux que j’ai entendus depuis qu’Einar Skålaglam et Vigfus Viga-Glumsson ont été mes hôtes. Vous passerez avec nous les fêtes de Noël et vos hommes avec vous. Je vous assure qu’on servira la meilleure bière, car il me semble que le présent que vous m’avez fait vaut bien cela.”

Là-dessus, le roi Harald se mit à bâiller, car il était las après la nuit blanche qu’il avait passée. Il drapa sa pelisse autour de son corps, s’installa plus confortablement sur son lit et s’y allongea, les deux jeunes femmes à ses côtés ; on les recouvrit de fourrures et frère Matthias et frère Willibald firent le signe de la croix en marmonnant une prière. Puis tous sortirent de la chambre et l’écuyer du roi alla se placer au milieu de la cour, l’épée à la main, criant par trois fois d’une voix forte : “Le roi des Danois dort !” – ceci afin qu’aucun bruit ne vienne perturber le repos de Harald.

IX

COMMENT ON FÊTA NOËL CHEZ HARALD A LA DENT BLEUE

DE NOMBREUX personnages importants arrivèrent de divers côtés afin de fêter Noël chez le roi Harald et on fut un peu à l'étroit dans les chambres à coucher et autour des tables. Mais Orm et ses hommes ne se plaignirent pas de cette nombreuse compagnie, car ils trouvèrent là un marché très favorable pour leurs esclaves, en sorte qu'ils les vendirent tous avant même le début de la fête. Lorsque Orm eut réparti le produit de la vente, ses hommes se sentirent riches et satisfaits. Ils étaient maintenant impatients de rentrer à Lister montrer ce qu'ils avaient gagné et savoir si les deux navires de Berse avaient pu revenir au pays ou s'ils étaient les seuls encore en vie parmi tous les membres de l'expédition de Krok. Pourtant, ils souhaitaient passer la fête à Jellinge, car c'était un grand honneur, qui valait un surcroît de prestige pour le reste de la vie, que d'avoir fêté Noël chez le roi des Danois.

Le principal de tous les hôtes était le roi Sven à la Barbe fourchue, fils du roi Harald, qui était venu de Hedeby accompagné d'une nombreuse escorte. C'était le fils d'une concubine, de même que tous les enfants du roi Harald ; mais il ne s'entendait pas très bien avec son père et tous deux semblaient préférer éviter de se voir. Pourtant, le roi Sven avait l'habitude de venir passer Noël à Jellinge et chacun savait bien pourquoi. Car, lors de cette fête, on buvait et mangeait plus que de coutume et il n'était pas rare que les vieillards meurent subitement, dans leur lit ou même à la table du festin ; tel avait été le cas du roi Gorm qui, après avoir dévoré une grande quantité de lard de Noël, était resté deux jours sans pouvoir parler, avant de mourir. Et Sven tenait beaucoup à se trouver là où étaient conservés les coffres contenant le trésor de son père, le jour où celui-ci disparaîtrait. Il était donc venu en vain bien des fois et son impatience ne faisait que croître avec les ans. Ses hommes étaient des guerriers redoutables, hardis et combatifs, et ils avaient également du mal à s'entendre avec ceux de la maison du roi Harald. Les choses n'avaient d'ailleurs fait qu'empirer depuis que ce dernier avait embrassé la foi chrétienne, imité par bon nombre des siens. Car Sven restait fidèle à l'ancienne religion et se gaussait fort de la conversion de son père, disant que les Danois n'auraient pas eu à connaître pareille bouffonnerie si le vieux avait eu le bon sens de mourir à temps.

Mais il se gardait bien de dire cela à voix haute quand il était à Jellinge, car le roi Harald était prompt à se mettre en colère et était alors dangereux pour tout le monde. Ils n'avaient donc rien à se dire, après les salutations d'usage, et, du haut de leur siège dans la salle du banquet, ils ne trinquaient l'un avec l'autre que dans la mesure où ils ne pouvaient faire autrement.

La veille de Noël, une tempête de neige s'abattit, puis le temps se calma et le froid s'installa. Le matin de Noël, alors que les prêtres célébraient l'office du jour et que la résidence royale baignait dans les agréables effluves des préparatifs culinaires, un long vaisseau arriva du sud et vint accoster au ponton, la voile déchirée et les avirons recouverts de givre. Le roi Harald assistait à la messe quand il fut réveillé par le porteur de la nouvelle. Il se demanda qui pouvaient bien être ces visiteurs et monta sur son balcon pour examiner le navire. C'était un vaisseau de haut bord et la tête de dragon rouge qu'il portait à sa proue se dressait en haut d'un col recourbé, la gueule pleine de glace du fait de la violence des flots. Des hommes aux vêtements recouverts de givre débarquèrent et, parmi eux, un chef de haute taille portant un manteau bleu et un autre en rouge, à peu près aussi grand que le premier. Le roi Harald observa ce spectacle, autant que la distance le lui permettait, et dit :

"Il me semble que c'est un navire appartenant aux vikings de Jomsborg, à moins qu'il ne s'agisse de Suédois. Il est monté par des gens bien arrogants, car ils viennent chez le roi des Danois avec un unique vaisseau sans arborer le bouclier de paix. Je ne connais que trois hommes pour oser agir de la sorte : Skoglar-Toste, Vagn Åkesson et Styrbjörn. En outre, ce navire est entré dans le port sans que la tête de dragon ait été ôtée, bien que chacun sache que les esprits de la terre n'aiment pas cela ; et je ne connais que deux hommes pour oser défier les esprits de la terre : Vagn Åkesson et Styrbjörn. On voit aussi que ce vaisseau n'a pas cherché à s'abriter le long de la côte, et je ne connais qu'un seul homme qui n'ait pas peur du temps que nous avons eu cette nuit. Et c'est pourquoi je pense que c'est là Styrbjörn, mon gendre, que je n'ai pas vu depuis quatre ans. Cela s'accorderait bien avec le manteau bleu, car il a décidé d'être vêtu de bleu tant qu'il n'aura pas repris l'héritage de ses ancêtres au roi Erik. Quant à savoir qui est l'autre, qui paraît être aussi grand que lui, je ne saurais me prononcer avec certitude ; mais les fils de Strutharald sont plus grands que la moyenne, tous les trois, et amis de Styrbjörn. Ce ne peut être le jarl Sigvalde, car il n'est plus très bien vu aux festins de Noël, depuis l'opprobre dont il s'est couvert en nageant à culer à la bataille de Hjörungavåg ; et Hemming, son frère, est en Angleterre. Mais le troisième est Thorkel le Long, et ce doit être lui."

Ainsi parla le roi Harald, célèbre pour sa sagesse, et, lorsque les étrangers atteignirent la résidence royale et qu'il s'avéra qu'il avait raison, il se montra de bien meilleure humeur que depuis l'arrivée de Sven. Il souhaita la bienvenue à Styrbjörn et à Thorkel et fit aussitôt chauffer l'étuve à leur intention, ordonnant également qu'on leur apporte de la bière chaude.

"Ce n'est pas inutile, après un tel voyage, dit-il, même pour les guerriers les plus vaillants ; et les anciens n'avaient pas tort de dire :

> *"La bière chaude aux hommes frigorifiés,*
> *la bière chaude à ceux qui sont fatigués ;*
> *car la bière chaude du corps est l'amie,*
> *et le bâton sur lequel l'esprit s'appuie.""*

Certains des hommes de Styrbjörn étaient si épuisés par le voyage qu'ils grelottaient debout ; mais, quand on leur tendit des pichets de bière chaude, ils les empoignèrent d'une main ferme et ne répandirent pas une seule goutte.

"Quand vous aurez pris un bain et que vous serez reposés, le banquet de Noël pourra commencer, dit le roi Harald ; et j'y suis maintenant mieux disposé que si je n'avais eu que mon fils, en face de moi, à la table.

— Barbe fourchue est donc là ? demanda Styrbjörn en regardant tout autour de lui. J'ai deux mots à lui dire.

— Il espère me voir mourir d'un excès de bière, dit le roi Harald ; c'est pour cette raison qu'il est là. Mais il m'est avis que, si je dois passer lors d'un banquet de Noël, ce sera plutôt de tristesse à la vue de sa mine renfrognée.

Tu auras tout loisir de lui parler, mais j'aimerais savoir une chose : y aurait-il une affaire de sang entre vous ?

— On n'en est pas encore là, répondit Styrbjörn, mais ça peut venir. Il a promis de me fournir des hommes et des navires contre mon parent d'Uppsala et je n'en ai toujours pas vu la couleur.

— Chez moi, c'est une chose entendue, dit le roi Harald, qu'on ne doit en aucun cas se disputer pendant le temps de Noël, et je veux que tu le saches, même s'il t'est difficile d'observer ce genre de trêve. Car je suis maintenant adepte du Christ, qui m'a été d'un grand secours. Or, le Christ n'admet pas que la paix soit rompue à Noël, qui est le jour de sa naissance, pas plus qu'au cours des jours qui suivent.

— Je suis un exilé, répondit Styrbjörn, et n'ai guère les moyens de rester en paix avec les autres ; je préfère en effet être le corbeau, plutôt que celui qu'il met en pièces. Mais, pendant mon séjour chez toi, je pense pouvoir respecter cette trêve aussi bien que quiconque, quels que soient les dieux qui président à la fête. Car tu as été pour moi un excellent beau-père, avec qui je n'ai jamais eu de différend. Mais il est vrai qu'il faut que je t'annonce que ta fille Thyra est morte ; et j'aurais aimé être porteur de meilleures nouvelles.

— C'est en effet bien triste à entendre, dit le roi Harald. De quoi est-elle morte ?

— Elle s'est fâchée parce que j'ai pris une concubine vende, dit Styrbjörn, et s'est mise dans une telle colère qu'elle a craché du sang ; puis elle s'est étiolée et elle est morte. Mais, à part ça, c'était une bonne épouse.

— J'ai en effet observé depuis longtemps que les personnes jeunes meurent plus facilement que les vieilles, dit le roi Harald. Mais il ne faut pas que cette nouvelle nous attriste outre mesure, alors que nous fêtons Noël ;

et j'ai encore d'autres filles dont je ne sais trop que faire. Elles sont toutes fort arrogantes et ne veulent épouser que des hommes qui sont vraiment de noble famille et de grand renom. Tu n'auras donc pas à rester veuf bien longtemps, si tu trouves l'une d'entre elles à ton goût. Je vais te les montrer toutes, même si cela risque de troubler un peu la paix de Noël parmi elles.

— J'ai autre chose en tête, pour le moment, que le mariage, répondit Styrbjörn ; mais nous en reparlerons."

Par toutes les portes et toutes les ouvertures, des yeux curieux observèrent Styrbjörn tandis qu'il se rendait à l'étuve avec ses hommes ; c'était en effet un hôte bien rare et le plus grand de tous les guerriers des pays du Nord depuis l'époque des fils de Lodbrok. Il avait une barbe blonde coupée court et des yeux bleu pâle ; ceux qui ne l'avaient encore jamais vu marmonnèrent de surprise, entre eux, en le voyant aussi mince et svelte. Car tout le monde savait que sa force était telle qu'il était capable, d'un seul coup de son épée, qui avait pour nom Berceuse, de trancher des boucliers comme s'il s'agissait de miches de pain et des hommes en armes de la gorge à l'entrejambe. Les plus savants disaient qu'il était investi de la chance qui avait toujours été celle de la dynastie d'Uppsala et que c'était elle qui lui conférait sa force et lui valait le succès dans ses entreprises les plus téméraires. Mais il était également bien connu que la malédiction et le sort contraire de cette fort ancienne famille lui étaient aussi échus en partage. C'était la raison pour laquelle il n'avait pas de terre sur laquelle régner ; et de là venait encore qu'une lassitude et une grande mélancolie s'emparaient parfois de lui. A ces moments-là, il s'enfermait tout seul dans sa chambre et restait couché des jours entiers, à soupirer et à marmonner de sombres propos, incapable de supporter la présence de quiconque près de lui, mis à part une femme qui peignait ses cheveux et un vieux joueur de harpe qui lui versait de la bière et lui faisait entendre des airs tristes. Mais, dès que cette mélancolie le quittait, il lui tardait de prendre la mer et de partir en campagne ; il était alors capable de lasser ses hommes les plus aguerris et de les inquiéter par sa témérité et par sa malchance en fait d'intempéries.

C'est pourquoi il était l'objet d'une crainte bien plus grande que celle que faisaient régner les autres chefs, comme si quelque chose de la puissance des dieux demeurait en lui et le rendait aussi redoutable qu'eux. D'aucuns pensaient d'ailleurs que lorsqu'il serait au faîte de sa gloire, il se rendrait à Miklagård*, y serait proclamé empereur et ferait le tour de la terre à la tête d'une flotte imposante.

Mais d'autres estimaient pouvoir voir dans ses yeux qu'il mourrait jeune et de malemort.

Tout était maintenant prêt pour la fête de Noël dans la grande salle du roi Harald, et tous les hommes s'y assemblèrent. Aucune femme n'était admise à ce genre de beuverie, car il était déjà difficile, pensait le roi Harald, de faire régner la concorde entre les hommes quand ils étaient entre eux ; mais cela aurait été encore bien plus ardu si, alors qu'ils étaient pris de boisson, ils avaient eu des femmes devant lesquelles chercher à se faire valoir. Une fois que chacun eut pris sa place, l'écuyer du roi proclama que la paix du Christ et du roi Harald régnait maintenant en ce lieu et qu'aucune lame tranchante ne devait être utilisée pour couper la nourriture ; les plaies d'estoc et de taille, ou toute autre façon de faire couler le sang d'un autre homme, au moyen d'un pichet de bière, d'un os, d'une écuelle de bois, d'une louche ou avec le

* La grande Cité, nom donné par les vikings à Constantinople.

poing, serait considérée à l'égal d'un meurtre et comme blasphème envers le Christ et péché mortel : le coupable serait alors jeté à l'eau, une meule attachée autour du cou. Toutes les armes, excepté les couteaux de table, avaient été déposées à l'entrée et seuls les hôtes de marque ayant leur place à la table du roi lui-même avaient eu le droit de conserver leur épée avec eux, car on les estimait capables de se maîtriser même après avoir bu.

La salle pouvait aisément contenir six cents personnes et, au milieu, était dressée la table du roi Harald, à laquelle avaient pris place les trente convives les plus estimés. Les autres tables étaient disposées perpendiculairement, aux deux extrémités de la pièce. A celle du roi, il y avait six places d'honneur, trois de chaque côté. A droite du souverain était assis Styrbjörn et à sa gauche l'évêque Poppo ; en face, Sven avait à sa droite Thorkel et à sa gauche un vieux jarl roux et chauve des Petites îles, nommé Sibbe. Les autres convives étaient placés en fonction de leur rang et c'était le souverain en personne qui avait assigné sa place à chacun. Orm ne pouvait prétendre figurer parmi les plus grands, mais il avait été plus favorisé qu'il n'aurait pu l'espérer, de même que Toke, parce que le roi Harald leur était reconnaissant de la grosse cloche et appréciait les poèmes de Toke. Orm était placé au troisième rang après l'évêque et Toke au quatrième, car Orm avait dit au souverain qu'il souhaitait ne pas être séparé de Toke, étant donné que l'humeur de celui-ci pouvait souffrir de la boisson. En face d'eux, de l'autre côté de la table, étaient assis les chefs de la suite du roi Sven.

L'évêque récita une prière que le souverain lui avait demandé de choisir courte, puis on trinqua par trois fois : la première à la gloire du Christ, la seconde à la bonne fortune du roi Harald et la troisième au retour du soleil. Les païens eux-mêmes burent au Christ ; car ils avaient grand soif et étaient incapables d'attendre ; mais certains d'entre eux firent le signe du marteau au-dessus du pichet en marmonnant le nom de Thor avant de boire. Quand on en vint à trinquer au roi Harald, Sven avala sa bière de travers et se mit à tousser, ce qui incita Styrbjörn à lui demander s'il trouvait le breuvage trop fort à son goût.

On apporta alors la viande de porc de Noël et, à sa vue, guerriers et chefs se turent, poussèrent un grand soupir et eurent un sourire de plaisir ; nombre d'entre eux défirent leur ceinture d'un cran, afin d'être tout à fait prêts dès le début. Car, bien qu'il y ait eu des gens qui disaient pouvoir discerner chez le roi Harald, sur ses vieux jours, une certaine propension à la ladrerie en ce qui concernait l'or et l'argent, nul ne se serait avisé d'affirmer la même chose à propos de ce qu'il offrait à manger et à boire, et surtout pas ceux qui avaient déjà eu l'occasion de fêter Noël en sa compagnie.

Quarante-huit porcs nourris de glands et bien en chair, voilà ce que le roi Harald faisait abattre, chaque année, à Noël ; et il avait coutume de dire que, même si ce n'était pas suffisant pour tout le temps que durait la fête, chacun pouvait au moins avoir une bonne idée du goût de cette viande et qu'après cela on pouvait toujours se contenter de mouton et de bœuf. Les cuisiniers entrèrent deux par deux, en une longue file, portant entre eux de grands chaudrons fumants ; d'autres étaient chargés de bacs remplis de boudin. Des valets armés de longues broches fourchues les suivaient.

Une fois les chaudrons posés sur le sol, près des tables, ils plongèrent leurs broches dans le bouillon et en tirèrent de gros morceaux qui furent servis aux convives, à tour de rôle, afin que chacun eût sa juste part. Tout le monde eut droit, également, à une aune de boudin, ou plus encore s'il le désirait. Des miches de pain et des raves cuites furent déposées sur les tables, dans des plats de terre ; et, à l'extrémité de ces dernières, étaient posés des baquets de bière, pour que cornes et pichets puissent être remplis en permanence.

Quand vint le tour d'Orm et de Toke d'être servis de lard, ils restèrent immobiles, tournés vers le chaudron, observant attentivement le valet qui y plongeait sa broche. Ils poussèrent un soupir de joie en le voyant sortir de beaux morceaux d'épaule et se rappelèrent l'un l'autre qu'il y avait bien longtemps qu'ils n'avaient pas été à pareille fête, se demandant aussi comment ils avaient pu vivre pendant si longtemps dans un pays où on ne mangeait pas de viande de porc. Mais, quand ce fut au tour du boudin de leur être servi, ils eurent tous deux les larmes aux yeux, ayant l'impression de n'avoir jamais fait un repas véritable depuis qu'ils avaient quitté le pays en compagnie de Krok.

"Rien ne vaut ce fumet-là, dit tranquillement Orm.

— Il y a du thym, là-dedans, ajouta Toke, la voix brisée par l'émotion."

Il prit le boudin dans sa bouche, autant qu'il pouvait y entrer, le trancha d'un coup de dents et se mit à mâcher ; puis il se retourna rapidement et arrêta au passage le serviteur, qui s'apprêtait à continuer son chemin avec son baquet, le prit par le collet et lui dit :

"Donne-moi encore du boudin, si ce n'est pas contraire aux ordres du roi Harald ; car j'ai longtemps souffert de la faim chez les Andalous, où il n'y a rien à manger qui soit convenable pour des hommes, et voilà sept hivers que j'ai envie de boudin, sans avoir jamais pu en manger le moins du monde.

— Il en va de même pour moi", dit Orm.

Le serviteur se mit à rire et répondit que le roi Harald avait du boudin pour tous. Il leur en servit donc à chacun une longueur, et du plus large, ce qui les apaisa, et ils purent se remettre à manger très sérieusement.

Le silence régna alors pendant un certain temps, tant à la table du roi qu'aux autres, si ce n'est pour réclamer de la bière ou pour vanter la chère qu'on faisait chez le souverain à Noël.

A la droite d'Orm était assis un jeune homme qui coupait sa viande à l'aide d'un couteau à manche d'argent ciselé ; il avait le teint clair et de beaux et longs cheveux peignés avec soin. Il faisait partie de la suite de Thorkel et il était évident qu'il était de bonne famille, car il était assis fort près du roi, bien qu'il n'eût pas encore de barbe au menton. Cela se voyait aussi à la qualité de ses vêtements et à son ceinturon en argent. Après avoir satisfait le plus gros de son appétit, il se tourna vers Orm et lui dit :

"Il est agréable d'être placé, à table, à côté d'hommes qui ont beaucoup voyagé et il me semble avoir compris que ton voisin et toi, vous êtes allés plus loin que la plupart."

Orm lui répondit que c'était exact et que Toke et lui avaient passé sept années en terre espagnole.

"Car, pour plusieurs raisons, notre voyage a été plus long que nous ne le pensions ; et bien de ceux qui sont partis avec nous ne sont jamais revenus.

— Alors, vous devez avoir beaucoup de choses à raconter, dit l'autre, mais, bien que je ne sois pas allé aussi loin que vous, j'ai aussi pris part à un voyage dont bien peu sont revenus."

Orm lui demanda alors qui il était et où il était allé.

"Je suis de Bornholm, dit le jeune homme, et je m'appelle Sigurd ; Bue le Gros était mon père. Tu as peut-être entendu parler de lui, bien que tu aies été si longtemps hors de notre pays. J'étais à la bataille de Hjörungavåg, où il est tombé, et j'y ai été fait prisonnier avec Vagn et les autres. Et je ne serais pas là pour en parler avec toi si je n'avais pas eu les cheveux aussi longs. Car ce sont eux qui m'ont sauvé la vie, quand on a mis à mort les prisonniers."

La plupart des convives commençaient maintenant à être rassasiés et donc à se sentir d'humeur plus bavarde. Toke se mêla alors à la conversation et dit que ce que racontait le Bornholmois lui paraissait bien étrange et digne d'être entendu ; car il avait toujours estimé, pour sa part, que les cheveux longs étaient plus un inconvénient qu'un avantage pour les guerriers. Thorkel était en train de se curer les dents de la façon raffinée qui avait commencé à se répandre parmi les gens de haut rang qui étaient allés à l'étranger, c'est-à-dire en se tournant de côté et plaçant sa main devant sa bouche. Il entendit ces propos et dit alors que, plus d'une fois, les cheveux longs avaient causé la perte de guerriers et que c'était la raison pour laquelle les hommes sensés s'en faisaient toujours un chignon, sous leur casque. Mais, à en croire Sigurd Buesson, il apparaissait que les cheveux longs pouvaient aussi être utiles à un être avisé ; il espérait donc que tous ceux qui étaient présents dans cette salle allaient pouvoir entendre ce qu'il avait à dire à ce sujet.

Le roi Sven était maintenant de bonne humeur, bien qu'il ait pour commencer été fort contrarié de voir Styrbjörn ; il était assis, appuyé au dossier de son siège d'honneur et dévorait un pied de cochon en crachant les os sur la paille qui recouvrait le sol, tout en voyant avec plaisir son père s'entretenir de femmes avec Styrbjörn et manger et boire plus que quiconque. Il prêta l'oreille à ce qu'on disait à propos de cheveux longs et prit la parole à ce sujet, exprimant l'idée que le guerrier avisé devait aussi penser à sa barbe. Car, lors des combats par grand vent, celle-ci pouvait facilement venir masquer la vue au moment précis où il fallait se garder d'un coup porté à l'épée ou au javelot. C'est pourquoi, dit-il, il avait très tôt pris l'habitude, lorsqu'il partait en campagne, de tresser sa barbe. Mais il n'en aurait pas moins de plaisir à savoir comment Sigurd Buesson avait pu être sauvé par ses cheveux ; car ceux qui avaient participé à la bataille de Hjörungavåg avaient en général des choses intéressantes à raconter.

L'évêque Poppo n'avait pas réussi à manger tout ce qu'on lui avait servi et la bière qu'il avait bue lui avait donné le hoquet. Il tint pourtant à s'exprimer lui aussi. Il dit qu'il aimerait bien leur raconter l'histoire d'un fils de roi du nom d'Absalon, qui était mort à cause de ses cheveux longs. C'était, dit-il, un récit édifiant qui était relaté dans le saint livre écrit par Dieu lui-même. Mais le roi Sven lui objecta qu'il n'aurait qu'à raconter cela aux femmes et aux enfants, si ceux-ci voulaient bien l'écouter. L'évêque et lui se prirent alors de querelle à ce propos jusqu'à ce que le roi Harald prenne la parole pour dire :

"Il y aura assez de temps, au cours de cette fête qui va durer six jours, pour que chacun raconte l'histoire qu'il voudra. Et je connais peu de choses qui soient aussi agréables que d'entendre de bons récits quand on a mangé tout son soûl et qu'il y a encore de la bière dans le pichet. Car, ainsi, le temps passe vite entre les repas et on se dispute moins autour des tables. Je tiens aussi à dire, en l'honneur de l'évêque, qu'il connaît beaucoup de bonnes histoires, car j'en ai moi-même entendu bon nombre avec plaisir, tant à propos des saints et des apôtres que des rois de l'Orient aux temps anciens. Il m'a beaucoup parlé de l'un d'entre eux, nommé Salomon, qui était aimé de Dieu et me ressemblait beaucoup, bien qu'il soit vrai que je n'ai pas autant de femmes que lui. Et je trouve que nous devons laisser la parole à l'évêque en premier, avant qu'il soit trop fatigué par ce qu'il a mangé et bu ; en effet, il ne supporte pas aussi bien que nous les libations du temps de Noël, car il n'y est pas habitué d'aussi longue date. Quand il aura parlé, d'autres pourront nous raconter leur histoire, qu'ils aient été à Hjörungavåg ou bien avec Styrbjörn, ou encore en d'autres lieux. Nous avons aussi la compagnie de gens qui sont allés jusqu'en terre espagnole et qui m'en ont rapporté une cloche qui m'a été fort utile ; nous les entendrons également avec plaisir, au cours de cette fête."

Chacun fut d'avis que le roi Harald avait fort bien parlé et il en fut comme il le désirait. Ce soir-là, à la lumière des torches qu'on avait apportées, l'évêque leur raconta donc l'histoire du roi David et de son fils Absalon. Il parla bien haut, pour que tous l'entendent, et avec beaucoup de sagesse. Et tous, à part Sven, trouvèrent son histoire excellente. Quand l'évêque eut fini de parler, le roi Harald dit que chacun ferait bien de se souvenir de ce qu'il venait d'entendre, quel qu'il fût. Styrbjörn se mit alors à rire et but à la santé de Sven en disant :

"Ce serait peut-être un bon conseil à te donner que de porter dorénavant les cheveux aussi courts que les évêques."

Le roi Harald trouva ce propos fort à son goût et se tapa sur les cuisses en éclatant de rire au point de faire trembler le banc d'honneur ; et, voyant leurs maîtres saisis d'une telle hilarité, ses hommes et ceux de Styrbjörn les imitèrent – même ceux qui n'avaient rien entendu – et la salle tout entière retentit de l'écho de leur gaieté. Les hommes de Sven, en revanche, ne trouvèrent pas cela drôle et, pour sa part, il devint blême de fureur et marmonna quelque chose en se mordant la moustache et en prenant un air farouche, comme s'il était prêt à bondir et à devenir violent. Styrbjörn était penché en avant et le regardait de ses yeux pâles, sans sourciller, un petit sourire aux lèvres. La salle fut alors en proie à un vif émoi et la paix de Noël parut un moment bien menacée. L'évêque tendit les mains et cria quelque chose que personne n'entendit, tandis que les hommes se dévisageaient par-dessus les tables et cherchaient de quoi s'armer. C'est alors que les deux bouffons du roi Harald, des Irlandais de petite taille très célèbres pour leurs tours, sautèrent sur la table du souverain vêtus de vestes bigarrées et la plume au chapeau. Ils se mirent à se trémousser en agitant leurs grandes manches, à se pavaner et lever haut la jambe, à tendre le cou et chanter à la manière des coqs, au point que nul ne pensa avoir jamais entendu pareils cocoricos. Tout le monde eut bientôt oublié sa rage et se laissa aller à son hilarité, désarmé par toutes ces pitreries. C'est ainsi que se termina le premier jour de la fête.

Le lendemain, une fois le repas terminé et les torches apportées, ce fut au tour de Sigurd Buesson de raconter ce qui lui était arrivé à la bataille de Hjörungavåg et comment ses cheveux lui avaient sauvé la vie. Tout le monde connaissait bien cette célèbre bataille et la façon dont les vikings de Jomsborg, avec le renfort de Bornholmois et de Scaniens, étaient partis à bord d'une puissante flotte sous le commandement des fils de Strutharald, de Bue le Gros et de Vagn Åkesson, dans le but de conquérir la Norvège aux dépens du jarl Håkan ; chacun savait aussi ce qu'il était advenu de cette expédition et que peu d'hommes y avaient survécu. Sigurd n'évoqua donc cela que très brièvement et ne mentionna pas le fait que Sigvalde avait pris la fuite avec ses navires. Car il aurait été peu opportun de dire du mal de celui-ci en présence de

Thorkel, bien que tout le monde sût que ce dernier était un vaillant homme et qu'il avait été frappé à la tête par une grosse pierre, dans la mêlée, lorsque les flottes s'abordèrent, et était sans connaissance au moment où son frère s'était enfui.

Sigurd avait participé à la bataille à bord du navire de son père et il s'en tint à ce dont il avait été témoin. Il raconta la mort de ce dernier et la façon dont Bue, après un combat acharné et alors que les Norvégiens étaient montés en foule à bord de son navire, avait reçu au visage un coup d'épée qui lui avait emporté le nez et une bonne partie du menton ; il avait alors pris dans ses bras le gros coffre dans lequel il conservait son trésor et sauté par-dessus bord avec celui-ci. Il évoqua aussi Aslak Holmskalle, qui était devenu berserk, et s'était battu sans casque ni bouclier, chose que l'on voyait rarement désormais, frappant à deux mains et insensible au fer, jusqu'à ce qu'un poète islandais de la suite d'Erik, le fils du jarl Håkan, se soit emparé d'une enclume qui traînait sur le pont et lui ait fracassé le crâne.

"Pour nous autres, qui étions encore en vie sur le navire de mon père, dit Sigurd, il ne restait pas grand-chose à faire ; car nous n'étions pas nombreux, et bien fatigués. Tous nos vaisseaux étaient désormais hors de combat, sauf celui de Vagn, sur lequel on se battait encore. Nous étions serrés les uns contre les autres, à la proue, et bientôt nous fûmes incapables de bouger la main ou le pied ; pour finir, nous restâmes au nombre de neuf, tous blessés, nous fûmes entourés de boucliers ennemis et faits prisonniers. On nous prit nos armes et nous mena à terre, et nous fûmes bientôt rejoints par les derniers survivants du navire de Vagn, dont celui-ci en personne. Il était porté par deux hommes et souffrait de blessures causées aussi bien par l'épée que par le javelot ; il était épuisé, son visage était blême et il ne disait rien. Nous dûmes nous asseoir sur un tronc d'arbre, au bord de l'eau, et on nous attacha les uns aux autres par les jambes, au moyen d'une longue corde, mais on nous laissa les mains libres. Nous restâmes là à attendre, tandis qu'on allait demander au jarl Håkan ce qu'il fallait faire de nous. Il fit répondre qu'on nous mette immédiatement à mort ; et Erik, son fils, vint assister à ce spectacle, accompagné de nombre de ses hommes. Les Norvégiens étaient en effet curieux de voir comment se comportaient des vikings de Jomsborg à l'approche de la mort. Nous étions trente sur ce tronc d'arbre – neuf du navire de Bue, huit de celui de Vagn et le reste venant des autres. Vagn lui-même était assis tout au bout, à droite. Et je vais vous dire le nom de ceux que je connaissais."

Là-dessus, il les cita dans l'ordre où ils étaient assis sur le tronc d'arbre et tout le monde l'écouta attentivement, car bien de ceux qu'il nomma alors étaient connus de l'assistance et avaient des parents parmi celle-ci.

"Alors s'est approché un homme tenant une hache, reprit Sigurd Buesson. Il s'arrêta devant Vagn et lui dit : "Sais-tu qui je suis ?" Vagn le regarda mais ne tint pas compte de lui et ne répondit pas, car il était très las. L'autre reprit alors : "Je suis Thorkel Leira et peut-être te souviens-tu du vœu que tu as fait de me tuer et de coucher avec ma fille Ingeborg." Et ce qu'il disait était bien vrai, car Vagn avait tenu ces propos, avant le départ de l'expédition, en entendant dire que la fille de Thorkel était la plus belle femme de Norvège ainsi que l'une des plus riches. "On dirait plutôt, maintenant, que c'est moi qui vais te tuer", ajouta Thorkel avec un gros rire. Vagn esquissa un sourire et lui répondit : "Tous les vikings de Jomsborg ne sont pas encore morts." "Mais ils vont bientôt l'être, répliqua Thorkel, et je vais veiller moi-même à ce que tout le monde y passe ; tu vas me voir mettre à mort chacun de tes hommes et ensuite tu prendras le même chemin qu'eux." Thorkel gagna alors l'autre extrémité du tronc d'arbre et commença à trancher la tête des prisonniers, l'un après l'autre, sans même les faire se lever. Il était armé d'une bonne hache et il ne traîna pas en besogne, car il n'eut jamais besoin de s'y reprendre à deux fois avec le même homme. Je crois que tous ceux qui assistèrent à ce spectacle seront d'accord pour dire que les hommes de Vagn et de Bue surent bien se comporter à l'approche de la mort. Deux d'entre eux, qui étaient assis à côté de moi, s'entretinrent pour savoir si on sentait toujours quelque chose une fois qu'on avait la tête coupée, et ils convinrent qu'il était difficile de le savoir à l'avance. L'un d'entre eux dit alors : "Regarde cette boucle que je tiens à la main ; si je sens quelque chose après avoir perdu la tête, j'en enfoncerai la pointe dans le sol." Thorkel arriva alors près de lui et, une fois qu'il l'eut frappé de sa hache, la boucle lui tomba aussitôt de la main. Il ne restait plus que deux hommes avant que Thorkel ne parvienne jusqu'à moi."

Sigurd Buesson regarda en souriant ses auditeurs, qui étaient assis en silence, impatients de connaître la suite. Puis il leva son pichet de bière et but à larges traits. Le roi Harald dit alors :

"Je vois que tu as encore ta tête, et quant à ta gorge, il me semble que les glouglous qu'elle fait prouvent qu'elle est également en bon état ; mais, dans la situation où tu te trouvais sur ce tronc d'arbre, il est difficile de croire que tu aies pu les sauver toutes les deux, quelle qu'ait été la longueur de tes cheveux. C'est vraiment ce qu'on peut appeler une bonne histoire, alors ne nous fait pas attendre la suite plus longtemps."

Tout le monde fut de l'avis du roi Harald et Sigurd

Buesson poursuivit :

"Je n'avais pas beaucoup plus peur que les autres, tandis que j'étais assis sur ce tronc d'arbre, mais il me semblait bien vexant de mourir sans laisser quoi que ce soit à raconter. C'est pourquoi, lorsque Thorkel est arrivé près de moi, je lui ai dit : "Je suis très fier de mes cheveux et j'aimerais bien qu'ils ne soient pas souillés de sang." Je les ai ensuite ramenés sur mon front et l'homme qui marchait derrière Thorkel – on m'a dit par la suite que c'était son beau-frère – est venu enrouler mes mèches autour de ses mains en disant à Thorkel : "Frappe, maintenant !" C'est ce qu'il fit ; mais, au même instant, je rentrai brusquement le cou entre les épaules, en sorte que le coup de hache passa entre moi et son beau-frère, coupant les deux mains de ce dernier ; l'une d'entre elles resta même accrochée à mes cheveux."

Toute l'assistance éclata alors de rire. Sigurd fit de même, avant de poursuivre :

"Vous pouvez bien rire ; mais ce n'est rien à côté de ce qui s'est passé quand les Norvégiens ont vu le beau-frère de Thorkel rouler à terre et celui-ci le regarder bouche bée, l'air stupide ; certains se roulèrent par terre de rire. Le jarl Erik s'approcha alors de moi et me demanda : "Qui es-tu ?" Je lui répondis : "Je m'appelle Sigurd et Bue était mon père ; mais tous les vikings de Jomsborg ne sont pas encore morts." Le jarl me dit alors : "On voit bien que tu es du sang de Bue ; veux-tu accepter de moi d'avoir la vie sauve ?" Je lui répondis : "D'un homme comme toi, je l'accepte." Je fus alors délivré de mes liens. Thorkel fut fort mécontent de cela et s'écria : "Si on se met à agir de la sorte, il vaut mieux que je ne tarde pas en ce qui concerne Vagn." Il leva sa hache et courut alors vers ce dernier, qui était toujours assis à l'extrémité du tronc d'arbre. Mais Skarde, l'un des hommes de celui-ci, se trouvait à quatre places de lui et on voyait sur son visage qu'il estimait injuste que Vagn soit mis à mort avant lui. C'est pourquoi, voyant Thorkel arriver en courant, il se jeta en avant par-dessus la corde qui lui entravait les pieds : Thorkel bascula et vint s'étaler de tout son long devant Vagn. Ce dernier se pencha, saisit la hache et il n'y avait plus sur lui la moindre trace de fatigue quand il la planta dans la tête de Thorkel. "J'ai déjà tenu la moitié de ma promesse, s'écria-t-il alors, et tous les vikings de Jomsborg ne sont pas encore morts." Les Norvégiens éclatèrent encore plus bruyamment de rire qu'un instant auparavant et le jarl Erik dit : "Veux-tu accepter ta vie, Vagn ?" "Je le veux bien, répondit ce dernier, si cette offre est valable pour nous tous." "Soit !" dit le jarl. Tous les survivants furent alors détachés ; nous étions douze qui avions vu la mort de bien près."

Sigurd Buesson fut chaudement félicité pour son histoire et tout le monde vanta la manière dont il avait su tirer avantage de sa chevelure. Les langues allèrent alors bon train, autour des tables, à propos de ce qu'il venait de raconter, de la chance qu'il avait eue et de celle de Vagn. Orm dit ensuite à Sigurd :

"Une bonne partie de ce que savent les autres est inconnue de moi et de Toke, car nous avons été absents du pays très longtemps. Où est Vagn, maintenant, et que lui est-il arrivé, après qu'il eut la vie sauve dans les circonstances que tu viens de nous dire ? A t'entendre, il me semble qu'il est plus chanceux que quiconque dont j'aie entendu parler jusqu'à présent.

— Tu ne te trompes pas, répondit Sigurd, et sa chance ne s'est pas démentie depuis. Il sut conquérir la faveur du jarl Erik et, au bout d'un certain temps, il se mit en quête de la fille de Thorkel Leira et la trouva encore plus belle qu'il ne l'avait cru. Elle ne refusa pas de l'aider à réaliser la seconde partie de son vœu et maintenant ils sont mariés et vivent heureux. Il a l'intention de rentrer à Bornholm avec elle quand il en aura le temps mais, la dernière fois qu'on a eu de ses nouvelles, il était encore en Norvège et se plaignait de ne pouvoir encore quitter le pays. Car sa femme lui a apporté tant de fermes en dot, et tant de biens meubles, qu'il n'est pas aisé de tout vendre rapidement et à bon prix ; or, Vagn n'a pas l'habitude de brader ce qu'il possède, quand il peut faire autrement.

— Il y a une chose dans ton histoire à laquelle je ne peux m'empêcher de penser, dit Toke à Sigurd, c'est le coffre dans lequel Bue, ton père, conservait son trésor et qu'il a emporté avec lui dans les flots. As-tu pu le repêcher avant de quitter la Norvège, ou bien quelqu'un d'autre l'a-t-il sorti de la mer ? S'il est encore au fond, je sais bien ce que je ferais si j'allais là-bas : ce serait de draguer l'endroit pour le retrouver ; je pense que l'argent de Bue en vaut la peine.

— Nul n'a ménagé sa peine pour tenter de retrouver ce coffre, répondit Sigurd, tant parmi les Norvégiens que parmi nous, les hommes de Bue qui avons survécu. Certains ont dragué le fond de la mer sans rien ramener et un homme de la région du Vik a plongé avec une corde – mais on ne l'a plus jamais revu. Après cela, tout le monde a pensé que Bue était homme à bien tenir son coffre, au fond de la mer, et à ne pas ménager ses coups à l'encontre de celui qui voudrait y toucher. Car c'est un homme fort et qui aime bien son argent. Les savants sont d'ailleurs d'accord pour dire que les habitants des tertres funéraires sont plus forts que les vivants et c'est sans doute également le cas de Bue, bien qu'il ne soit pas enterré sous un tertre mais gise au fond de l'eau à côté de son trésor.

— C'est bien dommage pour tout cet argent, dit Toke, mais il est vrai que même le plus brave des hommes préférerait un autre sort que de se retrouver écrasé entre les bras de Bue, au fond de l'eau."

C'est ainsi que se termina cette soirée et, le lendemain, le roi Harald voulut entendre le récit des aventures de Styrbjörn chez les Vendes et les Courlandais. Styrbjörn dit alors qu'il n'était pas un très bon narrateur ; mais un Islandais de sa suite prit la parole. Il s'appelait Björn Åsbrandsson et c'était un guerrier réputé, mais aussi un grand poète, de même que tous les hommes venus de cette île ; bien qu'il fût quelque peu ivre, il commença par déclamer des vers en l'honneur du roi Harald rédigés en un mètre appelé töglag. C'était la toute dernière nouveauté parmi les scaldes islandais, remarquable par sa complexité : ces strophes étaient donc composées avec un art si consommé qu'il était difficile de comprendre quoi que ce soit de leur contenu. Pourtant, tout le monde fit semblant de beaucoup les apprécier, car il était mal vu de ne pas entendre la poésie ; et le roi Harald fit l'éloge de ces poèmes et donna à leur auteur une bague en or. Toke était assis, appuyé à la table et la tête entre les mains, à pousser des soupirs. Il murmura tristement que c'était vraiment là du grand art poétique et qu'il comprenait très bien, maintenant, qu'il ne serait jamais en mesure, quant à lui, de composer le genre de poèmes qui rapportait des bagues en or.

L'Islandais, que certains appelaient Björn au grand Manteau viking et qui avait passé deux étés auprès de Styrbjörn, reprit ensuite la parole pour relater les expéditions de ce dernier et les étranges événements qui les avaient marquées ; il parlait bien et put donc s'étendre longuement sur le sujet sans que quiconque ne se lasse de l'écouter. Tout le monde savait d'ailleurs qu'il s'en tenait à la vérité, puisque Styrbjörn lui-même figurait dans l'assistance. Il avait beaucoup à dire sur les entreprises téméraires et sur la grande chance de Styrbjörn, ainsi que sur les trésors amassés par ses hommes. Il termina en récitant un vieux poème sur les ancêtres de Styrbjörn, depuis les dieux jusqu'à son oncle Erik, le roi d'Uppsala ; il en avait lui-même composé la toute dernière strophe :

"Bientôt vers le nord
pour clamer son héritage
Styrbjörn voguera
avec cent nefs ;
des hommes hardis
et victorieux
deviseront gaiement
dans le palais d'Erik."

Ceci fut salué par de vigoureux applaudissements et nombreux furent ceux qui se levèrent de leur banc afin de boire à la réussite de Styrbjörn. Celui-ci fit apporter un hanap de prix et le remit au poète en disant :

"Ce n'est pas là une récompense digne du scalde que tu es ; mais je compléterai quand je serai installé à Uppsala. Il y aura là-bas de quoi bien rémunérer tous ceux de ma suite ; car mon oncle Erik est économe et a mis de côté bien des choses pouvant s'avérer utiles. Au printemps, je me rendrai là-bas pour ouvrir ses coffres, et ceux qui voudront m'y suivre seront les bienvenus."

Tant parmi les hommes du roi Harald que parmi ceux de Sven, beaucoup se sentirent tentés par cette proposition et s'écrièrent qu'ils voulaient être du voyage ; car le roi Erik était célèbre pour avoir amassé un trésor considérable et Uppsala n'avait jamais été mise à sac depuis l'époque d'Ivar aux longs Bras. Le jarl Sibbe des Petites îles était ivre et avait du mal à tenir droits sa tête et son pichet de bière, mais il n'en cria pas moins bien fort qu'il avait l'intention de suivre Styrbjörn avec cinq navires ; car, dit-il, il commençait à se faire vieux et mieux valait mourir à la guerre que sur la paille, comme une vache. Le roi Harald déclara que, pour sa part, il était maintenant trop âgé pour partir en expédition ; et il avait besoin de ses propres hommes pour maintenir l'ordre parmi les esprits rebelles, mais il n'avait rien à objecter, ajouta-t-il, si Sven voulait mettre des navires et des hommes à la disposition de Styrbjörn.

Le roi Sven cracha pensivement, avant d'avaler une gorgée de bière ; puis il joua un moment avec sa barbe et dit qu'il lui était difficile de se passer de certains de ses hommes et de ses navires, étant donné qu'il avait bien besoin de tous contre les Saxons et les Obotrites*.

"Il me paraît plus opportun, dit-il, que ce soit mon père qui fournisse cette assistance car, sur ses vieux jours, ses hommes n'ont pas grand-chose d'autre à faire qu'à observer l'heure des repas et écouter le bavardage des prêtres."

En entendant ces mots, le roi Harald se mit violemment en colère, ce qui causa un vif émoi dans la salle, et il dit alors qu'il était aisé de voir que ce que voulait Sven, c'était qu'il reste seul, sans défense, sur le trône.

"Mais il en sera comme je le veux, s'écria-t-il, rouge de colère ; car c'est moi qui suis le roi des Danois et personne d'autre. Et c'est toi, Sven, qui fourniras des navires et des hommes à Styrbjörn."

Sven ne répondit pas à cela ; il avait en effet peur de la colère de son père. Il était également visible que nombre de ses hommes désiraient vivement partir pour

* Population slave installée dans le nord de l'Allemagne actuelle.

Uppsala. Styrbjörn dit alors :

"Je suis heureux de voir comme vous êtes désireux, tous les deux, de me venir en aide ; il me semble que le mieux serait que toi, Harald, tu décides ce que Sven doit envoyer, et que toi, Sven, tu détermines l'aide que ton père m'apportera."

Ces paroles détendirent l'atmosphère en déclenchant l'hilarité de la plupart ; et il fut finalement décidé que Harald et Sven fourniraient chacun à Styrbjörn douze navires bien équipés, sans compter ceux que les Scaniens pourraient mettre à sa disposition. Harald et Sven auraient ainsi leur part du trésor d'Erik. Et ainsi se termina cette soirée.

Le lendemain, il n'y avait plus de viande de porc ; on servit à la place une soupe aux choux agrémentée de mouton et tout le monde fut heureux de ce changement de régime. Ce soir-là, un homme du Halland raconta un grand mariage auquel il avait assisté, chez les sauvages Smålandais, dans la région appelée Finnveden. On s'y était disputé au sujet de la vente d'un cheval et les couteaux n'avaient pas tardé à être tirés ; et la mariée et ses compagnes avaient éclaté de rire et battu des mains pour encourager les adversaires. Mais, lorsque la mariée, qui était de bonne famille, avait vu l'un des membres de celle du marié crever l'œil de son oncle, elle avait pris une torche qui était accrochée au mur et en avait frappé son promis à la tête, mettant le feu aux cheveux de celui-ci. L'une des demoiselles d'honneur avait alors eu la présence d'esprit de le couvrir de sa jupe, en serrant très fort, ce qui lui avait sauvé la vie, bien qu'il ait été tout noir et gravement brûlé quand il était réapparu. Mais, pendant ce temps, le feu avait pris à la paille répandue sur le sol et onze hommes ivres et blessés avaient alors péri dans l'incendie. De l'avis de tous les gens de la région, c'étaient donc des noces mémorables, dont on parlerait longtemps. Et le marié vivait maintenant heureux avec son épouse, même si ses cheveux n'avaient jamais repoussé depuis lors.

Quand cette histoire fut terminée, le roi Harald dit qu'il aimait bien entendre ce genre de récit divertissant sur les mœurs des Smålandais, qui étaient des coquins et des malfaiteurs ; et l'évêque Poppo devait remercier le ciel en toute occasion d'être venu chez des gens aussi convenables que les Danois et non pas parmi la racaille de Finnveden ou de Värend*.

“Et demain, poursuivit le roi Harald, je veux que nous entendions parler du pays des Andalous et de toutes les aventures qu'Orm Tostesson et Toke Grågullesson ont vécues au cours de leur expédition ; car je crois qu'elles nous divertiront tous.”

La soirée se termina ainsi et, le lendemain matin, Orm et Toke se concertèrent pour savoir qui allait prendre la parole.

“C'est toi qui es le chef, dit Toke ; c'est donc à toi de parler.

— Tu étais du voyage avant moi, répondit Orm, et tu es bien meilleur orateur que moi. De plus, je crois qu'il est grand temps que tu aies enfin la parole, car il me semble parfois avoir remarqué, ces derniers soirs, que tu avais du mal à garder le silence pendant que les autres racontaient leurs aventures.

— Je n'ai pas peur de parler, dit Toke, et je crois avoir la langue aussi bien pendue que quiconque. Pourtant, il y a une difficulté qui est pour moi insurmontable : je ne suis pas capable de parler sans boire, car j'ai alors la

* Autre région de l'actuelle Suède méridionale, située immédiatement à l'est de Finnveden, autour de Växjö.

gorge sèche. Or ce récit promet d'être long. J'ai réussi quatre soirs de suite à quitter la table du roi sans être ivre et en gardant mon calme ; mais ça n'a pas été facile, bien que je n'aie presque rien eu à dire. Et il serait bien regrettable que je perde maintenant la maîtrise de moi-même et que je me fasse une fâcheuse réputation alors que je suis à la table du roi.

— Espérons que tout se passera bien, dit Orm ; et, même si tu t'enivrais au cours de ton récit, je ne crois pas qu'une aussi bonne bière puisse te rendre méchant et violent.

— Advienne que pourra", dit Toke en secouant la tête d'un air sceptique.

Ce soir-là, Toke parla de l'expédition de Krok et de ce qui s'était passé au cours de celle-ci : comment Orm avait été amené à être des leurs, comment ils avaient repêché le juif de la mer et mis à sac le fort, au royaume de Ramire ; il raconta ensuite la bataille contre les Andalous, leur existence d'esclaves et la mort de Krok. Il termina en narrant comment ils avaient retrouvé la liberté, l'amitié du juif et les épées que Subaïda leur avait offertes.

Quand il fut parvenu à ce point de son récit, le roi Harald et Styrbjörn demandèrent à voir ces épées ; Orm et Toke leur firent alors passer Langue bleue et Bec rouge le long de la table. Le roi Harald et Styrbjörn les dégainèrent, les soupesèrent et les observèrent attentivement ; et tous deux furent d'avis qu'ils n'en avaient jamais vu de meilleures. Puis les épées firent le tour du reste de la table, car nombreux étaient ceux qui étaient curieux de voir des armes telles que celles-ci. Mais Orm ne fut pas tranquille tant qu'elles ne leur furent pas rendues car, sans Langue bleue, il se sentait à moitié nu.

Presque en face d'Orm et de Toke étaient assis deux frères nommés Sigtrygg et Dyre, qui étaient des hommes du roi Sven. Le premier était porte-étendard sur le propre navire du souverain. C'était un homme de haute taille, large d'épaules, avec une grande barbe qui poussait à la diable et qui lui montait jusqu'aux yeux. Dyre, son frère, était plus jeune mais comptait néanmoins parmi les meilleurs guerriers de Sven. Orm avait remarqué que Sigtrygg les regardait depuis un certain temps d'un œil noir, Toke et lui ; à deux reprises, il eut même l'air de vouloir dire quelque chose. Et, quand les épées arrivèrent à lui, il les observa de près, hocha la tête et parut avoir du mal à les remettre à son voisin.

Le roi Sven, qui aimait entendre parler de pays lointains, exhorta Toke à poursuivre son récit ; ce dernier, qui avait fait honneur à la bière au cours de cette pause, dit qu'il serait prêt à continuer dès que ceux qui étaient assis en face de lui auraient fini de regarder son épée d'aussi près. Sigtrygg et Dyre la firent alors passer, sans rien dire, et Toke put reprendre le fil de sa narration.

Il parla alors d'Almansur, de sa puissance et de sa richesse, raconta comment ils étaient entrés à son service et avaient dû se convertir au culte du Prophète, avec toutes ses prosternations et ses interdits, ainsi que les campagnes auxquelles ils avaient participé et le butin que celles-ci leur avaient valu. Il en vint ensuite à leur traversée du Pays Inhabité, en route vers la tombe de saint Jacques, et narra la façon dont Orm avait sauvé la vie d'Almansur et celui-ci lui avait remis le grand collier d'or en remerciement. Le roi Harald dit alors :

“Si tu as encore ce collier, Orm, j'aimerais bien que tu me le montres ; car, s'il est aussi remarquable en tant que bijou que vos épées en tant qu'armes, il mérite certainement qu'on le voie.

— Je l'ai toujours, dit Orm, et je n'ai pas l'intention de m'en séparer. Mais il m'a toujours paru plus prudent de le montrer aussi peu que possible, car il est assez beau pour éveiller l'envie de tous, mis à part les rois et autres grands de ce monde. Il serait bien mal élevé de ma part de refuser de te le montrer, sire, ainsi qu'au roi Sven, à Styrbjörn et aux autres jarls ; mais ce serait bien s'il ne faisait pas le tour des autres tables."

Orm ouvrit alors sa veste, sortit le collier qu'il portait autour du cou et le tendit à Sigurd Buesson. Celui-ci le passa ensuite à Hallbjörn, l'écuyer, qui était assis à sa droite. Hallbjörn le donna à son tour au roi Harald, par-dessus la place demeurée vide de l'évêque Poppo ; las de toutes ces ripailles de Noël, celui-ci était en effet resté au lit, soigné par frère Willibald.

Le roi Harald examina le collier, le tendant à la lumière afin de mieux en apprécier la beauté. Il dit que, toute sa vie, il avait collectionné les bijoux et les objets précieux et que, malgré cela, il n'avait jamais rien vu de plus beau que cela. Ce collier était constitué d'épaisses plaques d'or pur ; celles-ci étaient de forme légèrement ovales, longues d'un bon pouce, larges d'un ongle au milieu et d'un peu moins aux extrémités, où de petits anneaux les reliaient entre elles. Le collier tout entier comportait trente-six de ces plaques, ornées en leur centre alternativement d'une pierre précieuse de couleur rouge et d'une de couleur verte.

Quand Styrbjörn eut ce collier entre les mains, il dit qu'il ne pouvait sortir que de la forge de Vaulunder*, mais qu'il pensait que des joyaux aussi beaux se trouvaient dans les coffres de son oncle ; et, quand le collier parvint entre les mains du roi Sven, celui-ci dit que c'était là une

* Personnage de la mythologie nordique.

merveille pour laquelle n'importe quel guerrier verserait volontiers son sang et n'importe quelle fille de roi donnerait sa virginité.

Lorsque Thorkel le Long eut à son tour contemplé le collier et l'eut vanté comme les autres, il le rendit à Orm par-dessus la table. Sigtrygg se pencha alors en avant et voulut le saisir, mais Orm fut plus prompt que lui et l'attrapa au vol.

"Pourquoi tends-tu la main ? demanda-t-il à Sigtrygg. Je n'ai pas entendu dire que tu sois roi ou jarl ; or, je ne veux pas qu'il passe entre les mains d'autres que ceux-ci.

— Je veux me battre avec toi pour ce collier, dit Sigtrygg.

— Je ne doute pas que tu le veuilles, dit Orm, car tu me parais bien cupide et dépourvu de bon sens. Mais je te conseille de ne pas tendre tes doigts crochus et de laisser tranquilles les gens sensés.

— Tu as peur de te battre avec moi, s'écria Sigtrygg ; mais il va bien falloir que tu le fasses, ou alors que tu me donnes ton collier ; car j'ai un vieux compte à régler avec toi et j'exige ce collier en paiement de cette dette.

— J'ai l'impression que tu supportes mal la bière et qu'elle te fait perdre la tête, répondit Orm ; je ne t'ai encore jamais vu, avant cette fête, tu ne peux donc rien avoir à me réclamer. Et maintenant, poursuivit-il en commençant à perdre patience, tu ferais bien de clore ton bec et de rester tranquille, sinon je demanderai au roi Harald la permission de te tordre le nez sur ton siège. Je suis un homme paisible et n'aime guère toucher une trogne comme la tienne ; mais il me semble que tu as bien besoin d'être remis à ta place, même par ceux qui sont les plus patients."

Sigtrygg était un célèbre guerrier, redouté pour sa force et sa violence, et n'ayant guère l'habitude qu'on lui parle sur ce ton. Il se leva de son banc d'un bond et se mit à beugler comme un taureau en proférant des insultes ; pourtant, sa voix fut couverte par celle du roi Harald qui, fort courroucé, ordonna le silence et demanda de quoi il s'agissait.

"Cet homme, sire, a perdu la raison : ta bonne bière et sa propre cupidité lui ont tourné la tête, car il réclame mon collier et prétend avoir un compte à régler avec moi bien que je ne l'aie jamais vu."

Le roi Harald regretta alors que les hommes de Sven provoquent sans cesse des incidents et demanda sévèrement à Sigtrygg pourquoi il n'était pas capable de se maîtriser, puisqu'il avait entendu comme tout le monde proclamer en ce lieu la paix du Christ et celle du roi Harald.

"Sire, répondit Sigtrygg, je vais te dire ce qu'il en est de tout cela et tu conviendras alors que je suis dans mon bon droit. Il y a sept ans, il m'a été fait tort et je viens à l'instant d'apprendre que ces hommes ont été de ceux qui me l'ont causé. Cet été-là, nous revenions des pays du Sud à bord de quatre navires, Bork de Ven, Silverpalle, Faravid Svensson et moi. Nous avons alors rencontré trois bateaux partant dans l'autre sens et leur avons parlé ; à ce que vient de dire ce Toke, je sais maintenant quels étaient ces vaisseaux. Sur le mien se trouvait un esclave espagnol aux cheveux noirs et à la peau jaune. Pendant que nous nous entretenions avec ceux des autres navires, il a sauté par-dessus bord en entraînant Oskel, mon beau-frère, homme de valeur, sans qu'on les revît plus. Or, nous venons d'apprendre que cet esclave a été recueilli par leur navire et que c'était celui qu'ils appellent le juif Salaman et qui leur a été si utile. Les deux hommes qui sont assis ici, Orm et Toke, sont ceux qui l'ont sorti de l'eau, nous venons de l'entendre de la bouche de l'un d'eux. Pareil esclave m'aurait sans doute rapporté gros et cet homme appelé Orm est maintenant le chef des survivants de l'expédition de Krok ; c'est pourquoi il est juste qu'il me dédommage de la perte que j'ai subie. J'exige donc de toi, Orm, ce collier en compensation de cet esclave et de mon beau-frère, soit que tu me le donnes de ton plein gré soit que nous nous affrontions en combat singulier, à l'épée et au bouclier, sur terre battue et à l'instant, là, dehors. De toute façon, je suis dans l'obligation de te tuer, pour avoir dit que tu voulais me tordre le nez ; en effet, personne ne m'a jamais insulté, moi, Sigtrygg, fils de Stigand et porte-étendard du roi Sven, sans connaître le trépas avant le coucher du soleil.

— Il y a deux choses qui me consolent en t'entendant parler, dit Orm. L'une est que ce collier est à moi et le restera toujours, qui que ce soit qui ait pu se jeter à l'eau de ton navire, voilà sept ans de cela. La seconde est que Langue bleue et moi avons aussi notre mot à dire sur la question de savoir lequel d'entre nous vivra le plus longtemps. Mais il convient tout d'abord de nous informer de ce que le roi Harald pense de tout cela."

Dans la salle, tout le monde était content du tour que prenaient les choses, car un combat singulier entre deux hommes tels que Sigtrygg et Orm devait valoir la peine d'être vu. Sven aussi bien que Styrbjörn pensaient que ce serait là une aimable diversion à ce long festin de Noël ; le roi Harald, lui, demeurait pensif et semblait hésiter, tout en se lissant la barbe. Il finit cependant par dire :

"C'est une affaire bien difficile à trancher en toute équité. Je ne suis pas certain que Sigtrygg soit en droit d'exiger compensation de la part d'Orm pour un tort que ce dernier ne lui a pas causé volontairement ; mais il est vrai que personne ne perd un bon esclave et un beau-frère sans espérer en obtenir dédommagement. Et, puisqu'il y a ensuite eu échange d'injures entre ces deux hommes, il s'ensuivra forcément un duel entre eux dès qu'ils seront hors de ma vue ; et un collier tel que celui que porte Orm a certainement déjà entraîné la perte de bien des vies humaines et en causera encore de nombreuses autres. C'est pourquoi il est sans doute aussi bien qu'ils s'affrontent en combat singulier ici, pour notre plus grand plaisir à tous. Hallbjörn, fais donc en sorte que soit préparé et délimité un terrain pour ce combat, là, dehors, à l'endroit le plus plat. Fais disposer tout autour des torches et des feux et dis-nous quand tout sera prêt.

— Sire, répondit Orm d'un ton soucieux, je ne désire pas participer à un combat dans de telles conditions."

Tous le regardèrent et Sigtrygg éclata de rire, imité par bon nombre des hommes de Sven. Le roi Harald secoua alors la tête et dit :

"Si tu as peur de te battre, je ne vois pas d'autre solution que de donner ton collier à Sigtrygg, même si je vois mal en quoi tu y gagneras. Tu me paraissais un peu plus hardi, voici un instant.

— Ce n'est pas le combat que je redoute, dit Orm, mais le froid. J'ai toujours été de santé fragile et ce que je supporte le moins, c'est bien les basses températures. Pour moi, il n'est rien qui puisse être plus mauvais que de passer de la chaleur et de la bière à la froidure du soir, surtout maintenant que j'ai perdu l'habitude du gel, après tant d'années passées dans les pays du Sud. Et il me paraît assez fâcheux de risquer, à cause de Sigtrygg, de devoir être affligé d'une toux pendant le reste de l'hiver ; car, en général, j'ai beaucoup de mal à m'en débarrasser et ma mère m'a toujours dit que la toux et les douleurs seraient ma mort si je ne les soignais pas. Si je peux donc me le permettre, sire, j'aimerais mieux que le combat ait lieu ici même, à l'intérieur, devant ta table, où la place ne manque pas. Tu pourrais ainsi y assister sans avoir à te donner le moindre mal."

Nombreux furent ceux qui se moquèrent des craintes d'Orm ; mais Sigtrygg, lui, ne riait plus : ivre de colère, il s'écria qu'il allait épargner à Orm tout souci pour sa santé, à l'avenir. Orm ne se soucia pas de lui et resta tourné vers le roi Harald, dans l'attente de sa décision. Celui-ci prit alors la parole pour dire :

"Je regrette de constater que désormais la jeunesse n'est plus aussi vaillante que jadis. Les fils de Lodbrok ne se préoccupaient pas de leur santé et du temps qu'il faisait, eux, et moi non plus quand j'étais jeune ; parmi la jeunesse de maintenant, je ne connais guère que Styrbjörn qui soit encore de notre trempe. Mais il est vrai qu'à mon âge, il vaut peut-être mieux regarder ce combat de là où je suis. Il est heureux que l'évêque soit resté au lit, car il se serait sans doute opposé à cela. Mais je suis d'avis que la paix que nous avons fait proclamer solennellement dans cette salle ne peut être rompue par quelque chose à quoi j'aurai moi-même consenti et je ne crois pas que le Christ puisse voir d'un mauvais œil un combat singulier, si tout se passe comme le veulent la loi et la coutume. C'est pourquoi je permets qu'Orm et Sigtrygg se battent ici, dans l'espace libre devant ma table, avec épée et bouclier, heaume et cotte de mailles. Personne n'aura le droit de leur prêter assistance autrement que pour les aider à revêtir leur tenue de combat. Si l'un des deux est tué, tout sera bien ; si l'un des deux ne tient plus sur ses jambes ou jette son épée, ou bien encore se réfugie sous les tables, son adversaire ne devra plus le frapper, mais il aura alors perdu le combat et donc le collier. Styrbjörn, Hallbjörn, l'écuyer, et moi-même veillerons à ce que tout se passe selon les règles."

Sur ces paroles, les hommes allèrent chercher les vêtements que Sigtrygg et Orm allaient porter pour le combat et il s'ensuivit un brouhaha dans la salle, car tous parlaient en même temps. Les gens du roi Harald estimaient qu'Orm était le meilleur des deux, alors que ceux de Sven étaient en faveur de Sigtrygg, faisant valoir qu'il avait déjà vaincu neuf hommes en combat singulier sans avoir reçu lui-même de blessure nécessitant un pansement. Parmi les plus loquaces se trouvait Dyre ; il demanda à Orm s'il n'avait pas peur de tousser dans sa tombe, puis se tourna vers son frère pour lui demander de bien vouloir se contenter du collier d'Orm, pour sa propre part, et de lui laisser, à lui, Dyre, l'épée de ce dernier.

Pendant ce temps, Toke était resté assis, bien triste d'avoir été interrompu dans son récit, à marmonner pour lui-même et à boire ; mais, en entendant les propos de Dyre, il prit soudain flamme et jeta son couteau dans le bois de la table, devant ce dernier, avec tant de force qu'il y resta fiché, puis il lança son épée, sans l'avoir dégainée, à côté du couteau, et sauta par-dessus la table si vivement que Dyre n'eut pas le temps de s'écarter. Il le saisit par les oreilles et les favoris et lui pressa le visage contre le couteau et l'épée en lui disant :

"Voilà des armes qui valent bien celles d'Orm, mais, si tu les veux, il va falloir que tu les mérites toi-même, au lieu de les quémander auprès d'un autre."

Dyre était un homme robuste. Il saisit les poignets de Toke et les serra très fort ; mais il ne parvint pas à se dégager et poussa des cris de douleur, tant sa barbe et ses oreilles lui faisaient mal.

"Ceci n'est qu'une petite conversation amicale, dit Toke, car pour rien au monde je ne voudrais rompre la paix du roi Harald. Mais je ne te lâcherai pas avant que tu n'aies promis de te battre avec moi, car Bec rouge n'aime pas rester inactive lorsque sa sœur a de l'ouvrage.

— Lâche-moi, dit Dyre, la bouche contre la table, pour que je puisse te tuer le plus vite possible.

— J'ai ta promesse", dit Toke.

Il le lâcha alors et souffla sur ses paumes pour en ôter quelques poils de barbe qui y étaient restés.

Dyre avait les oreilles toutes rouges, mais le reste de son visage était blême de colère et il donna tout d'abord l'impression d'être incapable de prononcer un mot. Puis il se redressa et dit :

"Je vais régler cette affaire avec toi tout de suite ; ce sera très bien ainsi car, de la sorte, mon frère et moi aurons chacun notre épée espagnole. Sortons pisser ensemble, un instant, sans oublier de prendre nos armes."

Ils longèrent alors chacun un côté de la table du souverain, puis suivirent côte à côte celles placées perpendiculairement, et sortirent par l'une des portes sur le pignon. Le roi Sven les accompagna du regard, le sourire aux lèvres ; car il aimait bien que ses hommes se fassent remarquer, accroissant ainsi leur renommée et la crainte qu'on pouvait avoir d'eux.

Orm et Sigtrygg étaient maintenant en train de s'armer pour le combat ; on balaya soigneusement le sol à l'endroit où ils allaient s'affronter, pour ne pas qu'ils se prennent les pieds dans la paille ou dans les os jetés aux chiens du roi Harald. Les hommes qui étaient placés aux deux extrémités de la salle approchèrent, afin de mieux voir, et s'assirent au coude à coude sur des bancs ou sur des tables de chaque côté de l'espace réservé aux duellistes, ainsi que derrière la table du roi Harald et le long du mur, sur le quatrième côté. Le souverain était maintenant de fort bonne humeur et impatient de voir le combat. En se retournant, il vit quelques-unes de ses femmes entrebâiller la porte et jeter un regard curieux à l'intérieur de la salle ; il ordonna alors qu'on aille chercher ses femmes et ses filles pour qu'elles puissent voir ce spectacle, car il n'avait pas le cœur de le leur refuser. Il fit même place à certaines d'entre elles à son côté, ainsi que sur le siège vide de l'évêque ; quant aux deux plus belles de ses filles, elles eurent le droit d'aller s'asseoir près de Styrbjörn et elles ne se plaignirent pas d'être un peu à l'étroit. Elles riaient et minaudaient, quand ce dernier leur offrait de la bière, mais n'étaient pas en reste pour vider leur pichet. A l'intention des femmes qui ne trouvèrent pas place sur le banc d'honneur, on en installa un autre, derrière la table, de façon à ce qu'elles n'aient pas la vue masquée.

L'écuyer Hallbjörn fit sonner le cor pour demander le silence, puis annonça que tout le monde devait se tenir tranquille pendant le combat et s'abstenir de crier des conseils aux duellistes ainsi que de jeter quoi que ce soit sur le sol là où ils s'affrontaient. Les deux hommes étaient maintenant prêts et vinrent prendre place l'un en face de l'autre. Quand on se rendit compte qu'Orm était gaucher, un murmure s'éleva de l'assistance, car un combat entre droitier et gaucher était dur pour tous les deux, étant donné que les coups arrivaient à l'envers, pour ainsi dire, et que les boucliers ne protégeaient plus qu'imparfaitement.

On voyait sur eux que c'étaient des hommes que peu auraient voulu affronter de leur propre gré et ni l'un ni l'autre ne semblait éprouver la moindre crainte quant à l'issue du combat. Orm avait une tête de plus que Sigtrygg et ses bras étaient plus longs ; mais ce dernier était plus trapu et donnait l'impression d'être plus fort. Ils tenaient leur bouclier de façon à bien se couvrir la poitrine et assez haut pour pouvoir rapidement protéger leur cou, ne lâchant pas des yeux l'épée de l'adversaire afin d'être prêts à parer chaque assaut. Dès qu'ils furent assez proches l'un de l'autre, Orm porta un coup aux jambes de Sigtrygg ; mais celui-ci l'esquiva d'un bond et riposta au moyen d'une estocade qui fit sonner le casque d'Orm. Après cela, tous deux se montrèrent un peu plus prudents et parèrent les coups avec leur bouclier. Le roi Harald expliqua à ses femmes que c'était bien d'avoir affaire à des combattants expérimentés qui ne se ruaient pas à l'assaut avec trop d'impétuosité et ne se découvraient pas trop, car ainsi le plaisir durait plus longtemps.

"Et, même pour qui a vu bien des combats singuliers, il est difficile de dire qui l'emportera dans le cas présent, dit-il ; mais le rouquin m'a l'air d'être l'un des hommes les plus sûrs que j'aie vus, bien qu'il ait tellement peur du froid. Et Sven pourrait bien perdre un porte-étendard dans l'affaire."

Le roi Sven qui, de même que les deux jarls, s'était assis sur le bord de sa table, afin d'être face au combat, eut un petit sourire de dédain en entendant cela et répondit que quiconque connaissait Sigtrygg ne se faisait pas trop de souci sur ce point.

"Et, bien que mes hommes n'aient pas peur des combats singuliers, dit-il, il est rare que j'en perde un de cette façon, sauf quand ils se battent l'un contre l'autre."

Toke rentra alors dans la salle. Il boitait et marmonnait un poème quelconque. Et, quand il enjamba le banc pour regagner sa place, on vit qu'il saignait de la cuisse.

"Qu'est devenu Dyre ? demanda Sigurd Buesson.

— Il y a mis le temps, répondit Toke. Mais maintenant, il a fini de pisser."

Personne n'avait d'yeux pour autre chose que pour le combat singulier, désormais, et Sigtrygg donnait l'impression de vouloir en finir vite. Il portait de violents assauts et s'efforçait de toucher Orm aux jambes, au visage et aux doigts de la main qui tenait l'épée. Orm parait bien les coups mais ne semblait pas en porter beaucoup lui-même et on voyait que le bouclier de Sigtrygg lui causait des soucis. Il était plus grand que le sien et fait d'un bois dur sur lequel était fixée une épaisse couche de cuir ; seule la bosse du milieu était en fer. L'adversaire devait à tout prix éviter que son épée ne vienne se ficher dans le bord de ce bouclier, car elle risquait alors de se briser ou bien de lui être arrachée des mains. Le bouclier d'Orm, pour sa part, était entièrement en fer et portait en son centre une pointe acérée.

Sigtrygg se mit à ricaner et demanda à Orm s'il avait assez chaud. Du sang coulait le long de la joue de ce dernier depuis le coup qu'il avait reçu sur son casque, au tout début du combat, mais il avait aussi été touché à la jambe par la pointe de l'arme de son adversaire et entaillé à la main. Sigtrygg, lui, n'avait encore été blessé nulle part. Orm ne répondit rien et recula pas à pas le long de l'une des tables. Sigtrygg se recroquevilla derrière son bouclier puis se jeta vers l'avant et sur les côtés, attaquant avec de plus en plus de violence, et donnant à tous l'impression d'être sur le point de remporter la victoire.

Soudain, Orm bondit vers l'avant, para le coup de Sigtrygg avec son épée et pressa de toute sa force son bouclier contre celui de son adversaire, en sorte que sa pointe traversa le cuir et le bois de l'autre et y resta plantée. Il tira alors si violemment vers le bas que les deux poignées se rompirent. Les combattants reculèrent, dégagèrent leur épée et portèrent un coup en même temps. Celui de Sigtrygg atteignit Orm sur le flanc, déchirant sa cotte de mailles et lui causant une plaie profonde ; mais celui d'Orm toucha Sigtrygg à la gorge et un immense cri s'éleva dans la salle quand la tête de ce dernier se détacha de son corps et vint rebondir sur le bord de la table, avant de rouler dans le baquet de bière, à l'extrémité de celle-ci.

Orm chancela et vint s'appuyer sur la table ; il essuya son épée sur son genou et la remit au fourreau en regardant le corps sans tête qui gisait à ses pieds.

"Maintenant, dit-il, tu sais à qui appartient ce collier."

X

COMMENT ORM PERDIT SON COLLIER

LE COMBAT SINGULIER pour le collier fit grand bruit dans la maison du roi, tant dans la salle qu'à la cuisine et dans les chambres des femmes. Tous ceux qui y avaient assisté gravèrent profondément dans leur mémoire tout ce qui avait été dit et ce qui était arrivé, afin de ne pas manquer une aussi bonne histoire à raconter aux autres. On vanta fort la façon qu'Orm avait eu de priver son ennemi de son bouclier et l'Islandais de la suite de Styrbjörn récita dès le lendemain des vers rédigés dans un mètre très savant sur le malheur de perdre sa tête dans un baquet de bière. Tous furent alors d'avis que, même chez le roi Harald, on ne passait pas chaque année d'aussi bonnes fêtes de Noël.

Mais Orm et Toke durent rester au lit pour panser leurs blessures et n'eurent guère lieu de se réjouir des jours qui suivirent, bien que frère Willibald les ait fait bénéficier de ses baumes les plus efficaces. La plaie de Toke s'infecta, lui causant des accès de fièvre qui le rendaient dangereux, car quatre hommes devaient alors le tenir pour le soigner. Quant à Orm, qui avait eu deux côtes cassées et perdu beaucoup de sang, il se sentait meurtri et très affaibli et n'avait plus son appétit habituel. Il voyait là un mauvais signe et cela le rendit d'humeur bien chagrine.

Le roi Harald leur avait assigné une chambre confortable, chauffée à l'aide d'une cheminée maçonnée, et avec du foin au lieu de paille pour leur servir de matelas. Bon nombre des hommes du souverain et de Styrbjörn vinrent leur rendre visite, le premier jour, afin de parler du duel et de se moquer de la colère de Sven, au point que la chambre fut bientôt trop petite et trop bruyante et que frère Willibald les fit tous sortir, avec d'amères paroles de reproches. Orm et Toke, pour leur part, n'étaient pas trop sûrs de ce qu'ils aimaient le moins : l'excès de compagnie ou la solitude. Ils durent aussi se séparer de leurs hommes, qui voulaient rentrer chez eux, maintenant que la fête de Noël était terminée ; tous sauf Rapp, qui était proscrit de son pays et ne pouvait donc y retourner. Au bout de quelques jours, quand la tempête se fut levée, dispersant les glaces, et que Sven eut appareillé, l'humeur bien sombre et fort avare de paroles d'adieu, Styrbjörn prit à son tour congé du roi Harald, car il était pressé d'aller rassembler des hommes pour sa campagne ; il accepta ceux d'Orm à bord de son navire, à charge pour eux de prendre leur tour aux avirons. Styrbjörn aurait bien voulu compter Orm et Toke parmi ses gens et il vint en personne les voir dans leur chambre et leur dire qu'ils lui avaient fait passer un très bon Noël et qu'ils ne devraient pas rester au lit à paresser, sous prétexte qu'ils étaient blessés.

"Venez donc me voir à Bornholm, quand les grues commenceront leur migration, dit-il ; car j'ai place pour des braves comme vous à la proue de mon propre vaisseau."

Il partit sans attendre la réponse, pressé par toutes les affaires qui l'attendaient, et là s'arrêta donc la conversation entre les trois hommes. Orm et Toke restèrent silencieux pendant un moment, puis ce dernier se mit à dire :

"Béni soit le jour futur
où du pont d'un navire
je verrai grues et cigognes
mettre le cap vers le nord."

Mais, après un instant de réflexion, Orm répondit bien tristement :

"Ne parle point de grues,
car avant la fin du jour
je serai descendu sous terre
au royaume des morts."

Lorsque la plupart des invités furent partis et que l'on eut moins à faire à la cuisine, frère Willibald fit préparer deux fois par jour, à l'intention des blessés, un bouillon de viande destiné à leur redonner des forces. La curiosité poussa certaines des femmes du roi à prendre prétexte de cela pour se rendre dans la chambre des deux hommes. Elles purent le faire sans trop de difficultés, car le souverain était maintenant alité, après tout ce qu'il avait mangé à Noël, et c'était surtout frère Matthias et frère Willibald qui lui tenaient compagnie, ainsi que l'évêque, afin de réciter des prières et de lui administrer des potions pour lui nettoyer le sang et les intestins.

Celle qui passa la première la tête par la porte fut la jeune femme maure qu'ils avaient vue en se présentant devant le roi Harald. Toke poussa des cris de joie en l'apercevant et lui dit d'approcher. Elle entra donc, tenant à la main un bol et une cuiller, alla s'asseoir près de Toke et commença à lui donner à manger ; elle était accompagnée d'une autre jeune femme, qui prit place près d'Orm. Cette dernière était grande et belle, elle avait le teint pâle et les yeux gris, ainsi qu'une jolie bouche. Ses cheveux étaient bruns et elle portait un ruban de perles d'ambre autour de ceux-ci. Orm ne l'avait pas encore vue, mais il eut l'impression qu'elle ne faisait pas partie des servantes.

Orm eut bien du mal à avaler le bouillon, car il ne pouvait pas se mettre sur son séant à cause de sa blessure. Il avala une gorgée de travers et se mit à tousser. La douleur se réveilla alors, il se sentit mal et se mit à gémir. La jeune fille eut un sourire et Orm la regarda alors d'un œil sombre. Une fois la quinte de toux passée, il lui dit :

“Je ne suis pas au lit pour qu'on vienne se moquer de moi. Qui es-tu ?

— Je m'appelle Ylva, répondit-elle, et, avant cet instant, je ne savais pas qu'on pouvait avoir des raisons de rire de toi. Comment peux-tu geindre à cause d'une cuillerée de soupe chaude, toi qui as terrassé le meilleur guerrier de mon frère Sven ?

— Ce n'est pas à cause de la soupe, dit Orm ; même une femme comme toi devrait bien comprendre qu'une blessure comme la mienne fait souffrir. Mais, si tu es la sœur du roi Sven, il n'est peut-être pas étonnant que je n'aime pas le goût de cette soupe : elle n'est pas bonne. Es-tu venue ici pour venger la perte que j'ai causée à ton frère ?”

La jeune fille se leva alors et jeta le bol et la cuiller dans la cheminée, faisant gicler la soupe alentour, puis elle se planta en face de lui, le dévisageant avec colère : mais elle se radoucit vite, se mit à rire et se rassit sur le bord du lit.

“Tu n'as pas peur de montrer que tu as peur, dit-elle, il faut te rendre cette justice ; mais, quant à savoir qui est le plus bête de nous deux, c'est beaucoup plus difficile.

Je t'ai vu quand tu te battais contre Sigtrygg et la lutte était belle à voir ; sache donc que personne ne devient mon ennemi pour avoir causé du tort à mon frère. Et Sigtrygg méritait son sort depuis bien longtemps. Il empestait de la bouche de très loin et Sven et lui ne cessaient de dire que je deviendrais sa femme. Si les choses en étaient venues là, il n'aurait pas vécu de bien nombreuses nuits après nos noces, car je ne suis pas prête accepter n'importe quelle brute. Je te suis donc très reconnaissante de ce que tu as fait pour moi de ce point de vue.

— Tu es bien fière et immodeste et tu sais peut-être mieux griffer que la plupart des autres femmes ; mais je suppose que c'est normal pour une fille de roi, dit Orm. Et je ne cacherai pas que tu me sembles trop bien pour quelqu'un comme Sigtrygg. Mais je suis bien mal en point après ce combat et je ne sais pas exactement comment tout cela va se terminer pour moi."

Ylva se mordit le bout de la langue et hocha la tête d'un air pensif.

"Tu n'es peut-être pas le seul, avec Sigtrygg et Sven, à avoir pâti de ce combat singulier, dit-elle. J'ai entendu parler du collier que convoitait Sigtrygg ; on dit que c'est le roi du pays du Sud qui te l'a donné et que c'est le plus beau bijou qui soit au monde. Je voudrais que tu me le fasses voir ; tu n'as pas besoin d'avoir peur que je m'en empare et que je m'enfuie avec, même s'il aurait été mien au cas où Sigtrygg l'aurait emporté.

— C'est un malheur que de posséder une chose que tout le monde veut tenir entre ses mains, dit Orm d'un air triste.

— Pourquoi ne l'as-tu pas donné à Sigtrygg, alors ? demanda Ylva. Tu aurais été débarrassé de ce souci.

— Il y a une chose que je sais déjà, répondit Orm, bien que je ne te connaisse que depuis bien peu de temps : celui qui t'épousera n'aura pas souvent le dernier mot.

— Je ne crois pas qu'on viendra te demander de savoir si tu as deviné juste, dit Ylva ; pas tel que te voilà, même si tu avais cinq colliers. Pourquoi n'as-tu pas fait laver tes cheveux et ta barbe ? Tu es encore bien plus horrible à voir qu'un Smålandais. Mais tu n'as toujours pas répondu à la question que je t'ai posée : veux-tu me le montrer ce collier, oui ou non ?

— Ce n'est vraiment pas gentil envers un malade de le comparer à un Smålandais, dit Orm. Je suis de très bonne famille, tant du côté paternel que maternel. Sven au Museau de rat était le demi-frère de ma grand-mère maternelle et, du côté des femmes, il descendait d'Ivar aux longs Bras. Si je n'étais pas en si piteux état, je ne supporterais pas ce que tu viens de dire et je te mettrais à la porte. Mais il est vrai que j'aimerais bien être lavé, aussi mal en point que je sois ; et, si tu me rends ce service, je verrai si tu t'y prends mieux que pour me donner de la soupe. Mais il est bien possible que les filles de roi ne soient pas capables de choses aussi utiles.

— C'est un travail de servante que tu me demandes de faire, dit Ylva, et personne ne s'y est risqué avant toi ; il est heureux pour toi que tu sois un descendant d'Ivar aux longs Bras. Mais il est vrai que j'aimerais voir l'air que tu as quand tu es lavé. Je viendrai de bonne heure demain matin et alors tu pourras constater que je suis aussi bonne à cela que n'importe qui d'autre.

— Je voudrais aussi qu'on me peigne, dit Orm, et quand tout cela sera fait à ma satisfaction, je te montrerai le collier."

On entendit alors du bruit du côté du lit de Toke. Il était en mesure de s'asseoir, lui, et la soupe et la présence d'une femme l'avaient mis de bonne humeur. Ils devisaient dans la langue de la femme et Toke n'y était guère expert. Mais il n'en était que plus désireux de s'exprimer avec ses mains et s'efforçait de l'attirer vers lui. Elle se débattait et lui tapait sur les doigts avec la cuiller, mais ne s'écartait pas de lui plus qu'il n'était nécessaire et n'avait pas l'air fâchée ; et Toke vantait de son mieux sa beauté, tout en maudissant sa blessure à la jambe qui le clouait au lit.

Lorsque leurs ébats devinrent un peu trop bruyants, Orm et Ylva se tournèrent vers eux ; Ylva souriait, mais Orm, lui, parut beaucoup moins satisfait et cria à Toke de se tenir convenablement et de laisser la femme tranquille.

"Qu'est-ce que tu crois que dirait le roi Harald, dit-il, s'il savait que tu lutines une de ses femmes au-dessus des genoux ?

— Il dirait peut-être comme toi, Orm, dit Ylva, que c'est un malheur de posséder quelque chose que tous souhaitent tenir entre leurs mains. Mais, pour ma part, je n'ai rien envie de dire, car il a bien plus de femmes qu'il n'en faut à son âge et cette pauvre fille est bien à plaindre parmi nous. Elle pleure souvent et elle est difficile à consoler, car elle ne comprend pas grand-chose de ce qu'on lui dit. Ne t'inquiète donc pas de la voir plaisanter avec quelqu'un à qui elle peut parler et qui a l'air d'être un homme courageux."

Mais Orm maintint que Toke devait être très prudent dans ce genre de situation, tant qu'ils seraient les hôtes du roi Harald.

Toke s'était un peu calmé et ne tenait plus la femme, maintenant, que par sa natte. Il trouvait qu'Orm s'inquiétait inutilement.

"Car je ne risque guère qu'on se mette à jaser sur mon compte, tant que ma jambe sera dans cet état et tu as toi-même, Orm, entendu le petit prêtre dire que le roi a ordonné que tout soit fait pour que nous soyons à notre aise, chez lui, du fait de l'affront que nous avons affligé à Sven. Et, pour ma part, tout le monde sait bien que je ne suis pas heureux sans femmes ; celle-ci me paraît vraiment à nulle autre pareille, malgré ma maladie, et je ne vois pas de meilleur remède pour moi, au point que je me sens déjà mieux. Je lui ai dit de venir ici aussi souvent qu'elle le pourra, pour m'aider à me remettre sur pied, et je crois qu'elle n'a pas peur de moi, bien que je l'aie serrée d'un peu près."

Orm marmonna quelques paroles de mécontentement, mais on finit par convenir que les deux femmes viendraient, le lendemain matin, laver leurs cheveux et leur barbe. A ce moment, frère Willibald entra en coup de vent pour panser leurs blessures ; il se mit en colère en voyant la soupe répandue sur le sol et chassa les deux femmes. Ylva elle-même n'osa pas s'opposer à lui, car tout le monde avait peur de celui qui détenait un pouvoir sur la vie et sur la santé.

Une fois seuls, Orm et Toke restèrent un moment sans parler, ayant suffisamment matière à réfléchir. Puis Toke prit la parole et dit :

"Notre chance a tourné, depuis que des femmes ont trouvé le chemin de notre chambre. Je me sens tout de suite ragaillardi."

Mais Orm ne fut pas de cet avis :

"Le malheur nous menace, au contraire, Toke, si tu n'es pas capable de réfréner tes instincts. Et j'aimerais être un peu plus certain que tu peux le faire."

Toke l'assura qu'il avait bon espoir à ce sujet, s'il s'efforçait pour de bon d'y parvenir.

"Mais il est vrai qu'elle n'aurait guère envie de se débattre si j'étais bien portant et si je m'employais vraiment. Un vieux roi n'est pas ce qu'il faut à une femme comme elle et elle a été surveillée de près depuis son arrivée ici. Elle s'appelle Mirah, elle est de bonne famille et vient de Rhonda ; elle a été enlevée nuitamment par des vikings qui l'ont emmenée avec quelques autres et l'ont vendue au roi de Cork. Et celui-ci l'a donnée en cadeau à Harald, en raison de sa beauté. Elle dit qu'elle attacherait plus de prix à un tel honneur si elle avait été donnée à quelqu'un de plus jeune et avec lequel elle pourrait parler. Je n'ai pas souvent vu de femme aussi magnifique qu'elle, aussi gracieuse et à la peau aussi douce. Mais celle qui est venue s'asseoir au bord de ton lit est digne d'éloges, elle aussi, même si elle me paraît un peu maigre et si elle a la chair moins ferme. Elle a l'air bien disposée à ton égard ; mais cela montre combien on nous estime en tant qu'hommes, puisque de telles femmes nous prodiguent leurs faveurs alors que nous sommes sur un lit de douleur."

Mais Orm objecta qu'il avait autre chose en tête que les femmes et l'amour, car il se sentait de plus en plus faible et malade et n'avait peut-être plus longtemps à vivre.

Le lendemain matin, dès qu'il fit jour, les femmes vinrent comme elles l'avaient promis, apportant avec elles de l'eau savonneuse bien chaude et des serviettes. Elles lavèrent avec soin les cheveux et la barbe d'Orm et de Toke. Ce ne fut pas très facile dans le cas du premier, car il ne pouvait toujours pas se mettre sur son séant ; mais Ylva lui souleva la tête et procéda avec beaucoup de précautions, s'acquittant de sa tâche d'une façon qui lui faisait honneur : Orm n'eut de savon ni dans les yeux ni dans la bouche et sortit de l'opération propre comme un sou neuf. Puis elle alla s'asseoir à son chevet, posa sa tête sur ses genoux et se mit à le peigner. Elle demanda si elle ne lui faisait pas mal ; Orm répondit qu'il devait reconnaître qu'il était très bien comme il était. Elle eut un peu de mal à mettre de l'ordre dans ses cheveux, qui étaient épais et drus et tout emmêlés ; mais elle procéda avec beaucoup de patience et Orm eut l'impression de n'avoir jamais été aussi bien peigné. Elle s'entretint familièrement avec lui, comme s'ils étaient amis de longue date, et Orm sentit qu'il aimait bien l'avoir près de lui.

"On va sans doute vous mouiller la tête encore une fois, avant que vous soyez sur pied, dit-elle, car l'évêque et ses gens aiment bien baptiser ceux qui sont alités, et je m'étonne qu'ils ne soient pas encore venus vous trouver. C'est ce qu'ils ont fait avec mon père, alors qu'il était gravement malade et pensait qu'il n'allait jamais se relever. La plupart des gens pensent aussi que l'hiver est la meilleure saison pour être baptisés parce que, alors, les prêtres ne vous versent de l'eau que sur la tête, tandis qu'autrement ils vous plongent le corps tout entier et il n'y a pas grand monde qui aime cela, quand l'eau est glaciale. Ce n'est pas agréable pour les prêtres non plus : ils ont le visage tout bleu, quand ils sont dans l'eau jusqu'aux genoux, et ils grincent des dents au point d'être à peine capables de prononcer les paroles rituelles. C'est pourquoi, en hiver, ils préfèrent baptiser les personnes alitées. Moi, en revanche, l'évêque m'a conféré ce sacrement au milieu de l'été, le jour où on fête celui qu'ils appellent le Baptiste, et cela n'a pas été pénible. Nous étions assises en cercle autour de lui, en chemise, mes sœurs et moi, pendant qu'il lisait les prières, et quand il a levé la main, nous nous sommes bouché le nez et nous avons plongé la tête sous l'eau. C'est moi qui suis restée ainsi le plus longtemps et c'est pourquoi mon baptême est considéré comme étant le meilleur de tous. Après, on nous a donné à toutes des vêtements consacrés, ainsi qu'une petite croix à accrocher autour de notre cou ; et aucune d'entre nous n'a eu à souffrir de la cérémonie."

Orm répondit qu'il était au courant de toutes sortes de pratiques étranges, étant donné qu'il était allé dans le pays du Sud, où on n'avait pas le droit de manger de viande de porc, ainsi que chez les moines irlandais qui avaient beaucoup insisté pour lui administrer le baptême.

"Et j'ai bien du mal à comprendre à quoi ce genre de choses peut servir pour les gens et en quoi cela peut être agréable aux dieux. Je suis curieux de voir l'évêque, ou quelque autre homme de dieu que ce soit, qui sera capable de me faire plonger la tête dans l'eau froide, aussi bien en été qu'en hiver. Et je n'ai aucune envie non plus de leur permettre de me verser de l'eau sur le crâne en récitant tout un tas de prières. Car je suis d'avis qu'il faut se garder de tout ce qui peut ressembler à des formules magiques ou à des incantations."

Ylva lui dit alors que certains des hommes du roi Harald s'étaient plaints de souffrir de lumbago, après leur baptême, et avaient voulu que l'évêque soit condamné à leur verser un dédommagement ; mais, à part cela, nul n'avait eu à en souffrir et il y en avait même, désormais, qui considéraient que c'était bon pour la santé, au contraire. Quant à la viande de porc, les prêtres ne voyaient pas d'objection à en consommer, comme Orm avait pu le constater de ses propres yeux au cours de la fête de Noël, et ils ne s'occupaient guère de ce que mangeaient les gens. C'était seulement si on leur proposait de la viande de cheval qu'ils crachaient et faisaient le signe de la croix. Il était aussi arrivé qu'on les entende marmonner que les gens ne devaient pas manger de la viande le vendredi ; mais son père avait résolument coupé court à ce genre de discours. Pour sa part, elle ne pouvait pas dire qu'elle avait à se plaindre de la nouvelle foi. Mais certains affirmaient que les récoltes étaient moins bonnes et le lait des vaches moins épais, depuis qu'on avait abandonné les anciens dieux.

Elle passa lentement le peigne à travers une mèche qu'elle avait démêlée et tendit celle-ci vers la lumière, afin de l'examiner attentivement.

"Je ne sais pas comme cela se fait, dit-elle, mais on dirait qu'il n'y a pas un seul pou dans tes cheveux.

— Ce n'est pas possible, dit Orm, c'est ton peigne qui ne vaut rien ; continue à peigner."

Elle lui répondit que c'était un excellent intrument contre les poux et elle en donna un si bon coup qu'il en eut mal au cuir chevelu. Mais toujours aucune trace de pou.

"Alors, c'est signe que je suis mal en point, dit Orm, et même encore plus que je ne pensais. Le mal est certainement passé dans mon sang."

Ylva était d'avis que ce n'était peut-être pas aussi grave que cela. Mais Orm se montra très affecté de ce qu'elle lui avait dit. Il ne prononça plus un seul mot pendant le reste du temps où elle le peigna, ne répondant que par monosyllabes à son bavardage. Mais Toke et Mirah n'en avaient que plus de confidences à échanger, pendant ce temps, et semblaient s'entendre de mieux en mieux.

Au bout d'un certain temps, Ylva eut terminé de peigner Orm, tant sa barbe que ses cheveux, et elle se mit à contempler son œuvre avec une mine de satisfaction.

"Tu as un peu moins l'air d'un épouvantail, dit-elle, et un peu plus d'un chef. Je connais peu de femmes qui prendraient la fuite en te voyant, mais c'est grâce à moi."

Elle saisit alors son bouclier et se mit à l'astiquer avec la manche à l'endroit où il portait le moins de marques de coups, puis le tendit à Orm. Celui-ci se mira dedans et hocha la tête.

“C’est du beau travail, dit-il, je ne pensais pas qu’une fille de roi était capable de peigner aussi bien. Mais tu vaux peut-être mieux que la moyenne. Et il est certain que tu as mérité d’obtenir satisfaction en ce qui concerne le collier.”

Il défit le col de son vêtement, sortit le collier et le tendit à Ylva. Celle-ci poussa un cri lorsqu’elle le tint entre ses mains, le soupesa et en admira la beauté ; voyant cela, Mirah quitta le chevet de Toke et approcha pour se rendre compte à son tour. Elle poussa elle aussi un cri. Orm dit alors à Ylva :

“Passe-le autour de ton cou.”

Elle fit ce qu’il lui disait. Le collier était si long qu’il descendait jusqu’aux agrafes situées à la hauteur de sa poitrine, sur son corsage, et elle eut tôt fait de dresser le bouclier sur le banc qui courait le long du mur, afin de contempler son image.

“Il est assez long pour faire deux fois le tour de mon cou, dit-elle, incapable d’arracher ses yeux et ses doigts du bijou. Comment faut-il le porter ?

— Almansur le conservait dans un coffre, où personne ne pouvait le voir, répondit Orm. Depuis qu’il m’appartient, je le porte sous mon vêtement, au point qu’il finit par m’écorcher la peau, et je ne l’ai montré à personne avant cette fête de Noël. Et j’aurais mieux fait de m’en abstenir. Mais nul ne contestera qu’il fait bien plus bel effet sur toi que sur moi. Alors, je te le donne, Ylva, et tu peux donc le porter comme bon te semblera.”

Tenant toujours le collier dans ses mains, elle regarda Orm avec de grands yeux.

“As-tu perdu la raison ? demanda-t-elle. Qu’ai-je fait pour que tu me fasses un pareil cadeau ? La plus noble des reines coucherait avec un berserk pour un bien plus modeste joyau que celui-ci.

— Tu m'as fort bien peigné, dit Orm avec un sourire. Nous autres, descendants d'Ivar aux longs Bras, nous faisons des cadeaux magnifiques ou bien nous n'en faisons pas."

Mirah voulut également essayer le collier, mais Toke lui intima l'ordre de revenir près de lui et d'oublier le bijou. Il avait déjà pris tellement d'ascendant sur elle qu'elle lui obéit. Ylva dit alors :

"Il faut peut-être que je le dissimule sous mon vêtement, comme tu le faisais ; car mes sœurs et toutes les femmes de la maison vont avoir envie de m'arracher les yeux pour ce bijou. Mais je n'arrive toujours pas à comprendre pourquoi tu me le donnes, tout descendant d'Ivar aux longs Bras que tu sois."

Orm poussa un soupir et dit :

"A quoi pourra-t-il bien me servir, quand l'herbe poussera au-dessus de moi ? Je sais maintenant que je vais mourir, puisque pas un seul pou ne se plaît sur moi ; j'en avais d'ailleurs le pressentiment. Je t'en aurais peut-être fait cadeau même si je n'avais pas été à l'article de la mort, mais j'aurais alors exigé quelque chose en échange. Tu me parais digne d'un tel bijou et il me semble aussi que tu es capable de te défendre si quelqu'un cherche à t'arracher les yeux. Mais j'aurais préféré vivre et te voir le porter."

XI

DE LA COLÈRE DE FRÈRE WILLIBALD ET COMMENT ORM ENTREPRIT UNE DEMANDE EN MARIAGE

IL NE FALLUT PAS longtemps pour que la prédiction d'Ylva se réalise et que l'évêque commence à exprimer le souhait de voir les deux hommes baptisés ; mais il n'eut de succès auprès d'aucun d'entre eux. Orm perdit très vite patience et dit qu'il ne voulait pas entendre parler de quoi que ce soit de ce genre, puisqu'il n'allait pas tarder à mourir. Toke, pour sa part, dit qu'il n'avait besoin de rien en ce domaine, étant donné qu'il sentait qu'il allait bientôt être rétabli. L'évêque confia alors à frère Matthias la tâche de les convertir par la douceur et de faire leur instruction religieuse. Celui-ci s'efforça donc de leur apprendre les articles de la foi et refusa d'obtempérer quand ils lui dirent de les laisser en paix. Toke fit alors apporter dans la chambre un bon javelot, à la pointe effilée et bien aiguisée, et, lorsque frère Matthias revint les trouver, animé de son zèle apostolique, il l'attendait, appuyé sur un coude et cette arme dans l'autre main.

“Il est mal de rompre la paix dans la maison du roi, lui dit-il, mais cela ne saurait valoir pour des malades en état de légitime défense. Ce serait également très mal de souiller une chambre comme celle-ci en abattant un homme aussi gros et gras que toi, qui dois avoir beaucoup de sang ; mais je me suis dit que si je te clouais au mur avec ce javelot, l'effusion serait peut-être moindre. Ce n'est pas une tâche aisée, pour quelqu'un qui est alité, mais je ferai de mon mieux, et je passerai à l'action dès que tu ouvriras la bouche pour débiter toutes ces sornettes que nous ne voulons pas entendre."

Frère Matthias blêmit à ces paroles et tendit les mains devant lui, paumes ouvertes, avec l'air de quelqu'un qui tentait de dire quelque chose, mais son corps fut parcouru d'un frisson et il sortit rapidement de la pièce à reculons, refermant soigneusement la porte derrière lui. Après cela, ils n'eurent plus jamais affaire à lui. Mais frère Willibald, qui était beaucoup moins peureux, vint comme d'habitude panser leurs blessures et leur reprocha sévèrement d'avoir tant effrayé frère Matthias.

"Toi, tu es un homme, même si tu n'es pas grand, dit Toke, et il est étrange que je te préfère à tous les autres de ton espèce, bien que tu sois mal poli et irascible. C'est peut-être parce que tu n'essaies pas de nous convertir au christianisme et que tu te contentes de soigner nos blessures."

Frère Willibald répondit qu'il séjournait depuis plus longtemps que les autres dans ce pays de ténèbres et qu'il avait donc eu le temps de perdre ses idées puériles.

"Au début, dit-il, j'étais plein du même zèle que tous les autres disciples de saint Benoît, et je n'avais qu'une idée : baptiser tous les païens. Mais je sais désormais ce qui est utile et ce qui n'est que vanité. Il est bon que les enfants de ce pays soient baptisés, ainsi que les femmes qui ne sont pas trop endurcies dans le péché, si tant est qu'il soit possible d'en trouver. Mais les hommes d'âge adulte sont totalement aux mains du diable et, pour la plus grande gloire de Dieu, il convient qu'ils aillent rôtir en enfer, qu'ils soient baptisés ou non, car aucune rédemption ne saurait être suffisante pour eux. Voilà mon avis, maintenant que je les connais. Et c'est pourquoi je ne perds pas mon temps à essayer de vous convertir."

Il s'échauffait de plus en plus, au fil de ce discours, et les regardait d'un œil noir. Il se mit bientôt à agiter les bras et s'écria :

"Loups assoiffés de sang, assassins et malfaiteurs, fornicateurs et porcs de Gadara, prunelles des yeux de Belzébuth, ivraie de Satan, progéniture de vipères et de basilics, croyez-vous que le baptême puisse vraiment vous laver de vos péchés, pour que vous soyez blancs comme neige parmi les élus de Dieu ? En vérité, je vous le dis : vous ne le serez jamais. Je ne suis pas né de la dernière pluie, j'en ai trop vu et je vous connais, moi ; aucun évêque ni aucun père de l'Eglise ne pourra me le faire croire. Qu'adviendrait-il, si on laissait entrer les vikings au royaume des cieux ? Vous assailliriez les saintes vierges de propos obscènes, vous pousseriez vos cris de guerre contre les archanges et les séraphins, et vous demanderiez de la bière en hurlant à la face de Dieu ! Non, non, je sais de quoi je parle : l'enfer est le seul endroit digne de vous, que vous soyez baptisés ou non, loué soit le Tout-Puissant dans les siècles des siècles, amen !"

Puis il fouilla énergiquement dans ses boîtes et parmi ses bandes, et s'avança pour mettre du baume sur la blessure de Toke.

"Mais pourquoi fais-tu tout ce que tu peux pour nous guérir, si tu es tellement en colère contre nous ? demanda Orm.

— Si je le fais, c'est parce que je suis chrétien et que j'ai l'habitude de rendre le bien pour le mal, répondit-il ; mais c'est plus que vous ne serez jamais capables. Est-ce que je ne porte pas encore sur mon crâne la marque de la blessure que m'a faite le roi Harald quand il m'a frappé avec le saint crucifix ? Et pourtant, j'entoure quotidiennement son corps de vieil homme décrépit de mes soins les plus attentifs. Mais, en outre, il peut être utile de maintenir en vie de grands guerriers tels que vous, dans ce pays ; car vous expédierez nombre des vôtres en enfer avant d'y aller vous-mêmes, comme je vous ai vu le faire, tout récemment, pendant la fête de Noël. Que les loups se dévorent entre eux, les agneaux de Dieu ne pourront que s'en réjouir."

Quand il les eut laissés seuls, Toke dit que, d'après lui, ce petit homme était devenu fou quand il avait reçu ce coup sur le crâne, le jour où le roi l'avait frappé avec la croix. Une bonne partie de ses criailleries était en effet totalement incompréhensible ; et Orm fut bien d'accord avec lui sur ce point. Mais tous deux reconnurent que c'était un bon médecin et qu'il ne ménageait pas sa peine pour les soigner.

Toke commençait à se sentir mieux et put bientôt se déplacer sur une jambe dans la chambre, et même à l'extérieur, laissant Orm dépérir de solitude, sauf quand Ylva venait lui tenir compagnie. Lorsqu'elle était assise à son chevet, il pensait moins qu'il allait mourir, car elle était toujours très bavarde, vive et enjouée, et il aimait bien l'entendre parler. Mais il se fâchait quand elle affirmait qu'il avait l'air de mieux se porter et qu'il allait bientôt guérir. C'était lui qui était le mieux placé pour savoir ce qu'il en était, lui répliquait-il. Pourtant, il put bientôt s'asseoir dans son lit sans trop de peine et voyant qu'Ylva, quand elle le peigna la fois suivante, découvrait un pou qui était gros et gras et plein de sang, il resta pensif et déclara qu'il ne savait pas trop ce qu'il devait penser.

"Il ne faut pas que tu t'inquiètes pour ton collier, lui dit alors Ylva. Tu me l'as donné alors que tu pensais que tu allais mourir et tu le regrettes maintenant que tu t'aperçois que tu vas vivre. Mais je te le rendrai si tu le désires, bien que ce soit ce que j'aie vu de plus beau dans ce pays. En effet, je ne veux pas que l'on m'accuse d'avoir profité de ta faiblesse et de tes blessures pour t'inciter à me donner ton or. Car j'ai déjà entendu bien des allusions à ce sujet.

— Il est certain que ce serait une bonne chose de conserver un tel joyau dans la famille, dit Orm ; mais le marché le plus avantageux pour moi serait de vous garder tous les deux, le collier et toi. Et c'est la seule solution que j'accepte pour le reprendre. Mais, avant de me présenter devant ton père pour lui en faire la demande, j'aimerais savoir ce que tu en penses toi-même. La première fois que nous avons bavardé l'un avec l'autre, tu m'as en effet dit que tu aurais planté un couteau dans le corps de Sigtrygg sur le lit nuptial, si tu lui avais été donnée en mariage ; j'aimerais donc être sûr que tu es mieux disposée à mon égard."

Ylva éclata bruyamment de rire et lui conseilla de ne pas se croire à l'abri de toute surprise.

"Je suis plus coléreuse que tu ne le penses et peu aisée à satisfaire. Et les filles de rois sont plus difficiles que les autres à marier. Il en est même qui tuent leur mari quand elles ne sont pas contentes de lui. As-tu entendu raconter ce qui est arrivé à Agne, le roi des Suédois, sur ses vieux jours, quand il eut obtenu la main d'une princesse d'outre-Baltique en dépit de la volonté de celle-ci ? Ils passèrent leur nuit de noces dans une tente, sous un arbre ; quand il fut bien endormi, elle attacha une corde à son collier, qui était solide et d'une seule pièce, et le pendit à l'arbre, tout roi qu'il fût et bien qu'elle n'ait eu qu'une servante pour l'aider à tirer sur la corde. Alors réfléchis bien à ce que tu fais, avant de tenter l'aventure avec moi."

Elle se pencha en avant, lui caressa le front, lui pinça le lobe de l'oreille et le regarda dans les yeux en souriant ; Orm se sentit alors bien mieux que depuis longtemps.

Mais, l'instant d'après, elle redevint grave et eut l'air pensive. Elle finit par dire que tous ces propos étaient bien oiseux, tant que son père n'aurait pas donné son avis ; et elle avait peur qu'Orm ait du mal à obtenir son consentement, s'il n'était pas mieux pourvu que la plupart des autres en matière de terres, de bétail et d'or.

“Il se plaint souvent de toutes ses filles qui n'ont pas encore d'époux, dit-elle ; mais il a bien du mal à trouver pour nous des maris qui soient assez riches et renommés à son goût. Ce n'est pas aussi drôle que le pensent les gens, d'être fille de roi, car bien des jeunes gens hardis nous font la cour en cachette et tirent les cordons de notre jupe quand personne ne les voit, mais peu nombreux sont ceux qui osent aller parler à notre père ; et ceux qui en ont le courage reviennent souvent tête basse. Il est dommage qu'il tienne tellement nous voir faire un riche mariage ; pourtant, tu n'as pas tort de penser que je ne suis pas faite pour un homme pauvre. Mais toi qui es capable de donner un collier comme celui-ci et qui es un descendant d'Ivar aux longs Bras, tu dois bien être parmi les hommes les plus riches de Scanie ?”

Orm répondit qu'il espérait pouvoir trouver un terrain d'entente avec le roi Harald, car celui-ci le voyait d'un bon œil, tant à cause de la cloche de saint Jacques que du combat singulier.

“Quant à savoir quel est l'état de ma fortune en Scanie, dit-il, je n'en ai aucune idée moi-même, parce que voilà bientôt sept ans que j'en suis parti. J'ignore ce qui est arrivé à ma famille pendant tout ce temps. Il est bien possible qu'ils soient moins nombreux à être encore en vie que lorsque je les ai vus pour la dernière fois, et que ma part d'héritage soit donc plus conséquente. Mais le collier que je t'ai donné ne représente pas tout l'or que j'ai rapporté du Sud et, même si je ne possédais rien d'autre que ce que j'en ai ramené, je ne serais pas à plaindre. Et je n'ai pas dit mon dernier mot."

Ylva hocha tristement la tête et dit que tout cela n'était guère prometteur, car son père était vraiment très strict, et Toke, qui était rentré pendant cette conversation fut bien de cet avis et déclara qu'il fallait réfléchir à deux fois.

"Par bonheur, ajouta-t-il, je peux vous indiquer un moyen de gagner la main d'une riche et noble vierge, si son père n'est pas d'accord mais elle-même est consentante. Mon grand-père maternel s'appelait Tönne du Cap et c'était un homme faisant commerce avec les Smålandais ; il possédait une petite ferme et douze vaches, et c'était un homme très avisé. Un jour, alors qu'il était parti pour affaires dans le Värend, il aperçut une jeune fille qui avait pour nom Gyda et qui était la fille d'un notable. Il décida d'obtenir sa main, à la fois pour accroître sa propre renommée et parce qu'il aimait sa belle taille et ses lourdes nattes rousses. Mais le père de la fille, qui s'appelait Glum, était un homme altier qui trouvait que Tönne n'était pas digne de devenir son gendre, bien que l'intéressée elle-même fût d'un autre avis. Gyda et Tönne ne perdirent alors pas de temps à se lamenter sur les mauvaises dispositions du père et imaginèrent un moyen de parvenir à leurs fins. Ils se fixèrent rendez-vous dans la forêt, où elle allait cueillir des noisettes avec ses servantes ; elle y conçut un enfant et Tönne se battit deux fois avec le frère de Gyda au point qu'ils en portèrent les marques jusqu'à leur mort. Quand elle eut donné naissance à des jumeaux, le vieil homme se dit qu'il ne servait à rien de s'obstiner. Ils se marièrent donc, s'entendirent toujours très bien et eurent sept autres enfants ; dans la région, personne n'avait de paroles assez élogieuses pour vanter l'intelligence de mon grand-père et son bonheur, ce qui contribua à accroître encore un peu plus sa renommée, surtout une fois qu'il eut touché le bel héritage que lui laissait le vieux Glum. Et, si mon grand-père n'avait pas trouvé un moyen aussi astucieux de prendre femme, je ne serais pas là pour vous faire profiter de mes conseils. Ma mère était en effet l'un des jumeaux conçus dans les buissons.

— S'il faut absolument que ce soient des jumeaux pour que cela produise son effet, ce conseil est plus facile à approuver qu'à suivre. En outre, il y a une certaine différence entre un paysan du Värend et le roi des Danois, c'est pourquoi il n'est pas certain que ce genre de procédé réussisse aussi bien dans notre cas. »

Orm estima qu'il y avait des choses à dire tant en faveur du conseil de Toke que contre celui-ci, bien que ce ne fût pas vraiment un avis à donner à un homme qui était malade et hors d'état d'agir ; il devait d'abord, ajouta-t-il, se remette sur pied, afin de pouvoir parler au roi Harald.

Il fallut encore attendre un certain temps pour cela, mais Orm finit par reprendre des forces et sa blessure par se cicatriser et, à la fin de l'hiver, il fut enfin rétabli. Le roi Harald était de nouveau alerte et de bonne humeur et avait fort à faire pour mettre sa flotte en état ; il avait en effet l'intention de partir pour Skanör, afin de lever l'impôt sur le hareng, et d'amener à Styrbjörn les navires qu'il lui avait promis. Orm alla le trouver pour lui parler de son affaire. Le roi Harald ne se montra pas hostile à sa demande, mais il lui demanda aussitôt quelle était sa fortune, pour oser prétendre à une telle union. Orm lui dit alors ce qu'il en était de sa famille et de ses origines, ainsi que des biens de son père, sans omettre de mentionner tout ce qu'il avait rapporté de l'étranger.

"Il y a en outre, dans le Göinge, des terres dont ma mère doit hériter, dit-il, bien que je ne sache pas grand-chose à leur sujet. Je ne saurais dire exactement, non plus, ce qu'il en est maintenant de la fortune de ma famille et lesquels de ses membres sont encore en vie. Car il a pu se passer bien des événements, dans mon pays, en l'espace de sept ans.

— Le bijou que tu as donné à ma fille est un cadeau d'homme fortuné, dit le roi ; et, quant à moi, tu m'as rendu des services que je n'oublierai pas. Mais se marier avec la fille du roi des Danois est le plus grand honneur qu'un homme puisse briguer et personne n'est venu me présenter une telle requête sans posséder bien plus que ce que tu viens d'énumérer. En outre, tu as un frère entre toi et la ferme de ton père. S'il vit et s'il a des enfants, qu'auras-tu pour faire vivre ma fille ? Je commence à me faire vieux, même si cela ne se voit peut-être pas beaucoup sur moi, et j'aimerais bien savoir mes filles richement mariées pendant que je peux encore m'occuper de leur avenir. Car ce n'est pas Sven qui le fera, quand je ne serai plus de ce monde."

Orm dut reconnaître qu'il n'avait pas beaucoup d'arguments à faire valoir, pour prétendre à un tel parti.

"Mais il se peut très bien que je me trouve unique héritier en arrivant chez moi, dit-il. Mon père commençait déjà à être vieux quand je suis parti, voilà sept ans de cela ; et mon frère Odd s'en allait chaque été en Irlande, n'ayant aucune envie de rester à la maison. J'ai aussi entendu dire que les temps ont été durs pour les nôtres, là-bas, ces dernières années, depuis que le roi Brian y a pris le pouvoir."

Harald hocha la tête et dit que Brian avait en effet occis nombre de Danois, en Irlande, ainsi que bien des navigateurs le long des côtes. Mais il s'était parfois rendu utile, ce faisant, attendu que parmi ceux-ci il y avait beaucoup d'hommes qui n'avaient causé que des malheurs au Danemark.

"Mais ce Brian, qui est roi de Munster, a maintenant la crête un peu enflée par tant de succès, poursuivit-il, et il exige désormais tribut non seulement d'Olof de Cork, qui est mon ami, mais aussi de Sigtrygg de Dublin, qui est de ma parenté. Une telle arrogance sied mal à un souverain irlandais et, quand le moment sera venu, j'enverrai là-bas des navires lui rabattre son caquet. Il serait bien qu'on puisse s'emparer de lui, l'amener ici et l'attacher à l'entrée de cette salle, non seulement pour le plus grand plaisir de mes hommes, attablés devant leur bière, mais aussi pour lui enseigner à lui-même l'humilité chrétienne et à titre d'avertissement aux autres rois. Car il m'a toujours semblé que, parmi ceux-ci, c'est celui des Danois qui doit faire l'objet du plus grand respect.

— J'estime, répondit Orm, que tu es le plus grand de tous les rois ; même parmi les Andalous et les hommes de couleur, il en est qui connaissent ton nom et tes hauts faits.

— Tu as fort bien parlé, dit le roi Harald ; mais, par ailleurs, tu ne témoignes que de peu de vénération envers moi, puisque tu viens me demander la main de l'une de mes plus belles filles sans même savoir quelle est ta fortune et quel héritage tu peux espérer. Mais je ne veux pas retenir cela contre toi, je le mets au compte de ta jeunesse et de ton inexpérience. Je ne répondrai donc ni par oui ni par non à la requête que tu présentes, et voici quelle est ma décision : reviens ici à l'automne, quand je serai moi-même de retour et tu sauras mieux quelle est ta situation. Si je trouve alors ta fortune suffisante, tu auras ma fille, au nom de l'estime que j'ai pour toi ; dans le cas contraire, tu pourras toujours prétendre à une bonne place parmi mes hommes. Prends donc ton mal en patience."

Quand Orm lui rapporta la teneur de cet entretien, Ylva en fut fort mécontente ; elle eut les larmes aux yeux et s'écria qu'elle tirerait la barbe de ce vieux grigou, pour lui apprendre à se montrer aussi peu compréhensif, et qu'elle suivrait ensuite le conseil de Toke. Mais, une fois qu'elle eut retrouvé la maîtrise d'elle-même, elle fut d'avis qu'il valait mieux s'abstenir de mettre ce projet à exécution.

"Je n'ai pas peur de sa colère, dit-elle, même pas quand il beugle comme un taureau et me jette son pichet de bière à la tête ; car je suis bien plus vive que lui et il n'est encore jamais parvenu à m'atteindre. Ce genre de colère est vite passé. Mais il est ainsi fait que, si l'on se met sérieusement en travers de l'une de ses décisions, il en prend ombrage et ne néglige aucune occasion de se venger. C'est pourquoi il vaut mieux ne pas le froisser quant à nos projets, car alors il pourrait nous en tenir rancune à tous les deux et me donner en mariage à n'importe lequel de ses hommes, uniquement pour nous contrarier et nous montrer qui commande en ce pays. Mais sache bien, Orm que je ne veux nul autre que toi et que j'estime que tu vaux la peine d'attendre jusqu'à l'automne, même si le temps risque de me paraître long. Mais s'il persiste alors dans son refus, je ne patienterai pas plus longtemps et je te suivrai partout où tu voudras aller.

— Je me sens beaucoup mieux maintenant que tu m'as dit cela", répondit Orm.

XII

COMMENT ORM REVINT AU PAYS APRÈS SES PÉRÉGRINATIONS

E ROI HARALD fit équiper vingt vaisseaux pour son expédition. Parmi ceux-ci, douze étaient destinés à Styrbjörn. Avec les autres, il comptait aller s'ancrer au large de Skanör, où il fallait une troupe assez nombreuse pour lever l'impôt sur le hareng. Il choisit ses hommes avec grand soin ; mais tous souhaitaient monter à bord des navires qui devaient prendre la mer avec Styrbjörn, car on pouvait attendre un riche butin de cette expédition.

Nombreux furent ceux qui vinrent alors à Jellinge, dans l'espoir d'être recrutés pour faire partie de la flotte du roi Harald ; et Orm et Toke durent chercher parmi ceux qui n'étaient pas pris afin de trouver des rameurs pour rentrer au pays sur leur propre navire ; mais ceux-ci louaient fort cher leurs services et ils jugèrent la dépense bien lourde. Etant maintenant si proches de chez eux, ils avaient regret à ce qu'allait leur coûter le voyage. Afin d'éviter d'avoir de l'argent à débourser, ils finirent donc par conclure un marché avec un homme de Fionie nommé Åke : celui-ci leur achèterait leur navire mais s'engageait, en contrepartie, à leur trouver un équipage pour les ramener chez eux, Orm à Kullen et Toke à Lister, ainsi qu'à leur fournir la nourriture pour le voyage. On marchanda longtemps pour en arriver là et on faillit même en venir aux mains entre Toke et Åke ; car le premier désirait en plus une certaine somme d'argent étant donné que le navire, selon lui, était à peu près neuf et tenait bien la mer, bien qu'étant de petite taille. Åke, au contraire, ne voulait rien donner, prétextant qu'il était de construction étrangère, mal charpenté et de peu de valeur, et donc qu'il risquait fort d'y perdre. Ils finirent par demander à Hallbjörn, l'écuyer, de leur servir d'arbitre et le marché fut alors conclu sans plus de querelles, mais en des termes peu favorables pour Orm et Toke.

Ni l'un ni l'autre d'entre eux n'avait envie d'aller rejoindre Styrbjörn, car ils avaient tous deux autre chose en tête. En outre, Orm ne reprenait que lentement des forces et se demandait bien s'il n'allait pas rester invalide jusqu'à la fin de ses jours. Il lui peinait aussi de se séparer d'Ylva et le roi Harald faisait désormais surveiller cette dernière par une ou deux vieilles femmes, afin qu'ils ne puissent se voir trop souvent avant l'heure. Malgré toute l'ardeur qu'elles mettaient à s'acquitter de leur tâche, ces femmes se plaignaient d'ailleurs que le roi leur eût assigné une mission bien lourde pour leurs vieilles jambes.

Une fois sa flotte prête à appareiller, le roi Harald fit bénir tous ses navires par l'évêque ; mais il ne voulut pas consentir à ce qu'il soit du voyage, à cause du mauvais œil qu'avaient les hommes d'Eglise, disait-on, en matière de vents et de temps. L'évêque désirait se rendre en Scanie, afin de visiter ses prêtres et ses bâtiments et recenser les convertis ; mais le roi Harald dit que cela attendrait le prochain voyage d'un de ses navires ; pour sa part, il ne voulait pas d'un évêque à bord, même pas d'un simple prêtre.

"En effet, je suis trop vieux pour mettre le malheur au défi, dit-il ; et tous les marins savent bien que les trolls de mer et autres esprits des flots ne sont hostiles envers personne autant qu'envers ceux qui ont les cheveux courts ; ils veulent les noyer dès qu'ils se hasardent en mer. Harald le Doré, mon neveu, est un jour rentré de Bretagne avec de nombreux esclaves de fraîche date aux avirons, or il a dû affronter la tempête et des flots déchaînés, bien qu'on ne fût encore qu'au début de l'automne. Quand son navire fut sur le point de sombrer, il inspecta ses rameurs et trouva parmi eux deux hommes aux cheveux courts. Il les fit jeter par-dessus bord et, après cela, il eut un temps magnifique pendant le reste du voyage. Il pouvait se le permettre, lui qui était païen, mais il ne serait guère convenable que moi, je fasse jeter l'évêque par-dessus bord pour apaiser les éléments, et c'est pourquoi il faut qu'il reste là où il est."

Le matin du jour où la flotte devait appareiller, et Orm et Toke en même temps, le roi Harald, vêtu d'un manteau blanc et d'un heaume d'argent, longea les quais pour gagner son propre navire, accompagné d'une suite fort nombreuse et en faisant porter sa marque devant lui. Quand il parvint à l'endroit où était amarré le bateau d'Orm, il s'arrêta, demanda à sa suite de l'attendre et monta seul à bord, afin de dire quelques mots à ce dernier.

"Je tiens à te faire cet honneur, dit-il, afin que nul n'ignore notre amitié et que personne ne s'imagine que nous sommes en froid parce que je ne t'ai pas encore accordé la main d'Ylva, ma fille. En ce moment, elle est enfermée avec ses femmes et se dispute avec elles ; car, telle que je la connais, elle serait capable d'avoir l'idée de venir te rejoindre sur ton bateau, dès que j'aurai le dos tourné, et de te convaincre de la prendre à ton bord. Or, ce serait un grand malheur pour vous deux. Nous allons nous séparer pendant un certain temps et je n'ai pas de cadeau à t'offrir en remerciement de ta cloche ; mais sans doute en ira-t-il autrement à l'automne."

C'était un beau matin de printemps, le ciel était bleu et il soufflait une douce brise, et le roi Harald était d'humeur joyeuse. Il observa attentivement le navire d'Orm et remarqua qu'il n'était pas construit comme ceux du pays ; il était fort savant et s'y connaissait en matière de bordés et de tolets aussi bien qu'un constructeur de navires. Il nota plusieurs autres détails qu'il jugea bon de citer. Pendant ce temps, Toke monta à bord, ployant sous le poids d'un gros coffre. Il s'étonna de la présence du roi et posa son fardeau sur le pont, afin de saluer le souverain.

"Tu es bien chargé, dit celui-ci. Que transportes-tu ?

— Ce sont quelques petites choses que j'ai troquées pour ma vieille mère, au pays, si elle est encore en vie, dit Toke. C'est normal de lui rapporter quelque chose, quand on a été parti aussi longtemps que je l'ai été."

Le roi Harald hocha la tête, disant qu'il était heureux de voir un jeune homme qui pensait à ses parents et avait des attentions pour eux ; pour sa part, ajouta-t-il, il n'avait jamais eu l'occasion de le constater autour de lui.

"Et maintenant, dit-il, en s'asseyant sur le coffre, j'ai soif et je voudrais bien boire une rasade de bière avant de nous séparer."

Le coffre craqua sous le poids du roi et Toke fit quelques pas en avant, l'air inquiet, mais le couvercle résista. Orm versa de la bière qu'il tira d'un baril et en donna au souverain, qui but à la réussite de leur voyage. Puis il essuya l'écume de sa barbe et dit que c'était étrange mais que la bière avait toujours meilleur goût en mer ; c'est pourquoi il demandait qu'on remplisse de nouveau son pichet. On exauça son souhait et il le vida lentement. Là-dessus, il prit congé d'un signe de tête, descendit du bateau et s'éloigna en direction de son grand navire amiral, lequel arborait maintenant sa marque, qui était de soie rouge brodée de deux corbeaux noirs étendant leurs ailes.

Orm regarda Toke.

“Pourquoi es-tu si pâle ? demanda-t-il.

— J’ai le droit d’avoir des ennuis, moi aussi, répondit Toke. Tu ne me parais pas tellement florissant toi-même.

— Je sais ce que je quitte, dit Orm, mais personne ne peut savoir ce qu’il va trouver en arrivant chez lui, ni si ce sera au moment escompté.”

Les navires appareillèrent alors et mirent le cap dans différentes directions. Avec sa flotte, le roi Harald navigua entre les îles danoises, alors qu’Orm remontait le long de la côte, afin de passer au nord de l’île de Seeland. Le vent était favorable pour les vaisseaux du roi, qui disparurent bientôt à l’horizon. Toke resta à les regarder jusqu’à ce que leurs voiles soient toutes petites ; puis il dit :

“Le temps fut bien long
quand le gros roi
des Danois
s’assit sur mon caisson.
C’est à peine si je crois
que mon paquet
a pu supporter
de Dents bleues le poids.”

Il alla alors ouvrir le couvercle et en sortit le contenu, qui n’était autre que la jeune maure. Elle était toute pâle et en piteux état, car elle était bien à l’étroit dans ce coffre, où elle était restée pendant un bon moment et avait manqué d’air. Quand Toke la déposa sur le sol, elle fut prise de faiblesse et s’effondra. Elle demeura étendue sur le pont, à moitié morte, tremblant de tous ses membres et essayant de reprendre sa respiration, jusqu’à ce que Toke la remette sur ses pieds. Elle se mit alors à pleurer en regardant autour d'elle.

"Tu n'as plus besoin d'avoir peur, lui dit Toke. Il est bien loin, maintenant."

Elle resta assise, le visage blême et les yeux écarquillés, à observer le navire et son équipage. Les rameurs la regardaient eux aussi, tout aussi étonnés, se demandant ce que signifiait ceci. Mais celui qui était le plus pâle et qui faisait les plus gros yeux, c'était Orm lui-même. On aurait dit qu'un grand malheur s'était abattu sur lui.

Åke, le capitaine, avait l'air extrêmement songeur et se grattait la barbe.

"Tu ne m'as pas informé, quand nous avons conclu notre marché, finit-il par dire à Orm, qu'une femme serait du voyage. Le moins que je puisse exiger de toi, maintenant, c'est que tu m'expliques qui elle est et pourquoi elle est montée à bord dans un coffre.

— Cela ne te regarde pas, répondit Orm d'un ton sombre. Occupe-toi du bateau et laisse-nous tranquilles.

— Quiconque refuse de répondre a sûrement quelque chose à cacher, dit Åke. A Jellinge, je suis un étranger et je ne sais pas très bien ce qui s'y passe ; mais n'importe qui peut voir que ceci est louche et risque fort de me valoir des ennuis. A qui cette femme a-t-elle été dérobée ?"

Orm était assis sur une corde enroulée, les mains jointes autour des genoux et le dos vers Åke ; il répondit d'une voix calme sans tourner la tête :

"Je te donne le choix entre deux solutions. Ou bien tu te tais, ou bien je te jette à la mer la tête la première. A toi de dire ce que tu préfères, mais fais vite, car j'en ai assez de t'entendre japper comme un roquet."

Åke fit demi-tour en marmonnant quelque chose et en crachant par-dessus bord ; et, à le voir debout près du gouvernail, il était aisé de constater qu'il était d'humeur sombre et bien mal à l'aise. Orm, lui, n'avait pas bougé et regardait droit devant lui, plongé dans ses réflexions.

Une fois que la femme eut repris un peu de forces et avalé un réconfortant, elle fut prise de mal de mer et alla se pencher par-dessus la lisse, sans prêter attention aux paroles de consolation que lui prodiguait Toke. Pour finir, il l'abandonna à son sort, après l'avoir attachée au moyen d'une corde, et revint s'asseoir près d'Orm.

"Le plus dur est fait, dit-il ; mais on ne peut nier que cette façon de se procurer une femme n'est pas sans causer des soucis et des difficultés. Je n'en connais pas beaucoup qui s'y risqueraient ; mais peut-être ai-je aussi plus de chance que la plupart des autres.

— Tu en as plus que moi, en tout cas, je te l'accorde, répondit Orm.

— Ce n'est pas si sûr que ça, répliqua Toke, car tu as toujours eu de la chance, et il vaut quand même mieux gagner une fille de roi que ce que j'emporte, moi. Et il ne faut pas que tu sois triste de ne pas avoir pu faire comme moi, en l'occurrence ; la chose aurait été bien trop difficile, car la fille est sévèrement gardée."

Orm ricana. Puis il resta silencieux pendant un moment et finit par ordonner à Rapp de remplacer Åke au gouvernail, afin que les oreilles de ce dernier ne s'allongent pas trop.

"J'aurais cru, reprit-il ensuite à l'intention de Toke, que l'amitié entre nous était solide, vu le nombre des années pendant lesquelles elle a duré ; mais les anciens avaient bien raison de dire qu'il ne faut jamais juger les autres définitivement. Quand tu as fait la folie que tu viens de commettre, tu as agi comme si je n'existais pas ou comme si je ne méritais pas la moindre considération.

— Il y a en toi, répondit Toke, une chose qui n'est pas digne d'un chef : c'est ta susceptibilité. Je connais bien des gens qui m'auraient félicité d'avoir enlevé cette femme par mes propres moyens, sans aller embêter les autres à ce sujet ; mais, toi, tu es ainsi fait que tu te plains qu'on manque d'égards envers toi si on ne te met pas au courant de tout dès le début. J'attacherais plus de prix à une amitié qui ne se vexerait pas pour si peu."

Orm le dévisagea, blême de colère.

"Il est bien difficile de ne pas perdre patience envers quelqu'un d'aussi naïf que toi, dit-il. Je me soucie peu de la façon dont tu t'y es pris pour enlever cette femme ou bien de savoir si tu as réussi à tenir la chose secrète. Il y a une seule chose qui m'importe et c'est que tu as ainsi fait du roi Harald notre ennemi mortel et que nous sommes maintenant bannis de ses terres. Tu as sans doute la femme que tu voulais, mais tu me prives de la mienne à tout jamais. Il n'y a pas besoin d'être susceptible pour trouver que c'est là une curieuse manière de prouver son amitié."

Toke ne trouva pas grand-chose à dire pour sa défense, car il dut bien admettre qu'il n'avait pas pensé à cela. Il s'efforça d'apaiser Orm en lui faisant valoir que Harald était maintenant bien vieux et ne pouvait plus vivre très longtemps. Mais Orm ne se laissa pas consoler aussi aisément et, plus le temps passa, plus il se sentit séparé d'Ylva pour la vie et plus la colère monta en lui.

Quand ils eurent jeté l'ancre pour la nuit dans une baie bien abritée, ils allumèrent deux feux. Près de l'un s'assirent Orm et ses hommes et, près de l'autre, Åke et son équipage. Parmi les premiers, on ne se montra pas très loquace, alors que, parmi les seconds, les langues allèrent bon train. Mais ils s'entretinrent à voix basse, afin que les autres ne puissent les entendre.

Après le repas, la femme s'endormit près du feu, avec un manteau jeté sur elle. Orm et Toke gardaient le silence, à une certaine distance l'un de l'autre, tandis que le crépuscule tombait. La mer prenait une teinte grise sous un vent froid et des nuages d'orage s'amoncelaient à l'ouest. Orm soupira à plusieurs reprises en tirant convulsivement sur sa barbe ; Toke, lui, se curait les dents. Ni l'un ni l'autre ne décolérait.

"On ferait mieux de vider cette querelle, finit par dire Orm.

— Je suis à ta disposition", répondit Toke.

Rapp s'était éloigné afin de ramasser du bois à brûler ; en revenant près du feu, il entendit ces paroles. C'était un homme de peu de mots qui se mêlait rarement des affaires des autres. Pourtant, il prit la parole pour dire :

"Il serait préférable que vous attendiez pour vous battre, tous les deux ; nous avons autre chose à faire. Les marins sont au nombre de quatorze et nous de trois ; la différence est suffisante comme cela."

Ils lui demandèrent alors ce qui lui faisait tenir pareils propos.

"Ils ont l'intention de nous attaquer pour s'emparer de la femme, répondit Rapp, ils en attendent un bon prix. Je les ai entendus en parler pendant que je ramassais du bois, dissimulé derrière les arbres."

Orm se mit à rire.

"Tu peux être fier de ce que tu as fait, c'est encore mieux que je ne pensais", dit Orm.

Toke secoua la tête en regardant la femme endormie.

"On ne peut plus rien y faire, maintenant, dit-il. Ce qu'il faut, c'est trouver un moyen de nous sortir de ce mauvais pas. Il me semble que le mieux serait de nous jeter sur eux tout de suite, pendant qu'ils sont occupés à tramer leur complot contre nous et ne se doutent de rien. Ils sont nombreux, c'est vrai, mais ils sont loin de nous valoir une arme à la main.

— Le temps a l'air de se gâter et nous ne pouvons pas nous permettre d'en tuer beaucoup, car nous allons avoir bien besoin d'eux pour faire avancer le navire, si nous ne voulons pas rester ici une éternité. Mais il vaudrait mieux faire rapidement ce que nous jugeons bon, autrement nous n'allons pas pouvoir dormir comme il faut.

— Ce sont de simples marins de Fionie, dit Toke ; il suffira que nous mettions à mort Åke et quelques autres pour qu'ils acceptent de nous obéir. Mais c'est toi qui es notre chef, Orm, c'est donc à toi de nous dire ce que nous devons faire. Il vaut peut-être mieux essayer de les surprendre pendant leur sommeil."

Orm se sentait mieux, maintenant qu'il fallait agir. Il se leva et s'écarta pour aller pisser, mais en profita pour observer l'autre groupe sans en avoir l'air.

"Ils ne sont que douze, autour du feu, dit-il après s'être assis de nouveau ; je suppose donc que deux d'entre eux sont partis vers l'intérieur des terres, sans que nous nous en apercevions, pour chercher du renfort. Dans ce cas, nous n'allons pas tarder à voir toute une nuée nous tomber dessus, il vaut donc mieux régler cette affaire tout de suite avec ceux qui sont là. Ce sont des hommes sans grande expérience et pas très audacieux ; autrement, ils t'auraient attaqué pendant que tu étais seul, voici un instant, Rapp. Nous allons leur montrer qu'il faut être un peu plus malin que ça quand on a affaire à des hommes comme nous. Vous allez me suivre en silence, quand je me serai approché d'eux pour leur parler et que j'attirerai donc toute leur attention. Vous devrez frapper vite et fort, si nous voulons réussir. Il va falloir que j'y aille sans bouclier, mais il n'est pas possible de faire autrement."

Il saisit alors un seau, dans lequel avait été servie la bière du repas, et partit en direction du feu d'Åke, afin de le remplir au tonneau posé à côté de celui-ci. Quelques marins étaient déjà couchés, mais la plupart des autres étaient encore éveillés et suivirent Orm des yeux. Quand il eut rempli son seau, il ôta l'écume du revers de la main et but une rasade de bière.

"Tu ferais mieux d'utiliser un autre tonneau que celui-ci, dit-il alors à Åke. Cette bière a goût de bois.

— Si elle était assez bonne pour le roi Harald, répondit Åke d'un ton maussade, elle est sûrement assez bonne pour toi. Mais je te promets que tu ne vas plus avoir à t'en plaindre bien longtemps."

En entendant ces mots, les hommes se mirent à rire, mais Orm lui tendit son seau en faisant semblant de rien.

"Goûte toi-même, et tu verras", dit-il.

Åke prit le seau sans se lever. Quand il l'eut porté à ses lèvres, Orm donna un grand coup de pied dans le fond de celui-ci, au point de le lui enfoncer profondément dans la mâchoire.

"Tu ne sens pas le goût de bois ?" demanda Orm tout en dégainant son épée et en frappant un homme assis près de là, qui était en train de se mettre debout.

Les autres furent totalement pris par surprise et eurent à peine le temps de tirer leurs armes que Toke et Rapp leur tombaient dessus par-derrière ; ils n'eurent donc pas l'occasion de montrer de quoi ils étaient capables. Quatre d'entre eux furent tués, en plus d'Åke, deux autres s'enfuirent dans la forêt, et les cinq derniers furent repoussés vers le navire, où ils s'apprêtèrent à résister. Orm leur dit de jeter leurs armes, les assurant qu'ils auraient la vie sauve. Ils hésitèrent un moment sur la conduite à tenir.

"Qu'est-ce qui nous garantit que tu tiendras parole ? demandèrent-ils.

— Rien, répondit Orm, mais vous pouvez toujours espérer que je ne serai pas aussi fourbe que vous."

Ils se concertèrent et furent d'avis que ce n'était pas là une réponse bien satisfaisante ; ils préféraient, dirent-ils, s'en aller avec leurs armes et laisser le navire et le reste à Orm.

"Alors je peux vous assurer d'une autre chose, répondit Orm : c'est que, si vous ne faites pas immédiatement ce que je vous dis, vous allez tous être tués sur place. Cette réponse vous convient peut-être un peu mieux ?"

Il monta seul à bord et se dirigea droit vers eux, sans attendre Toke et Rapp. Il était tête nue, son heaume lui ayant été ôté par un jet de pierre, ses yeux luisaient de colère et il tenait à la main Langue bleue, qui dégouttait de sang ; il avançait comme s'il avait affaire à des chiens qu'il s'apprêtait à corriger. Ils jetèrent alors leurs armes et lui obéirent en se plaignant amèrement d'Åke, car ils étaient bien marris de voir que les choses avaient tourné autrement qu'il ne le leur avait laissé attendre.

Le soir était maintenant tombé et le vent s'était levé, mais Orm jugea préférable de ne pas s'attarder à cet endroit. Autrement, dit-il, ils n'allaient pas tarder à avoir toute une troupe de Seelandais sur le dos, pour reprendre le bien du roi Harald. C'est pourquoi il leur fallait tenter leur chance en mer, en pleine nuit, par gros temps et avec si peu de bras, et cela à cause d'une aventure dont ils n'avaient pas fini de subir les conséquences.

Ils se hâtèrent alors de remonter à bord le coffre aux provisions et le tonneau de bière ; la femme pleurait en silence et grinçait des dents à l'idée de devoir reprendre la mer, mais elle n'exprima aucune plainte. Orm se posta, l'épée à la main, près des prisonniers, déjà aux avirons, tandis que Toke et Rapp hissaient le tonneau dans le bateau. Toke était gauche et emprunté et Orm leur cria de se hâter.

"Mes doigts glissent et je n'arrive pas à assurer ma prise, répondit tristement Toke, j'ai la main fendue en deux."

Orm ne l'avait jamais entendu parler sur un ton aussi découragé. Toke avait en effet la main droite ouverte à partir du médius et ses doigts pendaient deux par deux de chaque côté de cette large entaille.

“Ce n'est pas la perte de sang qui m'inquiète, ajouta Toke, mais je crois bien que je ne vais pas pouvoir me servir de cette main pour ramer, ce soir ; et c'est bien dommage, car on ne va pas être trop de tous ceux que nous sommes pour sortir de cette baie.”

Il se rinça la main dans l'eau et se tourna ensuite vers la femme :

“Tu as ta part de responsabilité dans toute cette affaire, dit-il, même si elle n'est peut-être pas aussi grande que la mienne. Alors montre-nous si tu es capable de m'aider, maintenant aussi.”

La femme essuya ses larmes et approcha de lui. Elle se mit à pousser de petits gémissements, en voyant l'état de sa main, mais elle fit de son mieux pour la panser. Elle aurait bien voulu avoir du vin pour la laver et des toiles d'araignées à mettre dessus, mais elle dut se contenter d'eau, d'herbe et de mie de pain mâchée ; ensuite, elle enveloppa le tout dans des bandes de tissu qu'elle déchira de sa chemise et serra très fort.

“Tout le monde finit toujours par être bon à quelque chose, commenta Orm. Et maintenant, nous voilà gauchers tous les deux.”

Le ton de sa voix montrait bien que sa colère à l'encontre de Toke s'était quelque peu calmée.

Ils appareillèrent avec sept hommes aux avirons et Toke au gouvernail. Sortir de la baie et doubler le cap fut la tâche la plus pénible qu'Orm ait jamais connue, même du temps où il était aux galères. Il tenait un javelot à portée de la main, afin d'en faire tâter le premier des rameurs qui ferait preuve de mauvaise volonté et, lorsqu'un aviron manquait la vague et frappait dans le vide, faisant basculer en arrière celui qui le maniait, ce dernier ne tardait pas à se redresser et à souquer ferme à nouveau. La femme était recroquevillée aux pieds de Toke et se voilait les yeux de peur et de malaise. Toke lui donna un coup de pied et lui ordonna de se rendre utile en écopant. Elle s'efforça bien de lui obéir, mais ne parvint à aucun résultat, et le bateau était à moitié rempli d'eau quand ils doublèrent le cap et purent enfin hisser la voile et se mettre à écoper eux-mêmes.

Ils dérivèrent ensuite toute la nuit, poussés par la tempête, et Orm prit en personne le gouvernail. Tout ce qu'il put faire, ce fut de garder le cap au nord-est, en espérant que le navire n'allait pas être drossé à la côte avant le lever du jour. Personne ne pensait avoir beaucoup de chances de sortir vivant de cette tempête, qui était bien pire que ce qu'ils avaient connu quand ils avaient regagné l'Irlande. Rapp dit alors :

"Nous avons à bord cinq prisonniers désarmés et totalement à notre merci. Il est douteux qu'ils puissent encore nous être d'une grande utilité aux avirons. Mais ils peuvent peut-être nous aider à calmer la tempête, si nous les sacrifions aux divinités de la mer."

Toke dit que cette idée lui paraissait judicieuse, mais qu'ils pouvaient peut-être se contenter d'en jeter un ou deux par-dessus bord, pour commencer, afin de voir si cela faisait de l'effet.

Mais Orm objecta qu'il était impossible de traiter de la sorte leurs prisonniers, puisqu'il leur avait promis qu'ils auraient la vie sauve.

"Si tu tiens absolument à offrir quelque chose aux dieux de la mer, Toke, je ne vois pas d'autre solution que cette femme que tu as amenée à bord. Nous serions, par la même occasion, débarrassés de quelqu'un qui nous a causé bien des ennuis."

Mais Toke répondit qu'il n'en était pas question, tant qu'il serait en vie et aurait encore une main qui puisse brandir l'épée.

On ne parla donc plus de cela. A l'aube, s'abattit une violente averse qui les enveloppa d'une sorte de fumée et la tempête mollit quelque peu. Quand le temps redevint plus clair, ils virent devant eux la côte du Halland et purent enfin gagner à la rame l'embouchure d'une rivière, la coque pleine d'eau et la voile déchirée.

"Ces vieilles planches m'ont amené ici depuis la tombe de saint Jacques, dit Orm, et je ne suis plus très loin de chez moi, maintenant. Mais je vais rentrer au pays sans mon collier et sans la cloche et je n'ai pas gagné grand-chose à les donner en cadeau en cours de route.

— Tu rapportes tout de même un navire et une épée de cette expédition, dit Toke, et moi une épée et une femme ; nous ne sommes pas très nombreux à pouvoir en dire autant, parmi tous ceux qui sont partis avec Krok.

— Nous rapportons aussi, ne l'oublie pas, le courroux d'un grand roi, dit Orm, et nul ne peut imaginer pire butin à ramener au pays."

Les vicissitudes du voyage étaient maintenant terminées ; on débarqua les cinq prisonniers et leur rendit la liberté. Après s'être un peu reposés et avoir remis en état le navire et la voile, ils eurent beau temps et purent longer la côte vers le sud, poussés par une bonne brise. La femme elle-même avait maintenant repris courage et était en mesure de leur prêter main forte pour diverses petites tâches ; Orm se montra donc un peu moins mal disposé envers elle que jusque-là.

Le soir venu, ils jetèrent l'ancre près des rochers plats, non loin de chez Toste, à l'endroit même où s'était trouvé le navire de Krok la dernière fois qu'ils étaient venus là, et ils gravirent le sentier menant à la ferme. Orm marchait en tête. A quelque distance de là, le chemin croisait un ruisseau assez abondant ; une passerelle faite de trois planches permettait de franchir ce dernier. Orm dit alors :

"Attention à celle de gauche, elle est pourrie et glissante."

Puis, sans quitter des yeux cette planche, il ajouta :

"Elle était pourrie bien avant que je ne parte d'ici et, chaque fois que mon père passait par ici, il disait qu'il fallait la changer le plus rapidement possible. Mais ce n'est toujours pas fait et elle n'est pas encore tombée non plus ; il me semble pourtant que j'ai été assez longtemps parti. Le vieux est donc peut-être toujours en vie."

Un peu plus loin, ils virent un nid de cigognes dans un grand arbre et il y avait un oiseau dedans. Orm s'arrêta et siffla ; l'animal se mit alors à battre des ailes et à claquer du bec.

"Elle me reconnaît, dit Orm, c'est toujours la même et j'ai l'impression que nous nous sommes parlé pas plus tard qu'hier."

Ils franchirent alors une barrière et Orm dit :

"Fermez bien cette barrière, car ma mère n'est pas contente quand les moutons peuvent s'échapper par là, et le dîner est encore moins bon quand elle n'est pas de bonne humeur."

Les chiens se mirent à aboyer et, en approchant de la ferme, ils virent des domestiques sur le pas de la porte, curieux de savoir qui arrivait. Une femme se fraya un passage entre tous ces hommes et vint à leur rencontre. C'était Åsa. Elle était toute pâle mais, à part cela, elle paraissait aussi alerte que jadis.

"Me voici de retour, dit Orm.

— Orm !" s'écria-t-elle, la voix brisée par l'émotion. Puis elle ajouta : "Dieu m'a exaucée, même s'il y a mis le temps.

— Il ne manque pas de travail, maintenant, s'il veut écouter tous ceux qui ont quelque chose à lui demander, dit Orm. Mais je ne pensais pas te trouver chrétienne en revenant ici.

— J'ai été tellement seule, dit Åsa. Mais, maintenant, tout est pour le mieux.

— Tes hommes sont donc déjà partis à la voile ? demanda Orm.

— Des hommes, je n'en ai plus, répondit Åsa. Odd a disparu un an après toi et Toste est mort il y a trois ans, l'hiver de la grande épidémie parmi le bétail. Mais, depuis que je détiens la vérité chrétienne, j'ai été en mesure de survivre ; car j'étais certaine que mes prières te feraient revenir.

— Nous avons beaucoup de choses à nous dire, reprit Orm, mais cela pourra peut-être attendre après le repas. Ceux que tu vois là sont mes hommes ; la femme, elle, est étrangère et n'est pas à moi."

Åsa répondit qu'Orm était maintenant le maître de maison et que ses amis seraient aussi les siens ; elle les régala donc de son mieux. Elle avait les larmes aux yeux en servant à son fils ses plats favoris. Ils avaient tant de choses à se dire qu'il leur fallut plusieurs soirées pour cela ; mais Orm ne souffla mot de la façon dont Toke avait enlevé la femme, car il ne voulait pas troubler la joie de sa mère aussi tôt après son retour. Åsa trouva tout de suite Toke à son goût et soigna sa blessure avec beaucoup de sollicitude, en sorte qu'elle se cicatrisa rapidement. Envers Mirah, elle se montra maternelle et pleine d'attentions, bien qu'elles ne puissent se dire grand-chose, et elle ne cessa de vanter sa beauté et ses cheveux noirs. Elle regretta beaucoup qu'Orm et ses hommes ne veuillent pas remercier Dieu avec elle de leur avoir permis de rentrer ainsi au foyer, mais elle était trop contente pour s'en montrer désolée et elle dit seulement qu'Orm et les autres comprendraient mieux ce qu'il en était quand ils seraient plus âgés.

Au début, Orm se sentit assez étranger à la joie et à la douceur de sa mère ; ce n'est que le sixième jour, en l'entendant s'en prendre vertement à ses servantes, qu'il eut l'impression de la retrouver telle qu'il l'avait connue.

La paix régnait de nouveau, maintenant, entre Orm et Toke et ils ne parlèrent plus d'Ylva. Quand il racontait à Åsa ce qui s'était passé depuis qu'il était parti avec Krok, Orm sentait renaître sa vieille amitié envers Toke et n'avait pas de mots assez élogieux en sa faveur. Mais, quand il venait à penser à Ylva, son humeur s'assombrissait et la vue de Toke et de la femme n'était pas le spectacle le plus susceptible de le réjouir. Mirah embellissait chaque jour et ne cessait de rire et de chanter. Toke et elle s'entendaient tellement bien qu'ils remarquaient à peine les soucis des autres. Åsa estimait qu'ils auraient de beaux enfants et Mirah répondait à cela, avec un grand sourire, qu'ils faisaient tout ce qu'ils pouvaient en ce sens. Åsa dit aussi qu'elle avait, dès que possible, l'intention de se mettre en quête d'une femme pour Orm, mais celui-ci lui répondit, la mine sombre, que la chose ne pressait nullement.

Toke pouvait difficilement espérer rentrer chez lui par la mer, tant que le roi Harald serait au large de Skanör. Il décida donc de regagner Lister par voie de terre, seul avec la femme (car Rapp avait décidé de rester auprès d'Orm), et acheta des chevaux en vue de ce voyage. Un matin de bonne heure, ils se mirent en route, après avoir longuement remercié Åsa de son hospitalité, et Orm les accompagna un bout de chemin, afin de les mettre sur la bonne voie.

“C'est ici que nos chemins se séparent, dit Orm. Je te souhaite un bon voyage. Mais il est difficile de te prédire beaucoup de bonheur par la suite, car le roi Harald ne manquera pas de se mettre en quête de toi, où que tu te trouves.

— Il semble que ce soit notre sort, répondit Toke, de ne pas avoir beaucoup de chance avec les rois, bien que nous soyons aussi patients que les autres. Que ce soit avec Almansur, Sven ou bien Harald, cela s'est chaque fois terminé de la même façon et celui qui leur apporterait notre tête pourrait s'attendre à une belle récompense. Mais je vais quand même m'efforcer de conserver la mienne le plus longtemps possible."

Sur ces mots, ils prirent congé l'un de l'autre. Toke et Mirah se dirigèrent vers le sud, sur leurs chevaux, et disparurent dans la forêt ; Orm regagna la ferme sur le sien, afin d'avertir Åsa du danger qui planait sur eux du fait de la colère du roi Harald.

Deuxième partie

AU PAYS DU ROI ETHELRED

I

DE LA BATAILLE DE MAELDUN ET DE CE QUI S'ENSUIVIT

— 1 —

CE PRINTEMPS-LÀ, le long des côtes des pays nordiques, on mit de nombreux bateaux en chantier et de vieilles quilles restées longtemps au sec furent calfatées à neuf. Baies et détroits grouillèrent bientôt de flottes montées par des rois courroucés et, au cours de l'été, une grande agitation régna sur les mers.

Styrbjörn fut parmi les premiers à remonter la Baltique à la tête de nombreux navires montés par des vikings de Jomsborg, de Bornholm et de Scanie ; il pénétra dans le lac Mälar et remonta jusqu'à la plaine d'Uppsala. Là eut lieu une bataille entre le roi Erik et lui. Il tomba mort au tout début du combat, mais on dit que ce fut le sourire aux lèvres. Car, quand il vit approcher l'armée des Suédois, rangée en ordre de bataille à la mode ancienne, derrière des têtes de cheval enfoncées au bout de piques et avec le roi en personne au milieu de ses troupes, sur un chariot sacré tiré par des bœufs, il rejeta la tête en arrière, pris d'un éclat de rire très sonore. Un javelot en profita pour passer entre sa barbe et le bord de son bouclier et venir se planter dans sa gorge. La panique s'empara alors de ses hommes et certains prirent aussitôt la fuite, laissant la victoire au roi Erik.

Ce fut ensuite au roi Sven à la Barbe fourchue de sillonner la mer entre les îles danoises à la tête de bateaux de Fionie et du Jutland, afin de prendre le roi Harald par surprise alors que celui-ci était occupé à lever l'impôt sur le hareng, à Skanör. Il en avait en effet assez d'attendre la mort de son père. Celui-ci parvint cependant à lui échapper et à se réfugier à Bornholm, où il reconstitua une flotte. Une lutte acharnée opposa ensuite les deux hommes jusqu'à ce que le roi Harald soit contraint par une blessure de s'enfuir à Jomsborg. Le royaume de Danemark était maintenant le théâtre de violentes guerres intestines, car certains avaient pris le parti de Harald et d'autres celui de Sven ; d'autres encore profitaient de la confusion pour tenter de se forger un avenir pour leur propre compte.

Mais, au cœur de l'été, le roi Erik arriva d'Uppsala à la voile, à la tête d'une armée plus puissante que les Suédois n'en avaient eu depuis longtemps, poussant devant lui les restes de la flotte de Styrbjörn, qui se livraient au pillage le long de ses côtes, afin de venger la mort de leur chef. Erik, lui, désirait tirer vengeance tant du roi Harald que de son fils, pour l'assistance qu'ils avaient prêtée à Styrbjörn. Beaucoup jugèrent inutile de tenter de s'opposer à celui qui était venu à bout de Styrbjörn et qu'on appelait maintenant le Victorieux. Il poursuivit le roi Sven, qui s'était retiré dans les îles et dans le Jutland, plaçant ses propres jarls partout où il passait. La nouvelle ne tarda pas à se répandre, alors, que le roi Harald était mort de ses blessures, en exil, à Jomsborg, trahi par la chance qui l'avait accompagné jusque-là. Mais la lutte se poursuivit entre les deux autres souverains. Erik eut le dessus, mais Sven lui résistait âprement. La demeure royale de Jellinge était, disait-on, tantôt entre les mains de l'un, tantôt entre celles de l'autre, mais il paraissait vraisemblable que Sven ait été le premier à pouvoir s'emparer des coffres renfermant le trésor du roi Harald.

En Scanie, bien des grands personnages n'avaient aucune envie de se mêler de cette lutte et préféraient voir les deux souverains en découdre tout seuls, afin de se livrer pour leur part à des activités plus lucratives. Parmi ceux-ci se trouvait Thorkel le Long, qui répugnait à prendre le parti de Sven mais était encore moins disposé à se retrouver inféodé à Erik et à perdre une partie de son autorité. Il fit donc savoir à certains chefs et grands propriétaires terriens qu'il avait l'intention de partir pour l'étranger, à savoir la Frise ou l'Angleterre, s'il pouvait réunir une flotte suffisamment nombreuse. Beaucoup trouvèrent cette proposition à leur goût, car Thorkel était un chef apprécié et il passait pour avoir la chance avec lui, depuis qu'il avait eu la vie sauve à Hjörungavåg. Des guerriers de l'ancienne armée de Styrbjörn qui n'avaient pas été pris par le roi Erik se joignirent également à lui et il se retrouva bientôt, avec vingt navires, près de l'île de Ven, dans le Sund ; pourtant, il ne s'estimait pas encore assez fort pour pouvoir mettre à la voile.

Parmi ceux qui vinrent grossir ses rangs se trouvait Orm, fils de Toste de Kullen, sur un grand navire bien monté ; Thorkel ne l'avait pas oublié depuis la fête de Noël chez le roi Harald et il salua son arrivée avec joie.

Orm n'avait en effet pas tardé à s'ennuyer au foyer, à devoir uniquement s'occuper de vaches et de valets de ferme. Il avait aussi, à la longue, du mal à s'entendre avec Åsa, sa mère, quoique celle-ci ne lui ait voulu que du bien. Pour elle, il était encore à peine sorti de l'enfance et elle ne cessait de l'assaillir de ses bons conseils, comme s'il n'était pas assez grand pour décider par lui-même. Il ne servait à rien de lui dire qu'il était pourtant habitué à le faire depuis un certain temps, désormais, et même à entraîner bien des hommes à sa suite. L'impatience d'Åsa à le voir marié et baptisé n'avait naturellement rien arrangé.

La nouvelle du décès du roi Harald avait été pour eux deux un grand soulagement car, sitôt qu'Åsa avait appris la façon dont Toke s'était emparé de la femme, elle en avait conçu une telle angoisse qu'elle ne parlait plus que de vendre la ferme et de partir s'installer dans la propriété qu'elle avait héritée de ses ancêtres, dans la forêt, près de la frontière du Småland, afin d'être un peu plus à l'abri du bras du souverain. La mort de celui-ci avait mis fin à ces affres ; mais Orm, lui, n'avait toujours pas oublié Ylva et en était toujours bien tourmenté. Il se demandait souvent ce qu'elle était devenue, après la disparition de Harald : son frère, le roi Sven, avait-il maintenant autorité sur elle et pouvait-il la donner en mariage à un berserk ? Ou bien était-elle tombée entre les mains d'Erik, ce qui ne lui semblait guère plus souhaitable ? Etant donné l'inimitié qui l'opposait à Sven, il ne voyait guère de moyen de la retrouver, surtout pas tant que les hostilités régnaient dans les îles danoises.

Il n'avait pas parlé d'Ylva à Åsa, afin d'éviter tous les discours inutiles qui n'auraient pas manqué d'en résulter. Mais cela ne présentait pas que des avantages, car Åsa connaissait dans les alentours plusieurs jeunes filles qui auraient constitué pour lui un très beau parti ; les mères de celles-ci étaient d'ailleurs du même avis et venaient fréquemment en visite avec elles pour les montrer, lavées de frais et avec des fils de soie rouge dans leurs nattes. Ces dernières aimaient bien être là, assises, la poitrine provocante, à faire tinter leurs bijoux et à le dévorer des yeux en cachette. Orm, pour sa part, demeurait impassible, car aucune d'elles ne ressemblait à Ylva, n'était d'humeur aussi gaie ou ne possédait un aussi doux babil. Åsa ne tarda donc pas à perdre patience et à se dire qu'Odd lui-même aurait difficilement pu mettre plus de mauvaise volonté à satisfaire ses désirs.

C'est pourquoi, quand était arrivée la nouvelle selon laquelle Thorkel avait l'intention de partir pour l'étranger à la tête d'une forte expédition, Orm ne s'était nullement soucié des larmes d'Åsa et avait aussitôt acquis un bon navire et recruté des hommes dans la région. Tout le monde savait que c'était un grand voyageur et qu'il avait rapporté beaucoup d'or au foyer ; il n'eut donc pas de mal à trouver l'équipage qu'il lui fallait. Il dit alors à Åsa qu'il ne pensait pas vraiment rester aussi longtemps absent que la fois précédente, mais que, après cela, il s'installerait pour de bon comme paysan. Åsa éclata en sanglots, disant qu'elle ne saurait supporter pareils chagrin et solitude ; mais Orm lui coupa la parole, affirmant qu'elle vivrait certainement encore bien plus longtemps que lui et qu'elle serait en mesure de donner les verges à ses arrière-petits-enfants. Les larmes d'Åsa ne firent que redoubler, en entendant cela, et c'est ainsi qu'ils prirent congé l'un de l'autre et qu'Orm partit rejoindre Thorkel.

Pendant que ce dernier attendait des vents favorables, une flotte de vingt-huit navires arriva à la rame, venant du sud, et, aux marques et figures de proue qu'ils arboraient, il apparut bientôt que c'étaient des Suédois. Le temps était beau et propice au combat, les deux adversaires entamèrent donc leurs préparatifs ; mais, tout d'abord, Thorkel s'adressa aux arrivants, leur disant qui il était et qu'il désirait s'entretenir avec leur chef. Ceux-ci étaient en fait au nombre de deux, de rang égal ; l'un s'appelait Jostein et venait d'Uppsala, l'autre avait pour nom Gudmund et était originaire d'Östergötland. Ils étaient venus aider le roi Erik à piller en terre danoise et ils demandèrent à Thorkel ce qu'il voulait savoir d'autre.

“Si nous nous battons, dit alors celui-ci, le vainqueur n’aura guère à y gagner, mais nos gens, eux, auront tous à s’en plaindre, même si, comme il est probable, c’est moi qui l’emporte.

— Nous disposons de cinq navires de plus que toi, répliquèrent les nouveaux venus.

— Oui, mais mes gens sont bien reposés et viennent de prendre leur repas du matin, dit Thorkel, alors que les vôtres sont fatigués d’avoir ramé et donc bien moins en état de manier le javelot ou l’épée. Je propose une autre solution, qui serait à notre avantage à tous, car il y a des endroits où il est encore plus profitable de se livrer au pillage qu’au Danemark.

— Nous sommes venus prêter assistance au roi Erik, répondit Jostein.

— Très bien, répliqua Thorkel ; et, si je me bats avec vous, je prête tout autant assistance au roi Sven. Mais, si nous renonçons à nous affronter et partons ensemble pour un endroit où il y a beaucoup à gagner, nous aurons fait tout autant pour notre souverain respectif que si nous nous entre-tuons ici ; de toute façon, ils n’auront plus personne sur qui s’appuyer, mais avec cette différence que nous serons encore en vie et avec la perspective de nous enrichir.

— Tu parles bien, dit Gudmund, et il y a du vrai dans ce que tu dis. Il vaut peut-être la peine de nous en entretenir, tous les trois.

— J’ai entendu dire que vous étiez de grands chefs et des hommes d’honneur, dit Thorkel ; c’est pourquoi je n’ai pas peur de tomber dans un traquenard si je viens vous parler.

— Je connais Sigvalde, ton frère, dit Jostein ; mais j’ai entendu bien des gens affirmer que toi, Thorkel, tu n’es pas comme lui.”

Il fut alors convenu que les trois hommes se rencontreraient sur l'île, au pied des falaises, en vue des navires : Jostein et Gudmund seraient chacun accompagnés de trois hommes et Thorkel de cinq, tous armés de leur épée mais sans arme de jet. Ainsi fut fait ; depuis les navires, on les vit tout d'abord se tenir à une certaine distance les uns des autres, chacun avec ses hommes autour de lui. Ensuite, Thorkel fit servir de la bière, ainsi que de la viande de porc et du pain et ils ne tardèrent pas à se rapprocher et à se parler de près, en confiance. Plus Jostein et Gudmund examinaient la proposition de Thorkel, meilleure elle leur paraissait et Gudmund en fut bientôt fermement partisan. Jostein commença par émettre des objections, disant que le roi Sven était impitoyable envers ceux qui lui désobéissaient ; mais Thorkel ne manquait pas d'arguments pour faire valoir que le moment était propice pour les vikings sur la route de l'Ouest et Gudmund fut d'avis qu'il serait bien temps de s'occuper de l'humeur de Sven quand ce serait nécessaire. Ils tombèrent alors d'accord sur la façon de répartir l'autorité et les responsabilités pendant l'expédition, ainsi que sur le mode de répartition du butin, afin d'éviter toute dispute par la suite. Puis Gudmund suggéra que le porc et la discussion donnaient soif et fit l'éloge de la bière de Thorkel. Mais celui-ci secoua la tête et dit que c'était certes la meilleure qu'il eût à leur offrir à ce moment, mais que ce n'était rien à côté de celle qu'ils trouveraient en Angleterre, où on utilisait les meilleurs grains pour faire le malt. Jostein fut alors forcé de convenir que ce pays valait la visite. Là-dessus, ils se touchèrent la main pour conclure leur entente et promirent de ne pas se quitter et de tenir parole. Une fois qu'ils furent revenus à bord de leurs navires, trois moutons furent sacrifiés aux divinités de la mer en les jetant par-dessus bord, afin d'obtenir des bons vents et de faire bonne route. Le reste de la flotte se déclara fort satisfait de ce qui avait été convenu et la renommée de Thorkel, qui était déjà grande parmi ses hommes, fut encore rehaussée du fait de l'excellence de la solution qu'il avait proposée.

Plusieurs autres navires rejoignirent la flotte de Thorkel, certains venus de Scanie et d'autres du Halland. Quand le vent fut favorable, tous les navires, au nombre de cinquante-cinq au total, mirent à la voile et allèrent tout d'abord piller la Frise, où ils passèrent l'hiver.

Orm s'enquit auprès de Thorkel et d'autres pour savoir ce qu'étaient devenus les membres de la maison du roi Harald. D'aucuns avaient entendu dire que Jellinge avait brûlé, d'autres que l'évêque Poppo avait apaisé les flots en récitant des psaumes et avait ainsi pu prendre la mer et échapper à Sven, qui aurait pourtant bien voulu s'emparer de lui ; mais personne ne savait ce qu'il était advenu des femmes de la cour.

— 2 —

Quand le roi Ethelred avait pris le pouvoir, en Angleterre, la situation était redevenue ce qu'elle était jadis, au temps des fils de Lodbrok. Dès qu'il eut atteint l'âge adulte et pris en main les rênes du pays, il fut connu sous le nom d'Indécis ou d'Irrésolu. Et les vikings ne se firent pas faute de venir en foule hanter le rivage du pays afin de l'aider à mériter encore un peu plus ce sobriquet.

Au début, ils vinrent seulement par petits groupes, qui furent facilement repoussés car, lorsque s'allumaient les feux donnant l'alerte, le long des côtes, de solides cohortes se mobilisaient, prêtes à les accueillir en frappant fort par-dessus leurs larges boucliers. Mais le roi

Ethelred, lui, passait son temps à bâiller à table, à faire réciter des prières pour éloigner les vikings et à coucher avec les femmes de ses principaux lieutenants. Et, quand on venait l'avertir que les longs vaisseaux nordiques étaient de nouveau en vue, malgré ses prières, il se mettait à hurler de colère. Il écoutait tous les conseils en se plaignant de sa fatigue – mais ne trouvait pas grand-chose d'autre à faire. Les visiteurs étrangers se firent alors de plus en plus nombreux et fréquents, et le ban ordinaire ne suffit bientôt plus. Des bandes armées commencèrent à pénétrer à l'intérieur du pays et regagnèrent leurs navires en ployant sous le poids du butin. La nouvelle ne tarda pas à se répandre un peu partout qu'en matière d'opulence et d'argent aucun pays ne pouvait se comparer à celui du roi Ethelred pour les hardis navigateurs venus en nombre suffisant. Car il y avait longtemps que l'Angleterre n'avait pas été soumise au pillage en dehors de ses côtes.

Pourtant, aucune flotte d'importance n'avait encore fait son apparition et aucun chef n'avait encore su maîtriser l'art de lever le "danegeld*" en pièces d'argent frappées à l'effigie du roi Ethelred ; mais en l'an de grâce 991, le moment fut venu et, à partir de cette date, nombreux furent ceux qui surent le pratiquer, tant que le roi Ethelred fut là pour payer.

Peu après Pâques cette année-là, qui fut la cinquième de la majorité du roi Ethelred, les fanaux s'embrasèrent le long de la côte du Kent. Les gens accoururent sur le rivage au petit matin, tout pâles, pour scruter la mer et, ensuite, se hâtèrent d'enterrer ce qu'ils possédaient, de chasser leur bétail dans la forêt et d'aller se dissimuler

* Nom donné aux rançons exigées de leurs victimes britanniques par les vikings.

avec lui dans les fourrés les plus profonds. Des messagers à cheval partirent à bride abattue avertir le roi et ses jarls que la plus grande flotte qu'on ait jamais vue depuis bien des années était maintenant au large et que les païens mettaient déjà pied à terre.

Le ban et l'arrière-ban réunis furent incapables de quoi que ce soit contre ces étrangers qui parcouraient le littoral par hordes entières, pillaient et ramassaient tout ce qu'ils trouvaient dans le pays. On commença à redouter qu'ils ne pénètrent à l'intérieur et l'archevêque de Canterbury partit en personne trouver le roi afin de lui réclamer de l'aide pour défendre sa ville. Mais, quand les étrangers eurent agi à leur guise pendant un certain temps et apporté à bord de leurs navires tout ce qui leur parut bon à prendre, ils remirent à la voile et longèrent à nouveau la côte. Ils débarquèrent alors dans l'est du pays et s'y conduisirent de la même façon.

Le roi Ethelred et son archevêque, qui avait pour nom Sigerik, firent alors réciter des prières encore plus longues qu'auparavant. Et, quand ils apprirent que les païens, après avoir dévasté un certain nombre de villages, avaient repris la mer, ils firent distribuer des récompenses à ceux de leurs prêtres qui avaient prié avec le plus de zèle, et s'estimèrent débarrassés de ce fléau. Peu après, les vikings débarquèrent près de la ville de Maeldun, à l'embouchure d'une rivière nommée Panta, et établirent leur camp sur une île située entre deux bras de ce cours d'eau, afin de se préparer à l'attaque.

Le jarl des Saxons de l'Est avait pour nom Byrhtnoth. Il était célèbre dans le pays pour sa taille, qui dépassait celle de tous les autres hommes, et passait pour être fier et n'avoir pas peur. Après avoir rassemblé une troupe assez nombreuse, il marcha sur l'ennemi afin de faire l'essai d'une autre méthode que celle de la prière, parvint à Maeldun, mais ne s'attarda pas dans cette ville et se dirigea tout droit vers le camp des vikings, jusqu'à ce que les deux armées ne soient plus séparées que par la largeur de la rivière. Il lui était difficile de les attaquer en les prenant à revers, mais il en allait de même pour eux. La marée monta et envahit l'estuaire. Celui-ci n'était cependant pas assez large pour qu'on ne puisse échanger des javelots et des insultes, mais rien d'autre ne parut se passer et les deux armées restèrent face à face par cette magnifique journée de printemps.

C'est alors qu'un héraut de la suite de Thorkel le Long, homme sachant s'exprimer dans d'autres langues que la sienne, s'approcha du bord de l'eau, leva son bouclier et s'écria :

"De hardis navigateurs m'ont envoyé vous dire ceci : donnez-nous votre or et votre argent et nous vous donnerons la paix. Vous êtes plus riches que nous et il vaut mieux pour vous acheter la paix en payant tribut plutôt qu'affronter des gens comme nous à l'épée et au javelot. Si vous êtes assez riches, nous n'aurons pas besoin de nous entre-tuer. Et, quand vous aurez acheté votre liberté et votre tranquillité, ainsi que celle des vôtres, de vos fermes et de tout ce que vous possédez, nous serons vos amis et regagnerons nos navires avec le montant de la rançon. Puis nous mettrons à la voile et nous tiendrons notre promesse."

Byrhtnoth s'avança alors en personne en brandissant son javelot et dit :

"Ecoutez notre réponse, bande de pirates ! Voilà ce que nous sommes prêts à vous offrir : la pointe de nos javelots et le tranchant de nos épées. Il ferait beau voir qu'un jarl comme moi, Byrhtnoth, fils de Byrhthelm, homme à la réputation sans tache, ne défende pas son pays et celui de son roi. Entre nous, ce sera décidé de taille et d'estoc, et il va falloir vous employer pour repartir avec autre chose que des coups."

Les deux camps restèrent face à face jusqu'à ce que la marée commence à baisser ; à ce moment, le héraut des vikings reprit la parole par-dessus la rivière :

"Nous sommes restés inactifs assez longtemps. Venez ici et nous vous ferons place pour nous battre ; ou bien faites nous place de votre côté et nous viendrons vous y rejoindre."

Le jarl Byrhtnoth jugea peu prudent de faire passer ses hommes à gué, car l'eau de la rivière était froide et ils risquaient d'être transis et alourdis, dans leur tenue de combat. Mais il était également désireux d'engager le combat avant qu'ils ne se sentent las et affamés. C'est pourquoi il fit cette réponse :

"Je vous fais place ici ; venez tout de suite vous battre. Dieu seul sait qui d'entre nous restera maître du terrain."

Et le scalde de Byrhtnoth, qui participa à la bataille et eut la vie sauve, composa alors ce poème :

"L'armée des vikings n'eut pas peur de l'eau :
les loups sanguinaires franchirent le gué :
par-dessus les flots étincelants de la rivière,
ils firent passer leurs boucliers."

Les hommes de Byrhtnoth formaient une haie de boucliers et il leur avait donné pour instruction de se servir en premier de leur javelot et ensuite seulement de leur épée, pour repousser les païens dans la rivière. Mais les vikings se mirent rapidement en ordre de bataille, équipage par équipage, au fur et à mesure de leur arrivée ; puis ils poussèrent leur cri de guerre et se ruèrent en avant avec leur capitaine à leur tête. Ils furent accueillis par une pluie de javelots qui fit tomber à terre plus d'un assaillant, mais furent bientôt bouclier contre bouclier avec l'ennemi. La lutte fit rage et les cris fusèrent de toutes parts. Sur leurs ailes droite et gauche, les vikings furent stoppés et pressés à leur tour. Mais Thorkel le Long et deux des capitaines les plus proches de lui – Orm était l'un d'eux et l'autre Faravid Svensson, un célèbre chef seelandais que le roi Harald avait banni du royaume de Danemark et qui avait été compagnon de Styrbjörn à la bataille de la rivière Fyris, à Uppsala – réussirent à enfoncer le mur de boucliers de Byrhtnoth avec le leur. Thorkel cria à ses hommes d'abattre l'homme de haute taille au heaume d'argent et qu'alors la victoire serait leur. C'est là qu'eut lieu le gros de la mêlée et les hommes les plus petits n'eurent guère d'espace pour manier leurs armes. Faravid se fraya un passage parmi les ennemis et abattit l'homme qui portait la marque de Byrhtnoth puis porta à celui-ci un coup qui lui causa une blessure, mais tomba lui-même à cet instant, atteint par un javelot à travers sa barbe. Les victimes étaient maintenant nombreuses de chaque côté, parmi les hommes de valeur. Orm lui-même glissa sur un bouclier couvert de sang et bascula en avant sur un ennemi qu'il venait de tuer. Au même moment, il fut atteint à la nuque par un coup de massue, mais son dos fut aussitôt protégé par les boucliers que jetèrent sur lui ceux de ses soldats qui se trouvaient le plus près.

Lorsqu'il reprit ses sens et se remit sur ses pieds, aidé en cela par Rapp, le combat avait changé de place et les vikings l'emportaient. Byrhtnoth était tombé et bon nombre de ses hommes étaient en fuite ; mais d'autres s'étaient regroupés en cercle, pressés de toutes parts par l'ennemi, et poursuivaient la lutte. Thorkel leur cria par-dessus le fracas de la mêlée qu'il était prêt à leur laisser la vie sauve s'ils jetaient leurs armes ; mais, de leurs rangs, une voix répondit :

"Moins nous serons nombreux, mieux il nous faudra viser, plus fort il nous faudra frapper et plus de courage il nous faudra déployer."

Ils continuèrent donc à se battre jusqu'à ce qu'ils soient tous à terre, en compagnie de nombre de leurs ennemis, autour du cadavre de leur chef. Leur courage fut vanté très haut, parmi les vikings, mais cette bataille de Maeldun, trois semaines avant la Pentecôte de cette année 991 fut une lourde défaite pour le roi Ethelred et un grand malheur pour son pays ; celui-ci était maintenant largement ouvert aux incursions des étrangers.

— 3 —

Les vikings enterrèrent leurs morts et burent à leur mémoire et à la victoire. Ils laissèrent le cadavre de Byrhtnoth aux messagers du deuil venus le chercher afin de l'enterrer chrétiennement et firent aviser les habitants de Maeldun d'avoir à acquitter très rapidement une contribution de guerre et une rançon s'ils voulaient s'éviter des malheurs encore bien pires. Ils se réjouirent à l'idée des richesses qu'ils considéraient déjà comme leurs et furent saisis de colère en voyant les jours passer sans que quiconque vienne leur verser la rançon ni faire acte d'allégeance. Ils remontèrent alors la rivière jusqu'à Maeldun et mirent le feu à la palissade qui protégeait la cité du côté de l'eau, puis la prirent d'assaut et la mirent à sac, regrettant seulement d'avoir ainsi dû détruire bien des choses et qu'il en reste si peu à partager. Ils décidèrent donc d'avoir moins recours au feu, à l'avenir ; ce qui les intéressait, en effet, c'était l'argent et non pas une dévastation qui faisait disparaître celui-ci. Ils se mirent alors en devoir de rassembler des chevaux dans toute la région afin de pouvoir attaquer par surprise des endroits où on ne les attendait pas. Ils se répandirent par bandes entières à travers la contrée, rapportant ensuite au camp un riche butin. La terreur régnait tellement dans le pays, désormais, qu'après la mort de Byrhtnoth aucun chef ne fut prêt à les affronter les armes à la main. Des prisonniers rapportaient que le roi Ethelred restait maintenant enfermé dans son palais, tout pâle, sans savoir quoi faire d'autre que marmonner des prières avec ses prêtres.

Dans l'église de Maeldun, qui était en pierre, certaines personnes s'étaient réfugiées dans le clocher, lors de l'assaut ; il y avait là des prêtres, des femmes et d'autres encore, et ils avaient tiré l'échelle derrière eux pour que personne ne puisse les suivre. Mais les vikings pensaient que des trésors avaient également été mis à l'abri dans ce clocher et ils déployèrent bien des efforts afin de faire descendre tous ces gens et de s'emparer de ce qu'ils avaient pu emporter. Mais ils ne parvinrent à aucun résultat, que ce soit par le feu ou par les armes ; en outre, les réfugiés de la tour avaient des vivres et de la boisson et chantaient des psaumes, paraissant garder bon moral. Lorsque les vikings approchèrent afin de parlementer et obtenir d'eux qu'ils descendent et leur livrent leurs trésors, ils les accueillirent par des injures et lancèrent sur eux des pierres et des immondices, en se réjouissant fort chaque fois qu'ils touchaient leur cible. Tous les vikings étaient désormais bien d'accord pour penser que ces églises et clochers de pierre étaient ce qu'ils pouvaient rencontrer de plus contraire à leurs intentions.

Jostein, qui était un vieil homme sans pitié et très avide de trésors, dit qu'il ne voyait plus qu'un seul moyen : rassembler les prisonniers devant l'église et les mettre à mort l'un après l'autre jusqu'à ce que les réfugiés de la tour cèdent devant ce spectacle. Certains furent de son avis, car il était célèbre pour être fort avisé ; mais Gudmund et Thorkel estimaient que c'était là une méthode indigne des guerriers qu'ils étaient et refusèrent de s'y prêter. Il valait mieux, fit valoir Thorkel, avoir recours à la ruse : il connaissait bien les prêtres et savait comment il fallait se comporter pour les amener à faire ce qu'on voulait.

Il fit alors décrocher un grand crucifix suspendu au-dessus de l'autel de l'église. Précédé des deux hommes qui le portaient, il alla se placer au pied du clocher et cria qu'il avait besoin de prêtres pour soigner leurs blessés et plus encore pour lui enseigner à lui-même la religion chrétienne. Il ajouta que, ces derniers temps, il avait été pris d'un désir ardent de mieux la connaître et qu'il voulait se comporter envers les réfugiés de la tour comme s'il était déjà chrétien et leur laisser la vie sauve.

A ce moment de son discours, une pierre jetée du haut du clocher vint le frapper à l'épaule, du côté du bouclier, et il se retrouva à terre, le bras cassé. Les deux hommes qui l'accompagnaient lâchèrent le crucifix et l'aidèrent à se relever, sous les cris de joie des gens de la tour. Jostein, qui assistait à la scène, eut un petit sourire et dit que les ruses de guerre n'étaient pas toujours aussi simples que ne le pensaient les jeunes gens sans expérience.

Furieux de voir leur chef blessé, les hommes de Thorkel se mirent alors à décocher une grêle de flèches contre les ouvertures pratiquées dans le clocher. Mais ceci fut aussi inopérant que le reste et la situation devenait de plus en plus embarrassante. Orm dit alors que, dans le Sud, il avait vu Almansur enfumer les chrétiens ainsi réfugiés dans leurs tours et on décida aussitôt d'avoir recours à ce moyen. On entassa du bois et de la paille humide tant dans l'église qu'au pied du clocher et on y mit le feu ; mais les chrétiens étaient réfugiés bien haut et le vent dispersa le plus gros de la fumée avant que celle-ci ne les atteigne. Les vikings finirent donc par se lasser et par décider de prendre patience jusqu'à ce que la faim commence à se faire sentir parmi les assiégés.

Thorkel était tout penaud de l'échec de sa ruse et avait peur qu'on ne se gausse de lui pour cela. En outre, il regrettait bien, dit-il, de ne pouvoir monter à cheval et d'être obligé de rester à Maeldun pour garder le camp au lieu de partir en expédition avec les autres ; il aurait eu grand besoin d'hommes experts dans l'art de guérir pour soigner sa blessure. Orm fut parmi ceux qui vinrent le voir, alors qu'il était assis près du feu, en train de boire de la bière chaude, le bras inerte ; les uns après les autres, ses hommes étaient venus tâter ce bras, mais aucun ne voyait le moyen de poser les attelles nécessaires.

Thorkel grimaçait de douleur quand on touchait son membre et disait que c'était assez discuté comme cela et qu'il fallait qu'on lui bande le bras, avec ou sans attelles.

“Et voilà que s'avèrent les paroles que j'ai prononcées, ajouta-t-il, et que ce dont j'ai le plus besoin, c'est d'un prêtre ; car c'est le genre d'hommes qui s'entendent à cela.”

Orm opina du chef et dit que les prêtres étaient en effet d'excellents médecins. Il n'avait pas oublié que, lors de la fête de Noël chez le roi Harald, et alors qu'il était bien plus grièvement blessé que Thorkel maintenant, il avait été guéri par un prêtre. Et il en aurait eu bien besoin d'un en ce moment également, tout autant que Thorkel, car il ressentait toujours les effets du coup de massue ferrée qu'il avait reçu à la tête, au point d'avoir parfois l'impression que quelque chose s'était brisé à l'intérieur de son crâne.

“Je te tiens pour le plus intelligent de tous mes capitaines, lui dit Thorkel quand ils furent seuls, et même pour le meilleur guerrier, depuis que Faravid est mort ; mais cela n'empêche que tu sois aussi parmi ceux qui perdent le plus vite courage quand quelque chose va de travers, même si le mal n'est pas bien grand.

— Ceci s'explique, répondit Orm, par le fait que je n'ai plus ma bonne étoile. Jadis, j'avais de la chance, je sortais indemne de plus de mauvais pas que la plupart des autres et je connaissais la réussite en tout. Mais, depuis que je suis rentré du Sud, le sort m'est contraire : c'est ainsi que j'ai perdu mon collier, ma fiancée et l'homme en compagnie duquel je me plaisais le mieux ; au combat, je ne peux plus guère tirer l'épée sans être touché moi-même. Et, si je conseille d'enfumer des gens réfugiés dans un clocher, le vent se met en travers de mes projets."

Thorkel objecta qu'il avait vu bien plus malchanceux qu'Orm ; mais celui-ci secoua la tête et laissa ses hommes partir seuls au pillage, sous la conduite de Rapp, restant lui-même en ville près de Thorkel, mais le plus souvent dans son coin, à ruminer tous ses chagrins.

Un matin, la cloche se mit à sonner dans la tour de l'église et les assiégés entonnèrent cantique sur cantique, au point que les assiégeants leur demandèrent pourquoi ils faisaient un pareil vacarme. Les premiers ne disposaient plus de pierres à jeter sur les païens, mais ils leur répondirent que c'était la Pentecôte et donc pour eux un jour de joie.

Tous furent bien étonnés d'une telle réponse et certains demandèrent de quoi ils se réjouissaient ainsi et quel était l'état de leurs provisions.

Ils répondirent que peu importait ce qu'il en était sur ce point et qu'ils se réjouissaient de toute façon, parce que le Christ était au ciel et leur viendrait sûrement en aide.

Les hommes de Thorkel firent alors griller de gros moutons sur de grands feux et le fumet s'en éleva vers le clocher où étaient tous ces affamés. Ils leur crièrent alors de se conduire de façon sensée et de descendre goûter cette viande avec eux ; mais les assiégés ne l'entendirent pas de cette oreille et continuèrent à chanter.

Thorkel et Orm étaient assis l'un près de l'autre et écoutaient les cantiques qui leur parvenaient de la tour.

"Ils chantent moins bien que d'habitude, dit Thorkel, on dirait qu'ils commencent à avoir la gorge sèche. Je crois qu'ils ne vont plus tarder à descendre, s'ils n'ont plus rien à boire.

— Ils sont plus à plaindre que moi, et pourtant ils chantent, répondit Orm en contemplant tristement un beau morceau de mouton, avant de le fourrer dans sa bouche.

— Je crains bien, dit Thorkel, que tu ne fasses un piètre chanteur, si tu étais réfugié dans le clocher d'une église."

— 4 —

Le même jour, à midi, Gudmund rentra d'une expédition à l'intérieur des terres. C'était un homme de haute taille et à l'humeur badine dont le visage portait encore les traces qu'avaient laissées les griffes d'un ours. Il revint à cheval, ivre et très agité, portant un riche manteau de pourpre sur ses épaules, deux lourdes ceintures d'argent autour de la taille et arborant un large sourire sous sa barbe blonde.

C'était là, s'écria-t-il dès qu'il vit Thorkel, un pays qui était à son goût, débordant de richesses plus qu'on ne saurait l'imaginer ; toute sa vie il serait reconnaissant à ce dernier de l'avoir incité à y venir. Il avait mis à sac neuf villages et un convoi se rendant au marché et n'avait perdu que quatre hommes. Les chevaux croulaient sous le poids du butin, bien qu'ils n'aient emporté que ce qui avait le plus de valeur, et des chariots tirés par des bœufs les suivaient, chargés de bière forte et d'autres choses. Il serait bien nécessaire, ajouta-t-il, de chercher à se procurer d'autres navires disposant de vastes cales, afin de rapporter dans leur pays tout ce qu'il était si facile d'amasser dans celui-ci.

— En outre, poursuivit-il, j'ai rencontré en chemin un groupe de gens : deux évêques et leur suite. Ils se disent envoyés par le roi Ethelred. Je leur ai offert à boire et les ai amenés ici. Ils sont âgés tous les deux et ils n'avancent donc pas très vite, même à cheval. Mais ils ne vont pas tarder à arriver. Je n'ai pas très bien réussi à comprendre pourquoi ils viennent nous voir. Ils disent être porteurs d'offres de paix de la part de leur maître ; mais c'est à nous de décider de faire la paix, et pas à lui. Il se peut qu'ils veuillent nous enseigner la foi chrétienne ; mais nous n'avons guère le temps de les écouter, avec tout ce qu'il y a à piller aux alentours."

Thorkel fut heureux d'entendre ces nouvelles et dit qu'il ne souhaitait rien voir plus ardemment que des prêtres, afin de faire soigner son bras ; Orm, lui aussi, désirait s'entretenir avec eux de son mal de tête persistant.

"Mais, en fait, ils viennent peut-être verser rançon pour les prisonniers et pour ceux qui sont réfugiés dans la tour", dit Thorkel.

Peu après cela, les évêques firent leur entrée dans le camp. C'étaient des hommes respectables, portant la crosse et la mitre et accompagnés d'une nombreuse suite, d'éclaireurs, de prêtres, de majordomes, de sommeliers et de musiciens. Ils appelaient la paix de Dieu sur ceux qu'ils rencontraient. Tous les hommes de Thorkel qui se trouvaient dans la ville à ce moment-là vinrent voir ce spectacle, bouche bée, mais certains d'entre eux firent un pas en arrière quand les évêques levèrent la main pour les bénir ; et les assiégés de la tour poussèrent des cris de joie à leur vue, en se mettant à sonner à nouveau les cloches.

Thorkel et Gudmund les accueillirent avec largesse et, après s'être un peu reposé et avoir remercié Dieu de leur avoir permis de faire bon voyage, ils exposèrent le motif de leur venue.

Celui des deux évêques qui paraissait le plus âgé, et qui se paraît du titre d'évêque de la tombe de saint Edmond, prit la parole devant Thorkel et Gudmund et tous ceux qui étaient venus l'écouter. Il commença par dire que les temps étaient mauvais et que, pour le Christ et son église, il était triste de voir que les hommes ne parvenaient pas à vivre en paix les uns avec les autres, dans la concorde et l'amour. Il se trouvait heureusement que l'Angleterre avait en ce moment un roi qui aimait la paix de tout son cœur, en dépit de sa puissance et des légions qu'il était capable de mobiliser, et qui préférait gagner l'affection de ses ennemis plutôt que les faire périr par l'épée. Le roi Ethelred considérait les vikings comme des jeunes gens impétueux et dépourvus de maîtres qui ne savaient pas où était leur propre intérêt ; après avoir écouté de sages conseillers, il avait donc estimé bon, pour cette fois, de ne pas sévir contre eux mais au contraire de les exhorter par la douceur à retrouver le droit chemin. C'est pourquoi il leur dépêchait maintenant ses envoyés, afin de veiller à ce que soient satisfaits les désirs de ces nobles visiteurs venus des pays du Nord et de leurs hommes et de les persuader de renoncer aux voies dangereuses qui étaient les leurs. Le roi Ethelred souhaitait donc qu'ils fassent ainsi qu'il allait leur dire : qu'ils regagnent leurs navires, qu'ils quittent ces rivages et rentrent dans leur pays afin d'y vivre en paix et heureux.

Pour leur faciliter la chose, et gagner à jamais leur amitié, il avait décidé de leur faire de tels présents qu'ils déborderaient tous de joie et de reconnaissance. Leurs cœurs en seraient peut-être suffisamment adoucis pour qu'ils soient prêts à faire leur la loi de Dieu et l'Evangile du Christ. La joie qu'en éprouverait le bon roi Ethelred serait alors immense et son amour pour eux ne ferait que croître.

Cet évêque était édenté et courbé par le poids des ans, et peu nombreux furent ceux qui comprirent ce qu'il disait ; mais ses paroles furent traduites dans leur langue par un prêtre de sa suite et tous ceux qui écoutaient se regardèrent en écoutant de tels propos. Gudmund était assis sur un tonneau de bière, ivre et béat, et astiquait une petite croix en or pour s'efforcer de la faire briller. Quand il eut compris ce qu'avait dit l'évêque, il se mit à osciller d'avant en arrière de contentement. Puis il dit à Thorkel de répondre à ce beau discours.

Ce dernier prit alors poliment la parole et dit que ce qu'ils venaient d'entendre méritait réflexion. Le roi Ethelred était déjà fort célèbre au royaume des Danois, mais on pouvait se demander s'il ne valait pas encore mieux que sa réputation. Quant à son idée de les combler de cadeaux, elle cadrait tout à fait avec les intentions qui les avaient animés dès le début.

“Car, quand nous nous sommes entretenus avec le jarl Byrhtnoth, par-dessus la rivière, nous lui avons dit que les habitants de ce pays sont riches, alors que nous ne sommes que de pauvres navigateurs qui ne demandons pas mieux que d'être vos amis si vous voulez bien partager vos trésors avec nous. Je suis heureux d'entendre que le roi Ethelred lui-même est de cet avis. Riche et puissant comme il est, et plein de sagesse, il saura certainement se montrer généreux. Nous ne savons pas encore ce qu'il a l'intention de nous donner, mais nous ne saurions nous contenter de peu, car nous sommes des hommes de tempérament atrabilaire. Le mieux serait que vous nous donniez tout ce que vous avez en fait d'or et d'argent, car cela éviterait de faire des calculs toujours très difficiles et ce serait plus pratique à rapporter dans notre pays. Jusqu'à ce que tout soit prêt, nous désirons rester tranquilles ici et nous procurer dans la région tout ce qui sera nécessaire pour notre subsistance et notre bien-être. Il y a encore quelqu'un qui a autant à dire sur ce point que Gudmund et moi, et c'est Jostein. Mais il est parti piller avec certains de ses hommes et, tant qu'il ne sera pas de retour, il nous faudra surseoir à la fixation du montant de ce que vous nous verserez. Mais j'aimerais savoir sans tarder une chose : y aurait-il parmi vous un prêtre s'y entendant en matière de médecine ? Car j'aurais besoin de faire soigner ce bras cassé.

Le second évêque répondit qu'il y avait en effet, dans leur suite, deux hommes versés dans l'art de guérir et que ceux-ci soigneraient volontiers la blessure de Thorkel. Mais, en échange, il demandait que les prisonniers de la tour soient autorisés à descendre et à partir où ils le désiraient sans être inquiétés ; car il était pénible, ajouta-t-il, de les savoir en proie à la faim et à la soif.

"Je ne vois aucune objection à ce qu'ils descendent dès qu'ils le voudront, répondit Thorkel. C'est ce que nous essayons d'obtenir d'eux depuis que nous avons pris cette ville ; mais ils se sont obstiné à refuser, malgré nos conseils, et c'est eux qui m'ont cassé le bras. Qu'ils nous laissent la moitié des trésors qu'ils ont avec eux, dans ce clocher ; ce n'est qu'une mince compensation pour mon bras et pour tous les ennuis qu'ils nous ont causés. Ensuite, ils pourront aller où ils voudront."

Tous les assiégés descendirent alors de la tour, pâles et amaigris. Certains d'entre eux allèrent, en pleurant, se jeter aux pieds de l'évêque ; d'autres réclamaient à manger et à boire. Les hommes de Thorkel, pour leur part, furent bien déçus du peu de choses de valeur qu'ils trouvèrent dans le clocher ; mais ils leur donnèrent à manger et ne les molestèrent pas.

Orm vint alors à passer devant une auge à laquelle s'abreuvaient beaucoup de ceux qui avaient été prisonniers. Parmi eux se trouvait un petit homme chauve au long nez, vêtu à la manière d'un ecclésiastique, et qui avait une large cicatrice rouge en travers du crâne. Orm le regarda, stupéfait, et alla le prendre par le bras.

“Je suis bien aise de te revoir, dit-il, et je te dois bien des remerciements depuis la dernière fois que nous nous sommes vus. Mais je ne m'attendais pas à rencontrer en ce lieu le médecin du roi Harald. Comment es-tu arrivé ici ?

— J'étais dans le clocher, répondit frère Willibald d'un ton courroucé. Cela fait quatorze jours que j'y suis, par la faute d'une bande de païens et de brigands.

— J'ai beaucoup de choses à te dire, reprit Orm. Viens avec moi, je vais te faire donner à manger et à boire.

— Mais moi, je n'ai pas envie de parler avec toi, répondit frère Willibald, et, moins je vois les Danois, mieux je me porte, je l'ai appris à mes dépens. Quant à manger et à boire, je saurai bien en trouver par ailleurs.”

Orm eut alors peur que le petit prêtre lui échappe et disparaisse, sous le coup de sa colère ; c'est pourquoi il le prit à bras-le-corps et l'emporta, tout en lui promettant qu'il ne lui arriverait rien de mal. Frère Willibald se débattit tant qu'il put et lui cria de toutes ses forces de le lâcher, l'assurant que la lèpre et la gangrène étaient les moindres des maux qui affligeaient tous ceux qui portaient la main sur un prêtre. Mais Orm n'en eut cure et l'emmena dans une maison qu'il s'était attribuée après la prise de la ville et où se trouvaient certains de ses marins blessés ainsi que quelques vieilles femmes.

Le petit prêtre était visiblement très affamé et affaibli ; quand on vint poser devant lui de la viande et de la bière, il resta un moment immobile à regarder le plat et le pichet avec une mine bien amère. Puis il poussa un soupir et marmonna quelque chose à l'intention de lui-même avant de faire le signe de la croix et de se mettre à manger avec bel appétit. Orm remplit son pichet de bière et attendit patiemment qu'il soit rassasié. La bonne bière ne parut pas adoucir son humeur et aucun signe de changement de celle-ci n'était perceptible, non plus, dans sa voix. Mais il accepta tout de même de répondre aux questions que lui posa Orm et, bientôt, sa langue se délia.

Il avait réussi à fuir le Danemark, en compagnie de l'évêque Poppo, lorsque l'infidèle et méchant roi Sven était arrivé à Jellinge afin d'y mettre à trépas tous les serviteurs de Dieu. L'évêque, pour sa part, était maintenant chez l'abbé de Westminster, bien faible et fragile, à pleurer sur ses peines perdues parmi les Danois. Mais frère Willibald était d'avis qu'il n'y avait peut-être pas là matière à de grands regrets, à bien y réfléchir. Car il était certain que tout ce qui s'était passé était un signe de la part de Dieu pour laisser entendre que les gens des pays du Nord n'étaient nullement dignes d'être convertis et qu'il était préférable de les laisser en paix s'exterminer mutuellement au moyen de leur méchanceté, laquelle ne connaissait en vérité point de limite. Pour sa part, il ne comptait plus s'occuper de convertir ce peuple, il était prêt à en faire le vœu sur la croix et sur la Passion du Christ et à qui voudrait l'entendre, fût-ce l'archevêque de Brême en personne.

Il vida son pichet de bière avec des éclairs dans les yeux, fit claquer sa langue et dit que cette boisson valait bien mieux que la viande pour qui était resté longtemps sans manger. Orm lui versa alors une nouvelle rasade et il reprit son récit.

Lorsque l'évêque Poppo avait appris que des vikings danois avaient débarqué sur la côte est de l'Angleterre, il avait souhaité obtenir des informations dignes de foi sur le royaume de Danemark : savoir s'il y restait encore des chrétiens en vie, si la rumeur selon laquelle le roi Harald était mort était vraie, et autres renseignements du même ordre. Mais il se sentait lui-même trop faible pour entreprendre un voyage aussi périlleux et c'était la raison pour laquelle frère Willibald était parti à sa place.

"Car l'évêque disait que je ne courrais guère de risque au milieu des païens, même parmi les plus fanatiques de ceux-ci ; j'y serais en effet apprécié pour mes talents médicaux et j'y étais même peut-être déjà connu pour ceux-ci de tous ceux qui m'avaient vu à la cour du roi Harald. J'avais ma propre opinion à ce sujet, car je vous connais mieux qu'il ne peut le faire, lui qui est bien trop bon pour ce monde. Mais il ne convient pas de s'opposer à la volonté d'un évêque en pareille occasion et j'ai donc fait comme il le désirait. Je suis arrivé dans cette ville un soir, bien fatigué, et, après les vêpres, suis allé me coucher à l'hospice de l'église. J'ai été réveillé par des cris et une épaisse fumée, et, à la lueur de l'incendie, j'ai vu des gens courir à moitié nus en criant que les diables étaient parmi nous. Mais ce n'était pas des diables, c'était encore bien pis que cela, et je n'ai pas cru bon d'aller leur transmettre les salutations de l'évêque Poppo. J'ai réussi à me réfugier dans le clocher, avec les autres, et j'y serais mort, en leur compagnie, si Dieu n'était pas venu à notre secours en ce saint jour de la Pentecôte."

Il hocha la tête, avala une nouvelle gorgée de bière, et regarda Orm avec des yeux las.

“Cela dure depuis deux semaines, et j’ai à peine pu fermer l’œil pendant tout ce temps. Et mon corps est bien faible… non, pas faible, il est fort, aussi fort que mon âme, mais il a tout de même ses limites.

— Tu dormiras plus tard, répliqua Orm, impatient. Que sais-tu d’Ylva, la fille du roi Harald ?

— Tout ce que je sais, répondit frère Willibald sans l’ombre d’une hésitation, c’est qu’elle ira en enfer pour son indiscipline et sa malice, si elle ne s’amende pas bientôt. Et qui peut s’attendre à voir la fille du roi Harald s’amender ?

— Tu es donc en colère également contre les femmes ? demanda Orm. Quel mal t’a-t-elle fait ?

— Peu importe ce qu’elle m’a fait, répondit le petit prêtre d’un ton amer ; mais Dieu m’est témoin qu’elle m’a traité de vieille chouette chauve quand je l’ai menacée de la colère divine.

— Tu as osé la menacer ? demanda Orm en se mettant sur ses pieds. Pourquoi cela ?

— Elle criait qu’elle n’en ferait qu’à sa tête et se marierait avec un païen même si tous les évêques au monde essayaient de l’en empêcher.”

Orm prit sa barbe dans sa main et regarda le prêtre avec de grands yeux, avant de se rasseoir.

“C’est avec moi qu’elle désire se marier, dit-il alors calmement. Où est-elle, maintenant ?”

Mais Orm ne put obtenir de réponse à cette question ce soir-là ; car frère Willibald s’affaissa lentement sur la table et s’endormit là où il était assis, la tête sur ses bras croisés. Orm tenta bien de le réveiller, mais il ne put y parvenir. Il finit par le porter sur un banc servant de lit, l’étendit de tout son long et le couvrit de son mieux. C’est alors qu’il s’aperçut, à son grand étonnement, qu’il aimait bien ce petit prêtre assez coléreux. Mais, après être resté assis un bon moment seul avec sa bière, sans ressentir la moindre envie de dormir, il perdit patience. Il alla jusqu'au banc et secoua le dormeur sans ménagements.

Mais frère Willibald se contenta de se retourner dans son sommeil et de marmonner d'une voix grincheuse :

"Pires que des diables."

Quand le petit prêtre consentit enfin à se réveiller, le lendemain matin, il s'était légèrement radouci et n'eut pas l'air de se trouver trop mal là où il était. Orm ne tarda donc pas à apprendre tout ce qu'il savait d'Ylva. Elle s'était enfuie avec l'évêque, préférant l'exil à la tutelle de son frère, et elle avait passé l'hiver près de lui, très impatiente de regagner le Danemark, dès que de bonnes nouvelles en arriveraient. Mais, voici peu, la rumeur avait couru que le roi Harald était mort loin de sa patrie. Ylva avait alors été tentée de partir vers le nord, dans le Northumberland, retrouver sa sœur Gunhild, qui était mariée avec le jarl danois Palling. L'évêque avait eu peur de la voir entreprendre un voyage aussi risqué et lui avait conseillé d'épouser plutôt quelque haut personnage du sud du pays, qu'il pourrait l'aider à choisir. Mais, en entendant cela, elle était devenue blême de colère et avait couvert d'injures quiconque s'adressait à elle, fût-ce l'évêque en personne.

Voilà ce que le petit prêtre savait sur le compte d'Ylva. Orm fut heureux d'apprendre qu'elle avait échappé à Sven et à ses hommes, mais il lui était pénible de ne pas trouver le moyen de la rejoindre. Il était aussi tourmenté par le coup qu'il avait reçu sur la tête et par la douleur qui persistait, mais frère Willibald eut une moue de dédain en entendant ces propos et lui dit que des crânes comme les siens supportaient bien plus que cela. Puis il lui apposa des sangsues derrière les oreilles et Orm se sentit tout de suite beaucoup mieux. Mais il n'en pensa que plus souvent à Ylva. Il aurait bien voulu convaincre Thorkel et les autres d'entreprendre une grande expédition destinée à mettre à sac Londres et Westminster, afin de pouvoir se rapprocher d'elle. Mais de longues négociations avaient été entamées entre les chefs vikings et les envoyés du roi d'Angleterre quant à la somme dont ce dernier devrait s'acquitter. Toute l'armée attendait donc, dans l'oisiveté, ce qui allait se passer, mais non sans boire et manger et se livrer à de longues discussions à propos de ce qu'il serait juste que le roi leur verse.

Les deux évêques défendaient opiniâtrement la cause de leur camp et rejetaient à chaque fois les chiffres proposés par les chefs vikings. Ils auraient bien voulu leur apprendre, disaient-ils, qu'il y avait des choses plus précieuses que l'argent mais qui n'étaient pas de ce monde et que, pour un riche, il était plus facile de passer par le chas d'une aiguille que d'entrer au royaume des cieux. Les vikings écoutèrent ces propos, répondant qu'ils étaient prêts à accepter les inconvénients aussi bien que les avantages et qu'ils maintenaient donc leurs exigences. De plus, s'il en était vraiment comme le disaient les chrétiens, à propos du riche et du royaume des cieux, ils pensaient rendre un fier service au roi Ethelred en l'aidant à se débarrasser de biens aussi lourds de conséquences pour le salut de son âme.

Les évêques durent donc revoir leur offre à la hausse, non sans soupirs, et on finit par se mettre d'accord sur la somme. Chacun des membres de l'expédition recevrait six marks d'argent – sans compter ce qu'il avait pu se procurer par lui-même. Les timoniers en auraient douze et les capitaines des navires soixante. Thorkel, Gudmund et Jostein, pour leur part, se verraient verser trois cents marks chacun. Les évêques dirent alors que c'était pour eux un jour bien triste et qu'ils se demandaient ce que le roi dirait d'une telle somme, d'autant plus qu'il négociait parallèlement avec un chef norvégien nommé Olaf Tryggvason, qui était en train de piller la côte sud du pays. Ils ne savaient même pas, dirent-ils, si le trésor du roi Ethelred serait suffisant pour payer une telle somme.

En entendant cela, les chefs vikings commencèrent à avoir peur de n'avoir pas exigé assez et que le Norvégien ne passe avant eux. Après s'être concertés, ils dirent aux évêques qu'ils s'en tenaient à ce qui avait été décidé, mais qu'il fallait qu'ils se hâtent d'aller chercher l'argent et qu'ils verraient d'un mauvais œil que le Norvégien soit servi avant eux.

L'évêque de Londres, qui était un petit homme doux et souriant, hocha la tête et leur promit de faire de son mieux.

"Mais il est étrange, ajouta-t-il, de voir des chefs aussi courageux que vous s'inquiéter de ce Norvégien dont la flotte est bien moins importante que la vôtre. Ne serait-il pas judicieux de partir à la rame pour la côte sud, où se trouve cet autre chef, de l'attaquer par surprise et de vous emparer de ses trésors ? Il est arrivé de Bretagne avec de beaux bateaux et on dit qu'il rapporte un gros butin. Ce serait une façon de renforcer encore l'amitié que mon maître le roi vous porte, et il serait plus facile pour lui de s'acquitter de tout ce qu'il s'apprête à vous verser, s'il n'avait pas également à satisfaire les exigences de ce Norvégien. "

Thorkel hocha la tête et parut hésiter, tandis que Gudmund éclata de rire et dit que cela méritait réflexion.

“Je n’ai encore jamais affronté des Norvégiens, dit-il, mais tout le monde sait que, lorsqu’on a affaire à eux, la lutte est chaude et il y a beaucoup à raconter. Chez nous, dans la région de Bråviken*, on entend souvent dire qu’il n’y a guère que les gens d’Östergötland pour être plus forts qu’eux. Ce serait une bonne occasion de savoir si c’est vrai ou non. Et, parmi mes gens, j’ai un berserk d’Åland ou deux qui commencent à dire que cette expédition leur vaut certes pas mal de butin et de la très bonne bière, mais pas beaucoup de batailles ; ils ne sont pas habitués à cela, disent-ils.”

Thorkel déclara alors qu’il avait déjà eu affaire à des Norvégiens, pour sa part, mais n’était pas hostile à l’idée d’en découdre à nouveau avec eux, si seulement il pouvait retrouver l’usage de son bras. Car il était certain qu’il y avait là aussi bien des richesses que de la gloire à se procurer.

Mais Jostein se mit à rire très fort et à jeter son chapeau par terre, devant lui. En effet, il portait toujours un vieux couvre-chef rouge à larges bords, quand il n’était pas en train de se battre, car son heaume lui faisait mal.

“Regardez-moi, dit-il, je suis vieux et chauve. Mais la sagesse va avec l’âge, ça se voit bien. Cet homme de Dieu est parvenu à vous attirer dans son jeu tous les deux, Thorkel et Gudmund, par son astuce ; mais pas moi, car je suis aussi malin que lui. Il aimerait bien, ainsi que son roi, que nous nous battions contre les Norvégiens et que nous nous exterminions mutuellement. Il serait ainsi débarrassé de nous et n’aurait pas à couvrir d’argent ceux qui resteraient. Mais il n’en sera rien, si on veut bien écouter mon avis.”

* Large entaille en forme de fjord dans la côte est de la Suède, au sud de Stockholm.

Gudmund et Thorkel durent admettre qu'ils n'avaient pas pensé à cela et que Jostein avait raison. Quant aux envoyés, ils comprirent qu'ils n'avaient plus rien à faire là. Ils s'apprêtèrent donc à retourner près du roi Ethelred, pour lui rendre compte de leur mission et rassembler l'argent aussi vite que possible.

Mais, auparavant, ils revêtirent leurs plus beaux vêtements sacerdotaux et se rendirent en cortège à l'endroit de la bataille. Là, ils récitèrent la prière des morts, à l'intention de ceux qui étaient déjà à moitié recouverts d'une herbe abondante, tandis que des vols entiers de corbeaux et de corneilles décrivaient des cercles au-dessus de leurs têtes, croassant aussi fort qu'ils pouvaient leur déplaisir d'avoir été dérangés.

II

AFFAIRES SPIRITUELLES

— 1 —

QUAND FUT annoncé l'accord intervenu entre les chefs vikings et les envoyés du roi, l'allégresse fut grande parmi les vikings. Tous chantèrent les louanges de leurs chefs pour avoir conclu un marché aussi favorable et dirent que le roi Ethelred était le meilleur des souverains envers les pauvres navigateurs venus des pays du Nord. On se mit à boire et à deviser gaiement et moutons bien en chair et jeunes femmes furent fort demandés. Les hommes sachant compter, eux, restaient assis auprès des feux dans lesquels rôtissaient les moutons, en cherchant à estimer le montant de la rançon pour chaque navire et pour la flotte tout entière. Ils eurent bien du mal à y arriver et il y eut entre eux force discussions pour savoir lequel avait raison dans ses calculs. Mais tous étaient d'accord, en revanche, pour dire que personne n'aurait cru qu'il y avait autant d'argent dans le monde, sauf peut-être auprès de l'empereur de Miklagård. Certains trouvèrent à redire au fait que les timoniers soient si bien partagés, car ils avaient une tâche facile et n'étaient jamais astreints à souquer. Mais les timoniers eux-mêmes étaient d'avis que tout être un peu sensé était capable de comprendre qu'ils étaient les seuls à mériter plus que les autres.

Bien que la bière fût forte et coulât à flots et que le vacarme fût assourdissant, ce genre de discussion ne dégénéra que rarement en disputes sérieuses, car tout le monde se sentait riche, désormais, et trouvait que la vie était belle ; on était donc beaucoup moins prompt que d'habitude à saisir son épée.

Pourtant, Orm restait plongé dans de tristes pensées, en compagnie du petit prêtre, et trouvait qu'il n'y avait pas beaucoup de gens plus malheureux que lui sur la terre.

Frère Willibald, pour sa part, ne manquait pas d'ouvrage, car il y avait quantité de blessés à soigner et il se consacrait à cette tâche avec sérieux et ardeur. Il dût également s'occuper du bras de Thorkel et eut certaines choses à dire, à ce propos, sur les médecins des évêques et leur façon de traiter un cas pareil, car il avait du mal à croire que quelqu'un d'autre que lui s'y connaissait dans l'art de guérir. Il déclara qu'il souhaitait partir avec les évêques, mais Orm ne voulut pas se séparer de lui.

“Car il est bon d'avoir un médecin à portée de la main, dit-il, et il se peut que tu aies raison de dire que tu es le meilleur de cette espèce. Il est vrai que je t'aurais bien envoyé porter un message à Ylva, la fille du roi Harald, car tu es la seule personne en qui j'aie confiance pour ce genre de mission. Mais, dans ce cas, je ne te reverrais jamais, car tu nous détestes, nous autres vikings, et je ne connaîtrais jamais sa réponse. C'est pourquoi je reste là sans savoir quoi faire, au point d'en perdre l'appétit aussi bien que le sommeil.

— As-tu l'intention de me garder prisonnier ici ? demanda frère Willibald, indigné. On a pourtant coutume de dire, parmi vous, qu'on peut autant se fier à votre parole qu'à votre courage. Et il a été promis à tous ceux qui étaient réfugiés dans le clocher qu'ils pourraient aller où bon leur semblait. Mais tu l'as peut-être oublié ?"

Orm regardait fixement devant lui. Il répondit qu'il n'avait pas pour habitude d'oublier aussi facilement que cela.

"Mais j'ai bien du mal à te laisser partir, poursuivit-il, car j'ai l'impression que tu es capable de me venir en aide, même si tu ne peux rien pour moi dans l'affaire qui me préoccupe. Mais tu es un homme avisé, petit prêtre, et écoute bien ce que je vais te dire : que ferais-tu si tu étais à ma place et te trouvais dans un tel embarras ?"

Frère Willibald regarda Orm avec un sourire et lui répondit en secouant la tête :

"Tu parais bien attaché à cette jeune femme, malgré son mauvais caractère, dit-il ; et c'est une chose étrange, car vous autres, brigands impies, vous n'avez pas l'habitude de prendre beaucoup de gants avec les femmes qui vous plaisent ni de vous mettre martel en tête. Est-ce parce qu'elle est fille de roi ?

— Etant donné ce qui est arrivé à son père, répondit Orm, je ne crois pas qu'elle puisse s'attendre à hériter de lui ; sache donc que ce n'est pas sa richesse qui m'attire, mais elle-même. Mais il ne gâte rien qu'elle soit de bonne famille. Ne le suis-je pas moi-même ?

— Est-ce qu'elle ne t'aurait pas fait boire un philtre d'amour ? demanda alors frère Willibald. Tu me sembles en effet bien constant dans ton affection.

— Elle m'a donné à boire une fois, dit Orm, mais jamais depuis. C'était lors de notre première rencontre et c'était du bouillon de viande. Mais j'ai à peine pu en avaler une cuiller, car elle s'est mise en colère et a jeté le bol aussi bien que la cuiller. Et c'est toi-même qui avais donné pour instruction de me confectionner ce breuvage.

— Je n'étais pas présent quand on l'a préparé ni quand on te l'a servi, dit frère Willibald pensif ; et un jeune homme n'a pas besoin de boire beaucoup de ce genre de philtre, si la femme est jeune et jolie. Mais, si vraiment elle a ajouté quelque sortilège à ce bouillon, on ne peut plus rien y faire, maintenant. Car, contre les philtres d'amour, il n'y a pas d'autre remède que l'amour lui-même, tous les médecins les plus savants l'ont toujours dit.

— C'est bien le remède qu'il me faut, répondit Orm, et c'est pourquoi je te demande si tu n'aurais pas un conseil à me donner à ce propos."

Frère Willibald leva doctement son index et prit un air paternel.

"Quand un homme est dans la peine et ne sait pas quoi faire, il n'y a qu'une seule issue ; mais tu es mal placé pour l'adopter, pauvre païen qui adore des idoles. Cette unique solution, c'est en effet de prier Dieu ; or, tu ne peux le faire.

— Est-ce qu'il te vient souvent en aide ? demanda Orm.

— Oui, quand mes demandes sont raisonnables, répondit frère Willibald d'un ton ferme, et c'est plus que tous tes dieux n'ont jamais fait pour toi. En revanche, il ne m'écoute pas si je m'adresse à lui pour des vétilles, pensant que je suis tout à fait capable de les endurer. Et j'ai vu de mes propres yeux notre saint homme l'évêque Poppo, quand nous avons pris la fuite par voie de mer, implorer aussi bien Dieu que saint Pierre de lui faire passer son mal de mer, sans qu'il soit exaucé. Mais quand j'étais dans ce clocher avec les autres, et que nous étions en proie à la faim et la soif et à l'épée de nos ennemis, nous avons tous demandé à Dieu de venir à notre secours et nous avons été entendus, bien qu'il n'y ait eu parmi nous aucun homme d'autant de foi que l'évêque

Poppo. Car ces envoyés sont venus nous sauver ; je n'ignore pas qu'ils étaient porteurs d'un message du roi Ethelred aux chefs des vikings, mais c'est tout de même Dieu qui les a envoyés à notre secours, à cause de l'ardeur de nos prières."

Orm hocha la tête et dit qu'il voulait bien l'admettre, puisqu'il avait vu de ses propres yeux comment cela s'était passé.

"Je comprends mieux, maintenant, dit-il, pourquoi il n'a pas été possible de vous enfumer, dans ce clocher ; c'est peut-être bien Dieu, ou alors quelqu'un d'autre à qui vous vous êtes adressés, qui a fait souffler le vent pour écarter la fumée."

Frère Willibald répondit que c'était tout à fait exact : c'était la main de Dieu qui avait fait échouer ces diableries.

Orm resta plongé dans ses pensées en tirant sur sa barbe d'un air pensif.

"Ma mère s'est faite chrétienne sur ses vieux jours, dit-il. Elle a appris deux prières qu'elle récite souvent et elle estime qu'elles sont efficaces toutes les deux. Elle dit que c'est grâce à ces prières que je suis toujours en vie et suis revenu près d'elle après avoir échappé à bien des dangers, même si Langue bleue et moi avons peut-être eu notre part, et toi aussi, petit prêtre. J'aimerais donc bien demander de l'aide à Dieu, puisqu'il est si secourable, à ce qu'on dit. Mais je ne sais pas ce qu'il va exiger de moi en échange, pas plus que la façon dont je dois m'adresser à lui.

— Tu ne peux pas demander à Dieu de t'aider sans tout d'abord être devenu chrétien, répondit frère Willibald, et tu ne peux devenir chrétien que par le baptême ; mais tu ne peux recevoir le baptême sans avoir au préalable abjuré tes faux dieux et avoir reconnu le Père, le Fils et le Saint-Esprit comme étant les vrais.

— Il n'y a pas besoin d'autant de formalités pour parler à Allah et à son prophète, objecta Orm.

— Allah et son prophète ! s'étonna le petit prêtre. Que sais-tu d'eux ?

— J'ai plus parcouru le monde que toi, répondit Orm, et, quand j'étais chez Almansur, en Andalousie, nous invoquions Allah et son prophète deux fois par jour, voire trois. Et ces prières, je les sais encore, si tu veux que je te les récite."

Frère Willibald leva les bras au ciel de frayeur.

"Au nom du Père, du Fils et du Saint-Esprit ! s'écria-t-il. Préservez-nous, des œuvres du diable et des maléfices de Mahomet, maudit soit son nom ! Tu es encore pire que tous les autres, car on ne peut faire plus mal que d'écouter Mahomet. Es-tu encore de ses adeptes ?

— Je l'ai été tant que j'ai été prisonnier d'Almansur, parce qu'il nous l'avait ordonné, répondit Orm. Il ne faisait pas bon le contredire, en effet. Depuis cela, je n'ai pas de dieu et c'est peut-être pour cette raison que ma chance a tourné.

— Il est étrange que l'évêque Poppo ne l'ait pas appris quand tu étais chez le roi Harald, dit frère Willibald. S'il avait entendu dire que tu avais adopté la religion de cet imposteur noir, il t'aurait tout de suite baptisé, tant il est pieux et possédé de zèle pour la religion chrétienne, même s'il avait fallu pour cela que douze des soldats du roi Harald te maintiennent de force. C'est une œuvre pie et qui plaît à Dieu de sauver des ténèbres et de l'aveuglement les âmes ordinaires, et il n'est pas impossible que les vikings puissent être comptés au nombre de celles-ci, bien que j'aie du mal à le croire, après tout ce que j'ai connu. Mais tous les saints hommes sont bien d'accord pour dire qu'il vaut sept fois mieux sauver quelqu'un qui s'est voué à Mahomet. Car rien ne saurait causer plus de déplaisir au diable que cela.

Orm le pressa alors de questions à propos de ce dernier et frère Willibald lui répondit très volontiers.

“Il semble donc bien, reprit ensuite Orm, que je me suis attiré la colère du diable sans le savoir, en abandonnant le culte d'Allah et de son prophète, et que ce soit de là que viennent tous mes malheurs.

— C'est certain, dit le petit prêtre, et je suis heureux pour toi que tu commences à t'en rendre compte. Tu ne saurais être en plus mauvaise position que tu ne l'es en ce moment, car le diable te poursuit de sa colère et tu ne peux demander protection à Dieu. Tant que tu suivais Mahomet – maudit soit son nom ! – le diable te protégeait et c'est pourquoi la chance était avec toi.

— C'est bien ce que je pensais, dit Orm, peu de gens sont en aussi mauvaise posture que moi. Et c'est vraiment avoir affaire à forte partie que de ne pouvoir plaire ni à Dieu ni au diable.”

Il resta un moment plongé dans ses pensées.

“Je te demande de me conduire près des envoyés du roi Ethelred, dit-il alors. Car je veux parler à ceux qui sont puissants auprès de Dieu.”

2

Les évêques étaient maintenant revenus du champ de bataille, où ils avaient béni les morts, et avaient l'intention de rentrer chez eux le lendemain. Le plus âgé des deux était las et parti se reposer, mais l'évêque de Londres avait invité Gudmund à sa table et était en train de manger et de boire avec lui, en une ultime tentative en vue de l'amener à accepter la foi chrétienne.

Depuis leur arrivée à Maeldun, les deux évêques avaient fait de leur mieux pour convertir les chefs vikings à cette religion ; c'était ce que leur avaient ordonné le roi Ethelred et son archevêque, considérant que cela ne pourrait manquer d'accroître la renommée du souverain tant devant Dieu que devant les hommes. Avec Thorkel, ils n'avaient pas pu aller bien loin : il leur avait répondu que la fortune des armes lui était favorable, beaucoup plus que celle des chrétiens, et qu'il n'avait donc aucune envie de changer de dieu. Ils n'avaient pas eu plus de chance avec Jostein : celui-ci les avait écoutés sans rien dire, les mains appuyées sur la hache de guerre qu'il emmenait partout et à laquelle il avait donné le nom de Chagrin des veuves, et les regardait par-dessous ses sourcils froncés tandis qu'ils lui parlaient du Christ et du royaume de Dieu. Il avait ensuite éclaté de rire, avait jeté son chapeau sur le sol et leur avait demandé s'ils le prenaient pour un imbécile.

"J'ai officié lors du grand sacrifice d'Uppsala pendant vingt-sept hivers, dit-il ; et c'est me faire bien peu d'honneur que me tenir pareil discours, tout juste bon pour des enfants et des vieilles femmes. Avec cette hache que vous voyez là, j'ai tué ceux qu'on sacrifiait pour avoir une bonne récolte, et qui étaient ensuite pendus dans l'arbre sacré, devant le temple, parmi eux des chrétiens et des prêtres, nus et à genoux dans la neige, en train de gémir pour implorer la pitié ; et dites-moi ce que leur Dieu a fait pour eux."

Les deux évêques avaient alors frissonné et fait le signe de la croix, comprenant qu'il ne servait à rien d'insister auprès d'un homme pareil.

Mais ils avaient bon espoir en Gudmund, à la longue, car c'était un homme aimable et enjoué qui était disposé à écouter ce qu'ils avaient à dire ; parfois, quand il avait bu un peu trop de bière, il les remerciait avec émotion de lui tenir d'aussi beaux discours et de se soucier autant de son bien. Pourtant, il n'avait pas encore consenti à leur promettre quoi que ce soit ; l'évêque de Londres avait donc décidé de lui servir tout ce qu'il avait de meilleur, tant en solide qu'en liquide, afin de l'amener à se décider.

Gudmund accepta sans se faire prier de tout ce qu'on lui offrit et, au bout d'un moment, les musiciens de l'évêque se mirent à lui jouer de si beaux airs que des larmes vinrent mouiller sa barbe. L'évêque tenta alors de le convaincre, de sa voix la plus douce et en choisissant ses mots avec la plus grande attention. Gudmund l'écouta en hochant la tête et convint qu'il y avait chez les chrétiens bien des aspects qui lui plaisaient.

“Tu es un homme de cœur, dit-il à l'évêque ; tu es accueillant et instruit, tu bois comme un homme, et il est agréable de t'entendre parler. C'est pourquoi j'aimerais bien te faire plaisir ; mais ce que tu me demandes n'est pas une mince affaire, car je n'aimerais pas beaucoup, quand je rentrerai chez moi, entendre mes domestiques et mes voisins se moquer de moi, parce que j'ai cédé au bavardage des prêtres. Pourtant, je suis convaincu qu'un homme comme toi détient un grand pouvoir et connaît bien des secrets ; et j'ai là un objet que je viens de trouver et que je voudrais que tu bénisses.”

Il sortit alors de ses vêtements la petite croix en or et la tendit à l'évêque.

“Je l'ai trouvée dans la maison d'un homme riche ; elle a coûté la vie à deux personnes et je n'ai jamais vu de plus joli jouet. Je voudrais bien en faire cadeau à mon plus jeune fils, quand je rentrerai chez moi. Il s'appelle Folke et les femmes l'ont surnommé Filbyter. C'est un sacré gaillard qui aime bien l'or et l'argent et qui ne lâche pas volontiers ce sur quoi il a mis la main. Cette croix, je suis sûr qu'il tendra les deux pour l'avoir. Et je serais heureux si tu pouvais faire en sorte qu'elle lui porte bonheur ; car je veux qu'il devienne riche et puissant, afin qu'il puisse rester chez lui, entouré du respect général, à regarder ses récoltes pousser et ses troupeaux engraisser, sans avoir besoin de courir les mers ni de s'exposer aux armes des étrangers pour gagner sa vie."

L'évêque eut un sourire, prit la croix et marmonna quelque chose ; puis Gudmund la reprit et la fourra, tout content, sous ses vêtements.

"Tu rentreras chez toi fortune faite, dit l'évêque, grâce à la générosité du roi Ethelred ; mais crois-moi quand je te dis ceci : tu serais encore plus à envier en matière de chance si tu acceptais de reconnaître le Christ.

— On n'en a jamais trop, dit Gudmund en se grattant pensivement la barbe. Je sais déjà quelles terres je vais acheter en rentrant et quelle allure aura ma nouvelle ferme ; elle sera grande et construite du chêne le plus solide. Il me faudra beaucoup d'argent pour réaliser tous mes projets en ce domaine. Mais, quoi que je fasse, on ne se moquera peut-être pas de moi, au pays, si je suis riche et s'il me reste de l'argent dans mon coffre. C'est pourquoi, qu'il en soit fait comme tu le désires : tu pourras me baptiser et je serai dorénavant un adepte du Christ, si tu obtiens que ma part soit augmentée de cent marks d'argent.

— Ce n'est pas, répondit l'évêque d'un voix douce, l'état d'esprit dont il convient que fasse preuve celui qui veut entrer dans la communauté du Christ. Mais je ne veux t'en blâmer, car tu ne peux pas savoir qu'il est écrit : "Bienheureux les pauvres", et il me faudrait bien du temps pour t'expliquer cette phrase. Mais tu devrais penser que tu vas déjà recevoir une belle fortune des mains du roi Ethelred, plus grande que personne d'autre n'aurait pu t'en donner. C'est certes un roi très grand et très puissant, mais ses coffres à lui aussi ont un fond. C'est pourquoi il lui est impossible de te donner plus, même avec la meilleure volonté. Je peux cependant te promettre un cadeau de baptême de vingt marks, parce que tu es un grand chef, mais il n'est pas possible de faire plus, et peut-être trouvera-t-il même que c'est trop. Mais goûte un peu la boisson qu'on nous apporte et qui n'est peut-être pas connue dans ton pays. C'est du vin chaud additionné de miel et assaisonné d'épices rares de l'Orient qui ont pour nom cannelle et cardamome. Ceux qui s'y connaissent sont d'avis qu'aucun autre breuvage n'est si doux à la langue ou plus propice à dissiper les idées noires et la mélancolie."

Gudmund trouva cette boisson bonne tant pour le goût que pour la santé ; mais il estimait toujours insuffisante l'offre de l'évêque. Il n'acceptait pas de risquer sa bonne réputation, au pays, pour une si petite somme.

"Mais, ajouta-t-il, au nom de la grande amitié que j'éprouve pour toi, j'accepterais de descendre jusqu'à soixante. Tu ne m'auras pas à meilleur compte.

— Moi aussi, j'éprouve une vive amitié à ton égard, dit l'évêque ; et je suis si désireux de te voir chrétien et que tu puisses aller au royaume des cieux que je mettrais bien de ma poche pour satisfaire à ta demande. Mais je ne suis pas riche sur cette terre et je ne peux te donner plus de dix marks."

Gudmund secoua la tête à cette proposition et commença à cligner des yeux de sommeil. Ils en étaient à ce point dans leurs négociations quand ils entendirent un grand bruit derrière la porte. Orm entra alors en compagnie de frère Willibald, qu'il tenait par le bras, et suivi de deux gardiens qui tentaient de le retenir par ses basques en criant qu'il ne fallait pas déranger l'évêque.

“Seigneur évêque, dit-il, je m’appelle Orm, fils de Toste de Kullen, en Scanie, et je suis l’un des capitaines de Thorkel le Long. Je voudrais être baptisé et t’accompagner à Londres.”

L’évêque le dévisagea, interloqué, et eut tout d’abord l’air d’avoir peur. Mais, quand il comprit qu’Orm n’était ni ivre ni sous l’empire de la fureur meurtrière, il s’efforça d’en savoir plus, car il n’était pas accoutumé à voir les vikings forcer sa porte pour lui présenter pareille requête.

“Je désire bénéficier de la protection de Dieu, lui dit Orm, car je suis dans un mauvais pas, bien pire que quiconque. Le prêtre que voici pourra t’expliquer tout cela mieux que moi.”

Frère Willibald pria tout d’abord l’évêque de lui pardonner cette façon de se présenter à lui, bien indépendante de sa volonté. Il y avait en effet été contraint par la volonté d’un féroce barbare qui n’avait fait aucun cas de l’interdiction des gardiens l’avertissant que des négociations de la plus grande importance étaient en train de se dérouler à huis clos.

L’évêque eut la bonté de lui dire d’oublier cela. Il lui montra du doigt Gudmund, qui s’était endormi sur son siège, sous l’influence d’une dernière rasade de vin.

“Je me suis donné beaucoup de mal pour le convaincre de se faire chrétien, dit-il, et je n’y suis pas parvenu, parce que son âme est tout entière attachée aux biens de ce monde. Et voilà que Dieu m’en envoie un autre, qui vient sans qu’on l’ait appelé. Sois le bienvenu, viking ! Es-tu vraiment prêt ?

— Je le suis, répondit Orm. Car, auparavant, je servais le prophète Mahomet et son dieu, mais je viens de comprendre que rien n’était plus dangereux que cela.”

L’évêque écarquilla les yeux et fit par trois fois le signe de la croix en demandant de l’eau bénite.

“Mahomet et son dieu ? demanda-t-il à frère Willibald. Comment est-ce possible ?”

Les deux hommes prirent tour à tour la parole pour expliquer à l’évêque ce qu’il en était. Celui-ci leur dit alors qu’il avait vu beaucoup de péchés et de ténèbres, dans sa vie, mais jamais encore quelqu’un qui avait servi Mahomet. Quand l’eau bénite lui fut apportée, il prit un goupillon et le plongea dans l’eau pour en asperger Orm, tout en récitant les prières destinées à chasser les mauvais esprits. Le viking devint tout pâle à ce spectacle ; il expliqua par la suite qu’il avait eu bien du mal à supporter cette aspersion, car son corps tout entier s’était mis à frissonner et il avait eu l’impression que ses cheveux se dressaient sur sa nuque. L’évêque continua ainsi pendant un certain temps, mais finit par trouver que cela suffisait et dit qu’il n’était plus besoin de rien.

“Etant donné que l’écume ne te vient pas aux lèvres, que tu ne tombes pas à la renverse, pris de convulsions, et qu’aucune mauvaise odeur n’émane de toi, cela prouve que le mauvais esprit t’a déjà quitté ; rends grâce à Dieu de cela !”

Mais il profita de l’occasion pour asperger Gudmund également ; celui-ci se dressa aussitôt, en criant de prendre un ris sur la voile, mais ne tarda pas à s’affaisser à nouveau sur son banc, continuant à dormir comme si rien ne s’était passé.

Orm s’essuya le visage et demanda si cela valait un baptême.

L’évêque lui répondit que c’était loin d’être le cas et que le baptême n’était pas une simple formalité, en particulier pour ceux qui avaient servi Mahomet.

“Il faut d’abord que tu abjures tes faux dieux, dit-il, et que tu confesses ta foi en Dieu, le Père, le Fils et le Saint-Esprit. Il faut aussi que tu sois instruit dans la religion chrétienne.

— Je n'ai pas de dieux à abjurer, répondit Orm, mais je veux bien accepter d'avoir foi en Dieu, en son fils et en leur esprit. Quant à la religion chrétienne, j'ai souvent eu l'occasion de l'entendre enseigner : tout d'abord auprès de moines irlandais, puis à la cour du roi Harald et chez ma vieille mère, dans la mesure où elle y comprenait quelque chose elle-même, enfin par ce petit prêtre, qui est mon ami et m'a appris beaucoup de choses sur le diable. Sur ce point, je crois donc être tout aussi savant que la plupart."

L'évêque hocha la tête et dit qu'il avait plaisir à entendre cela et qu'il était rare de rencontrer des païens ayant déjà autant reçu la bonne parole. Puis il se frotta le nez, l'air pensif. Il détourna alors le regard en direction de Gudmund, qui dormait toujours, puis à nouveau vers Orm.

"Mais il y a encore une chose dit-il lentement et gravement. Tu t'es adonné à des pratiques bien pires que tout ce que j'ai vu jusque-là, en te mettant au service de ce faux prophète qui est l'âme damnée du diable. Et si, après une telle abomination, tu veux bénéficier de la protection du Dieu vivant, il est nécessaire que tu lui fasses un présent, à Lui et à Son Eglise, afin de prouver la sincérité de tes intentions et que ton cœur s'est amendé."

Orm répondit que ce n'était en effet que justice qu'il donne quelque chose pour améliorer sa chance et obtenir la protection de Dieu. Il demanda alors ce qui était convenable en pareille occasion.

"Cela dépend du rang et de la richesse de l'intéressé, répondit l'évêque, ainsi que de la gravité du péché dont il s'est rendu coupable. Il m'est arrivé, un jour, de baptiser un chef danois venu toucher un héritage dans ce pays ; il m'a donné cinq bœufs et un tonneau de bière, ainsi que vingt livres de cire pour l'Eglise de Dieu. Mais, dans certains écrits anciens, il est fait mention d'hommes de haut lignage qui ont fait don de dix marks d'argent, voire de douze, et qui ont de plus bâti une église ; mais il est vrai qu'ils se faisaient baptiser avec toute leur maisonnée.

— Je ne veux pas être en reste, dit Orm ; je suis de la lignée d'Ivar aux longs Bras. Je bâtirai une église quand je rentrerai chez moi, tu pourras baptiser tout l'équipage de mon bateau et je te donnerai quinze marks d'argent. Mais, en échange, j'entends que tu interviennes en ma faveur auprès de Dieu.

— Tu es en vérité un chef, dit l'évêque, tout heureux, et je ferai de mon mieux pour toi."

Tous deux étaient maintenant satisfaits, mais l'évêque demanda encore si Orm parlait sérieusement en promettant que tout l'équipage de son navire serait baptisé.

" Si je suis chrétien, dit Orm, je ne peux avoir des païens à mon bord ; que penserait Dieu ? Tout le monde doit être logé à la même enseigne et ce que je dis à mes hommes est un ordre auquel ils doivent obéir. Il y en a d'ailleurs déjà quelques-uns parmi eux qui ont été baptisés une fois, voire deux ; alors, une de plus ne peut pas leur faire de mal."

Il suggéra donc que les deux évêques et leur suite montent à bord de son bateau pour regagner Londres et Westminster. Là, l'équipage tout entier pourrait recevoir le baptême.

"J'ai un grand et beau navire, dit-il. Il n'y aura pas beaucoup de place, avec autant de passagers ; mais la traversée ne sera pas longue et le temps est au beau fixe, en ce moment."

Il était pressé de partir, mais l'évêque objecta qu'il ne pouvait prendre de décision sur une question aussi délicate sans s'en entretenir au préalable avec son confrère et avec les autres. Orm dut donc patienter jusqu'au lendemain. Il prit congé de l'évêque non sans l'avoir remercié, et regagna son logement en compagnie de frère Willibald. Ce dernier n'avait guère pris la parole devant l'évêque mais, maintenant, il ne pouvait s'empêcher d'éclater de rire de temps en temps.

"Qu'est-ce qui te paraît si drôle ? demanda Orm.

— Tu ne ménages vraiment pas ta peine pour obtenir la fille du roi Harald, répondit le petit prêtre. Et il me semble que tu t'y prends très bien.

— Si tout se passe comme il faut, tu n'auras pas à t'en plaindre, dit Orm ; car j'ai l'impression que ma chance a commencé à tourner à partir du moment où je t'ai rencontré, ici."

Une fois seul, l'évêque resta un moment pensif, le sourire aux lèvres, puis il demanda à l'un de ses domestiques de réveiller Gudmund. Il y parvint, après un certain temps, non sans que ce dernier n'exprime en bougonnant son déplaisir d'avoir été ainsi dérangé dans son sommeil.

"J'ai bien réfléchi à ce dont nous avons parlé, lui dit alors l'évêque ; et, par la grâce de Dieu, je vais pouvoir te donner quarante marks, si tu te fais baptiser."

En entendant ces paroles, Gudmund fut aussitôt complètement réveillé ; au terme d'une ultime négociation, ils tombèrent d'accord sur une somme de quarante-cinq marks, ainsi qu'une livre d'épices de l'espèce que l'évêque avait mise dans son vin.

— 3 —

Le lendemain se déroulèrent, chez Thorkel, des conversations à propos de la proposition d'Orm de ramener les évêques à Londres à bord de son navire. Gudmund exprima le désir d'être du voyage car, bénéficiant du sauf-conduit qu'assurait la présence des envoyés du roi Ethelred et la paix régnant désormais entre lui et eux, il souhaitait être présent quand on pèserait la rançon, afin d'être sûr que tout se passait comme il fallait.

Thorkel estima que c'était judicieux et ajouta qu'il y serait bien allé lui-même, si son bras avait été en meilleur état. Mais Jostein dit qu'il suffisait que l'un des trois chefs fût du voyage, car leur absence à tous pourrait inciter l'ennemi à attaquer par surprise et il convenait de ne pas trop dégarnir leur camp tant que l'argent n'était pas entre leurs mains.

Par ce beau temps, les évêques n'avaient aucune objection à effectuer le voyage par voie de mer, dans la mesure où ils seraient à l'abri des pirates ; il fut donc finalement décidé que Gudmund et Orm prendraient chacun l'un d'eux à bord de son navire pour se rendre à Westminster. Une fois là-bas, ils feraient en sorte que le paiement soit rondement mené et, si le roi était là, ils le remercieraient de sa largesse mais l'avertiraient que, si les choses devaient trop tarder, ils se mettraient à piller de nouveau et encore bien plus qu'ils ne l'avaient fait jusque-là.

Orm réunit alors son équipage et lui dit qu'ils allaient se rendre à Westminster en arborant les boucliers de paix et avec les saints envoyés du roi Ethelred à bord.

Plusieurs de ses hommes exprimèrent alors des inquiétudes à ce sujet, disant qu'il était dangereux d'avoir des prêtres à bord, comme le savaient bien tous les navigateurs, et que c'était peut-être encore pire quand il s'agissait d'évêques.

Orm les apaisa en leur disant que tout irait bien, car ces hommes de Dieu étaient tellement vertueux qu'il ne pouvait rien leur arriver de mal, même si toutes les divinités de la mer conjuraient contre eux leurs mauvais desseins. Puis il poursuivit :

"Quand nous serons arrivés à Westminster, je me ferai baptiser. Car, après m'en être entretenu avec ces saints hommes, j'ai estimé qu'il valait mieux avoir foi en le Christ, et c'est ce que j'ai l'intention de faire dorénavant. Sur un navire, il est bon que règne la concorde et que tout soit partagé ; c'est pourquoi je désire que vous soyez tous baptisés en même temps que moi. Vous pouvez me croire quand je vous dis que vous n'aurez pas à le regretter, car je suis bien placé pour le savoir. Si l'un d'entre vous n'est pas d'accord, qu'il le fasse savoir tout de suite ; mais il faudra alors qu'il quitte mon bord avec tout ce qui lui appartient et il ne fera plus partie de mon équipage."

Certains se regardèrent en se grattant derrière l'oreille, en signe d'hésitation ; mais Rapp le Borgne, le timonier, qui était redouté de la plupart et se trouvait au premier rang, hocha paisiblement la tête. Il avait en effet déjà assisté à cette scène une fois auparavant. Après cela, plus personne n'eut quoi que ce soit à objecter.

"Je sais qu'il en est parmi vous qui ont déjà été baptisés en Scanie, poursuivit Orm, et qui ont peut-être eu une chemise ou une veste pour leur peine, ou encore une petite croix à porter autour du cou ; et il arrive qu'on entende certains d'entre ceux-là dire qu'ils n'ont pas trouvé grand avantage à être baptisés. Mais il s'agissait alors de baptêmes à bon marché, surtout destinés aux femmes et aux petits enfants. Cette fois, nous allons être baptisés d'une autre façon et par des hommes bien plus saints, c'est pourquoi Dieu nous accordera sa protection et notre chance en sera améliorée pour toute la vie. Mais on ne peut demander une telle faveur en échange de rien. Pour ma part, je vais acquitter une forte somme et, quant à vous, chacun devra verser deux öre."

La nouvelle déclencha un murmure de désapprobation. On entendit certains dire qu'il n'était pas de coutume de payer pour ce genre de chose et que deux öre, ce n'était pas rien.

"Je n'oblige personne, dit Orm. Quiconque trouve déraisonnable ce que je viens de dire pourra économiser son argent en m'affrontant en combat singulier dès que nous aurons été baptisés. S'il gagne, il sera dispensé de payer ; s'il perd, il sera dispensé également."

La plupart trouvèrent qu'Orm avait bien parlé et ceux qui avaient regret à leur argent furent invités à se manifester. Mais ceux-là eurent un petit rire gêné et parurent penser que ce genre d'économie ne valait pas la peine.

Gudmund et Orm se répartirent les prélats et le plus âgé des deux monta avec sa suite à bord du navire de Gudmund, tandis que l'évêque de Londres montait sur celui d'Orm, accompagné de frère Willibald. Les hommes de Dieu bénirent les bateaux et prièrent pour qu'il leur soit donné de faire bon voyage, avant de dresser leur bannière. Les navires quittèrent alors la côte et eurent beau temps et vent favorable, ce qui ne manqua pas de rehausser le prestige des évêques. Ils purent pénétrer dans l'estuaire de la Tamise à marée haute et passèrent la nuit à cet endroit. Le lendemain matin, par un beau soleil, ils prirent les avirons afin de remonter la rivière.

Depuis leurs cabanes situées sur les berges, entre les buissons, des gens les surveillaient avec anxiété et, sur l'eau, des pêcheurs se hâtèrent de s'écarter en voyant arriver les navires, avant de retrouver leur calme au spectacle de la marque des évêques. Çà et là, ils virent des villages qui avaient été désertés après avoir été pillés et brûlés par des vikings ; un peu plus en amont, ils parvinrent à un endroit où la rivière était barrée par une quadruple palissade laissant seulement, en son centre, un petit chenal gardé par trois bateaux montés par des hommes en armes ; ces navires vinrent alors se placer en travers de leur passage, leurs équipages prêts au combat.

"Etes-vous aveugles, ou bien avez-vous perdu l'esprit ? leur cria Gudmund. Vous ne voyez pas nos boucliers de paix et la marque des évêques que nous avons à bord ?

— Vous ne parviendrez pas à nous abuser, lui fut-il répondu depuis les bateaux qui montaient la garde. Ici, les pirates ne passent pas.

— Ce sont les envoyés de votre propre roi que nous avons à bord, cria alors Gudmund.

— Nous vous connaissons, lui répondit-on. Vous êtes rusés et capables de toutes les diableries.

— Nous venons pour nous faire baptiser", s'écria Orm, à bout de patience.

Ces propos furent accueillis par des rires et une voix leur cria depuis l'un des navires de garde :

"Vous vous êtes donc lassés du diable, votre seigneur et père ?

— Oui, répondit Orm, furieux, mais les rires ne firent alors que redoubler."

On semblait sur le point d'en venir aux armes ; car Orm apprécia fort peu ces rires et ordonna à Rapp de partir à l'abordage du bateau le plus proche, d'où fusaient les rires les plus bruyants. Mais les évêques se hâtèrent alors de passer leurs vêtements sacerdotaux et, en brandissant leur crosse, ils crièrent à tous de se calmer. Orm obéit à contrecœur et Gudmund eut lui aussi bien du mal à accepter cette injonction. Les prélats s'adressèrent alors à leurs compatriotes avec toute l'autorité voulue et ceux-ci comprirent qu'ils étaient bien ce qu'ils prétendaient être, et non pas des prisonniers ou des pirates déguisés. Les navires vikings purent alors franchir le barrage et rien de plus ne fut échangé entre les équipages, quand ils furent bord à bord, que des invectives mutuelles.

Orm se tenait à la proue de son navire, le javelot à la main et observait, blême de colère, les bateaux qui montaient la garde.

“Je leur aurais bien appris à vivre, dit-il à frère Willibald, qui se tenait près de lui mais n'avait pas paru s'inquiéter quand les choses étaient sur le point de mal tourner.

— Celui qui met la main à l'épée périra par l'épée, répondit celui-ci. C'est écrit dans le saint livre qui est la source de toute sagesse. Comment aurais-tu pu approcher de la fille du roi Harald, si tu avais engagé le combat contre les navires du roi Ethelred ? Tu es violent et tu le resteras toujours, mais c'est toi-même qui en pâtiras le plus.”

Orm poussa un soupir et posa son javelot.

“Quand elle sera à moi, je serai un être pacifique”, dit-il.

Mais le petit prêtre secoua la tête dubitativement en entendant cela.

“Le lynx peut-il perdre ses taches ? demanda-t-il. Ou bien le Noir changer la couleur de sa peau ? C'est bien ce qui est écrit. Alors, tu ferais mieux de remercier Dieu et les évêques de t'être venus en aide.”

Après un coude de la rivière, ils ne tardèrent pas à apercevoir devant eux, à main droite, la ville de Londres. Ce fut un spectacle qui frappa tout l'équipage d'étonnement, car elle était si grande que, depuis la rivière, on n'en voyait pas la limite. Et les ecclésiastiques dirent que, d'après ceux qui étaient instruits en ce genre de choses, elle comptait plus de trente mille habitants. Certains marins eurent du mal à comprendre de quoi tous ces gens pouvaient bien vivre, en pareille foule, sans avoir de champ à cultiver ni de bétail à élever. Mais les plus avisés savaient que ces citadins étaient une engeance maligne et redoutable qui s'entendait à tirer ample subsistance des honnêtes habitants de la campagne sans jamais tenir eux-mêmes la charrue ni enfoncer un piquet. Ils méritaient donc bien, disaient les mêmes, que de hardis navigateurs viennent de temps en temps leur rendre visite et leur prendre ce qu'ils avaient eux-mêmes pris à d'autres. Tous regardèrent alors très attentivement la ville, tandis qu'ils remontaient lentement la rivière à coups d'avirons, et se dirent qu'il devait en effet y voir là bien des trésors sur lesquels faire main basse.

Mais Orm et Rapp le Borgne leur dirent qu'ils avaient vu des villes encore plus grandes et que ce n'était que bien peu comparé à Cordoue.

Ils arrivèrent au grand pont fait d'immenses troncs d'arbres et sous lequel les bateaux pouvaient passer, après avoir abaissé leur mât. Une foule immense accourut alors et bien des gens en armes se mirent à les traiter de païens et de diables ; mais ces invectives se changèrent en cris d'allégresse quand leur évêque leur dit d'une voix forte que tout était pour le mieux et que la paix avait été conclue avec les hommes de la mer. Quand les navires furent proches, les gens vinrent se masser en foule sur le pont pour les voir de près. Et quand, de leur côté, les marins avisèrent quelques belles jeunes femmes, ils leur crièrent de profiter de l'occasion et de sauter les rejoindre, car il y avait à bord de beaux partis à prendre, de l'argent, de la gaieté et des hommes ardents, et il ne manquait même pas de prêtres pour réciter sur le champ les prières qu'il fallait, de la façon la plus chrétienne qui fût. Quelques jeunes femmes répondirent, avec un grand sourire, qu'elle avaient bien envie d'essayer, mais qu'elles n'osaient pas sauter d'aussi haut. Des membres de leur famille les empoignèrent aussitôt par les cheveux, l'air scandalisé, et les menacèrent de leur faire donner les verges pour avoir tenu des propos aussi malséants à des païens.

Frère Willibald secoua la tête en disant que les jeunes ne savaient plus se tenir, désormais, même parmi les chrétiens. Rapp l'imita, près du gouvernail, tandis que le navire passait sous le pont, déplorant, la mine sombre, que les femmes soient partout les mêmes et aussi portées à bavarder de façon oiseuse.

"Au lieu de parler, dit-il, elles n'avaient qu'à sauter tout de suite, comme on le leur disait."

Ils approchèrent alors de Westminster et virent bientôt de hautes tours dépasser la cime des arbres. Les évêques revêtirent de nouveau leurs plus beaux atours et les membres de leur suite entonnèrent un cantique très ancien que saint Colomban avait pour habitude de chanter quand il baptisait des païens :

"Voici s'avancer la foule des rédemptés
— fais bon accueil, ô Dieu de bonté,
à ceux qui voici peu encore nageaient
sur les flots des ténèbres et du péché.
Vers la croix dressée sous les cieux
les anciens adorateurs du diable
braquent maintenant les yeux
— presse-les sur ton sein, ô mon Dieu !"

Au-dessus de la rivière, ce chant s'élevait, magnifique à entendre, dans la clarté du crépuscule, et, une fois que les rameurs en eurent pris le rythme, ils l'accompagnèrent de leur mieux, trouvant que ce n'était pas une mauvaise façon de scander la cadence.

Une fois le cantique terminé, ils obliquèrent vers la droite et accostèrent aux pontons situés tout près de murs de brique rouge de Westminster.

III

DU MARIAGE ET DU BAPTÊME ET DE L'ARGENT DU ROI ETHELRED

— 1 —

E ROI ETHELRED L'INDÉCIS trônait, affligé, à Westminster, entouré de nombreux conseillers, attendant le résultat des négociations engagées avec les vikings. Il avait réuni près de lui des guerriers, tant pour se protéger lui-même en ces temps difficiles que pour tenir en respect la population de Londres, qui commençait à manifester son mécontentement, après la défaite de Maeldun. Il avait également à ses côtés, pour l'aider et le consoler, son archevêque, mais celui-ci n'était pas en mesure de faire grand-chose et le roi était si inquiet, depuis le départ de ses envoyés, qu'il n'allait plus à la chasse et avait perdu le goût aussi bien de la messe que des femmes. Il passait l'essentiel de son temps armé d'une tapette à mouches, qu'il maniait avec beaucoup de dextérité.

Il sortit de sa torpeur en apprenant que ses envoyés étaient de retour et que la paix avait été conclue avec les vikings ; mais sa joie fut encore plus grande quand on lui annonça que des chefs ennemis avaient fait le déplacement, avec leur équipage, dans le but de recevoir le baptême. Il donna aussitôt l'ordre de faire sonner toutes les cloches et de recevoir les étrangers de la meilleure façon possible. Mais, aussitôt après, il retomba dans sa morosité, quand il sut que c'étaient deux équipages au grand complet qui étaient arrivés : devait-il s'en réjouir ou s'en alarmer ? Tout en se grattant la barbe, il demanda conseil à ses prêtres, courtisans et valets de chambre, et, finalement, il fut décidé que les vikings camperaient dans un pré, devant les murs de la ville, mais qu'on ne les laisserait pas y pénétrer et que l'on doublerait la garde. D'autre part, on ferait savoir dans toutes les églises que les païens venaient en foule recevoir le baptême et faire pénitence, ce dont toute la population devait louer et remercier Dieu et son roi.

Le lendemain matin, déclara-t-il également, les envoyés pourraient se présenter devant lui, quand il aurait joui de quelques heures de calme et de repos, et amener avec eux les chefs païens qui demandaient à être baptisés.

Les vikings gagnèrent l'endroit qui leur était assigné et les fonctionnaires de la cour se mirent en quatre pour leur procurer ce dont ils avaient besoin en leur qualité d'hôtes du roi. Les feux ne tardèrent pas à brûler et le bétail qu'on menait à l'abattoir à beugler ; on demandait à grands cris du pain blanc, du fromage gras, du miel, des œufs, de la viande de porc fraîche et le genre de bière que buvaient les rois et les évêques. Les hommes d'Orm étaient les plus bruyants et les plus difficiles à contenter ; ils pensaient en effet que, devant être baptisés, ils avaient droit à plus d'égards que les autres.

Mais Orm avait autre chose en tête que la nourriture de ses hommes et hâte d'accompagner frère Willibald, qu'il ne quittait pas d'une semelle, en un autre lieu. Il était malade d'inquiétude à l'égard d'Ylva et avait du mal à croire qu'elle se trouvait vraiment à cet endroit, malgré tout ce que lui avait dit frère Willibald. Il lui semblait plus vraisemblable qu'elle soit mariée, qu'elle ait pris la fuite ou qu'elle ait été enlevée ; ou encore que le roi, qu'on disait très porté sur les femmes, l'ait vue et ait décidé de la prendre pour sienne.

Ils purent franchir sans encombre la porte de la ville, car les gardes n'osèrent pas arrêter un étranger qui était en compagnie d'un prêtre, et frère Willibald le conduisit vers le grand couvent où l'évêque Poppo était l'hôte de l'abbé. Il sortait justement de l'office du soir. Il paraissait plus vieux et plus maigre que lorsque Orm l'avait rencontré chez le roi Harald. Mais son visage s'illumina quand il reconnut frère Willibald.

"Dieu soit loué, dit-il. Tu es resté bien longtemps absent et j'ai cru que le malheur t'avait frappé au cours de ton voyage. J'ai beaucoup de questions à te poser, mais qui est cet homme qui t'accompagne ?

— Nous avons partagé la même table chez le roi Harald, dit Orm, le jour où tu as raconté l'histoire de ce fils de roi qui est resté pendu par les cheveux. Mais nous n'étions pas seuls et il est arrivé bien des événements depuis ce temps-là. Je m'appelle Orm, je suis le fils de Toste et commande l'un des navires de Thorkel le Long. Et je suis venu ici pour être baptisé et pour chercher ma promise.

— Il a jadis servi Mahomet, ajouta frère Willibald avec fièvre. Mais, maintenant, il est désireux d'échapper au diable. C'est lui que j'ai guéri après le grand dîner chez le roi Harald, lors de la fête de Noël de l'an dernier, le jour où ils se sont battus à l'épée, dans la grande salle, devant les souverains pris de boisson. Et c'est lui et son camarade qui ont menacé frère Matthias de leur javelot afin qu'il cesse de leur parler de la doctrine du Christ. Mais maintenant, il demande le baptême.

— Au nom du Père, du Fils et du Saint-Esprit, s'écria l'évêque. Il a vraiment servi Mahomet ?

— Il a été exorcisé et aspergé d'eau bénite par l'évêque de Londres, dit le petit prêtre en voyant le trouble du prélat. Mais son corps n'abrite plus aucun esprit malin.

— Celle que je viens chercher a pour nom Ylva et c'est la fille du roi Harald, dit Orm. Elle m'a été promise tant par elle-même que par Harald.

— Et le roi est mort, à l'heure qu'il est, dit le petit prêtre, et, au Danemark, les païens s'entre-déchirent.

— Monseigneur, dit Orm, j'aimerais beaucoup la rencontrer sans tarder.

— C'est beaucoup à la fois, dit l'évêque en les priant de s'asseoir.

— C'est pour elle qu'il est venu se faire baptiser avec tout son équipage, dit frère Willibald.

— Et il a servi Mahomet ! répéta l'évêque. C'est un grand signe, un signe merveilleux ; Dieu ne me refuse donc pas une dernière joie, bien que je sois ici en exil et réduit à voir l'œuvre de ma vie anéantie."

Il fit apporter de la bière et se mit à poser des questions sur tout ce qu'ils savaient du Danemark et sur ce qui avait été conclu à Maeldun.

Frère Willibald eut beaucoup à lui raconter à ce propos et Orm l'aida à de son mieux dans ses réponses, malgré son impatience, car l'évêque était un homme doux et respectable et il était difficile de ne pas lui donner satisfaction quant à tout ce qu'il désirait savoir.

Lorsque la curiosité de l'évêque fut enfin rassasiée, celui-ci se tourna vers Orm :

"Et maintenant tu viens me prendre Ylva, à qui j'enseigne la religion chrétienne. Ce n'est pas une mince affaire que de demander la main d'une fille de roi. Mais elle m'en a déjà entretenu elle-même et on peut dire que c'est une femme qui sait ce qu'elle veut, que Dieu nous soit miséricordieux !"

Il secoua la tête avec un petit sourire.

"C'est le genre de protégée qui fait vieillir un pauvre homme plus vite que le temps ne le justifie, dit-il. Et, si tu es capable de la faire obéir, tu es plus fort que feu le roi Harald et moi réunis. Mais les voies de Dieu sont insondables et, une fois que tu seras baptisé, je ne me mêlerai plus de cette affaire. Ce mariage va m'ôter un bien lourd fardeau des épaules.

— Nous avons été séparés assez longtemps, elle et moi, dit Orm. Permettez-moi de la voir tout de suite."

L'évêque eut l'air d'hésiter et dit que ce genre de fièvre était digne de la jeunesse, mais que l'heure était bien tardive et qu'il valait peut-être mieux remettre cette rencontre après le baptême. Pourtant, il finit par se laisser fléchir et fit venir un diacre de sa suite à qui il ordonna de prendre quatre hommes avec lui et d'aller porter son salut épiscopal à dame Ermentrude en la priant de leur laisser amener la fille du roi Harald, bien qu'il fût si tard.

"J'ai fait tout mon possible pour quelle soit sous bonne garde, dit-il une fois le diacre parti, et ce n'est pas peu dire avec une jouvencelle comme celle-là et dans une ville comme celle-ci, maintenant que le roi, ses courtisans et toute son armée sont venus s'y établir. Elle loge chez les nonnes de la bienheureuse reine Berthe, non loin d'ici, mais c'est une hôte bien embarrassante, quoique toutes les sœurs lui soient très attachées. Elle a déjà tenté de s'enfuir à deux reprises, tellement elle se languit, dit-elle. Et une fois – il n'y a pas si longtemps de cela – elle a réussi à convaincre deux jeunes gens de bonne famille qui l'avaient vue dans le jardin des nonnes et lui avaient parlé par-dessus le mur, d'escalader la clôture, un matin de bonne heure, avec leurs serviteurs et leur suite, afin de se battre à l'épée au milieu des plantations des nonnes, pour savoir lequel des deux aurait le droit de demander sa main ; et elle a assisté à ce spectacle du haut de sa fenêtre, en riant, jusqu'à ce qu'on emporte les deux combattants, ensanglantés par de graves blessures. Il est fort mal de causer ce genre d'événement près d'un couvent, car cela peut mettre singulièrement en péril les âmes des saintes femmes qu'il abrite. Mais il est vrai que, chez elle, c'est plus le fait de l'irréflexion que de la volonté de nuire.

— Les deux hommes sont-ils morts ? demanda Orm.

— Ils sont rétablis, malgré la gravité de leurs blessures, dit l'évêque. J'y ai contribué de mon mieux en priant pour eux. J'étais alors las et malade et il m'était bien pénible d'assumer la responsabilité d'une telle protégée. Je l'ai sévèrement admonestée et lui ai dit d'épouser l'un de ces deux hommes, puisqu'ils s'étaient battus pour elle et qu'ils étaient de bonne famille. J'ai ajouté que je mourrais plus tranquille si je la savais mariée. Mais elle s'est alors mise en colère contre moi et m'a dit que, puisque ces deux hommes étaient encore en vie, cela prouvait bien qu'ils ne s'étaient pas battus sérieusement et qu'elle ne voulait ni de l'un ni de l'autre. Elle préférait, a-t-elle ajouté, le genre d'homme qui n'a besoin ni de pansement ni de prière une fois qu'il s'est battu. Et c'est à cette occasion que j'ai entendu parler de toi."

L'évêque hocha amicalement la tête en direction d'Orm et le pria de ne pas en oublier sa bière.

"Mes ennuis ne se sont hélas pas arrêtés là, en cette affaire, poursuivit-il. Car, après ce duel, l'abbesse, la pieuse dame Ermentrude, a voulu lui faire donner les verges. J'ai réussi à éviter cela, mais non sans mal, en arguant du fait que ma jeune protégée était seulement une hôte de passage et qu'elle était en outre fille de roi. En effet, les abbesses n'aiment guère écouter les conseils et n'ont que peu de confiance en la sagesse des hommes, même envers nous qui sommes évêques. Finalement, elle s'est contentée de trois jours de jeûne et de prières et je pense que c'était une bonne solution. Il est vrai que dame Ermentrude est une femme de caractère et très volontaire et qu'elle est plus forte de carrure que la plupart de celles de son sexe ; mais Dieu seul sait à qui il en aurait cuit davantage, si elle avait pu mettre ses volontés à exécution et faire administrer les verges, car le scandale aurait pu être pire que le mal.

— La première fois que nous nous sommes parlé, dit alors Orm, j'ai pensé qu'elle n'avait sans doute pas encore goûté aux verges, mais que ce ne devait être faute de l'avoir mérité. Mais ensuite, cela ne m'est plus jamais venu à l'idée, quand je l'ai vue, et je pense être en mesure de la faire obéir, à l'avenir, même si elle est parfois bien difficile à mater.

— C'est bien ce qu'a dit le roi Salomon, en sa sagesse, reprit l'évêque. Une belle femme sans discipline est telle une truie avec un anneau d'or dans le groin. C'est certainement vrai, car le roi Salomon s'y connaissait en femmes et j'ai eu plusieurs fois l'occasion de méditer bien tristement ces paroles, lorsqu'elle me causait des soucis. Mais il est étrange de constater que je n'ai cependant jamais ressenti de colère à son égard. C'est pourquoi je suis tout disposé à mettre cela au compte de l'irréflexion et de l'impulsivité de sa jeunesse et il ne me semble pas impossible, en effet, que tu parviennes à la discipliner sans avoir recours à la manière forte, même une fois que vous serez mariés.

— Il faut encore considérer une chose qui m'a bien souvent sauté aux yeux, intervint frère Willibald. Après avoir mis au monde trois ou quatre enfants, bon nombre de femmes se calment un peu. Et j'ai entendu des hommes mariés dire que, si Dieu n'avait pas prévu qu'il en soit ainsi, dans son immense sagesse, la vie serait bien difficile à supporter."

Orm et l'évêque opinèrent du chef. A ce moment, un bruit de pas se fit entendre et Ylva entra dans la pièce. Il y faisait sombre, car la lumière n'avait pas encore été allumée ; mais elle vit aussitôt Orm et courut se jeter dans ses bras avec un cri de joie. Malgré son grand âge, l'évêque se mit debout et alla les séparer.

"Du calme, je t'en prie, au nom de Dieu ! supplia-t-il. Modère-toi ! Ne te pends pas à son cou en la présence d'hommes de Dieu et dans l'enceinte sacrée de ce couvent. Et n'oublie pas qu'il n'est pas encore baptisé !"

Ylva s'efforça d'écarter l'évêque, mais celui-ci lui opposa toute la résistance dont il était capable et frère Willibald vint à son secours en la prenant par le bras. Elle se laissa alors faire mais adressa à Orm un grand sourire de bonheur, par-dessus l'épaule de l'évêque.

"Orm ! s'écria-t-elle. J'ai vu arriver les bateaux, avec à leur bord des hommes de chez nous. Et, sur l'un d'entre eux, j'ai aperçu une barbe rousse, près du timonier. Et je me suis mise à pleurer, car il m'a bien semblé que c'était toi ; mais je n'arrivais pas à le croire. Et la vieille n'a pas voulu me laisser sortir."

Elle appuya son visage sur le bras de l'évêque et se mit à sangloter.

Orm s'approcha d'elle et lui caressa les cheveux ; mais il ne savait pas trop quoi dire, car il ne comprenait pas grand-chose aux larmes des femmes.

"Je vais la rosser, cette vieille, si tu veux, dit-il ; mais ne sois pas aussi triste, je t'en prie."

L'évêque tenta de l'écarter et de faire asseoir Ylva, tout en lui prodiguant des paroles de consolation.

"Ma pauvre enfant, ne pleure pas, dit-il. Tu es restée seule au milieu d'étrangers, mais Dieu a été miséricordieux envers toi. Assieds-toi sur ce banc, je vais te faire servir du vin chaud avec du miel. Willibald ira le chercher tout de suite, avec beaucoup de miel. Et tu goûteras de merveilleux cerneaux de noix des pays du Sud, qu'on appelle amandes, et que m'a donnés mon frère l'abbé. Tu pourras en manger autant que tu voudras."

Ylva s'assit et passa son bras sur son visage, avant de partir d'un grand éclat de rire.

"Ce vieux fou est aussi bête que toi, Orm, dit-elle, bien que ce soit le meilleur de tous les saints hommes. Il croit que j'ai de la peine et veut me consoler en me donnant des noix. Mais, même parmi tous les saints du ciel, il serait difficile de trouver quelqu'un qui soit aussi joyeux que moi en ce moment."

On apporta des cierges allumés, qui étaient très beaux et répandaient une belle lumière, et frère Willibald revint avec le vin chaud. Il le versa dans des coupes en cristal vert tout en les exhortant, d'une voix forte, à le boire très vite, afin de pouvoir en apprécier pleinement toute la saveur et la vertu. Et personne n'osa lui désobéir à ce sujet.

Orm déclama alors les vers suivants :

> *"Beau est l'éclat*
> *des cierges allumés,*
> *des coupes velches*
> *et de la bonté des hommes de Dieu ;*
> *plus beau encore*
> *est cependant celui*
> *qui perce les larmes*
> *de la jouvencelle.*

Et c'est la première strophe qui m'est venue à l'esprit depuis longtemps, ajouta-t-il.

— Si j'étais en mesure de versifier de la sorte, dit Ylva, j'aimerais en composer une en l'honneur de cet instant. Mais je sais bien que je n'en suis pas capable, car j'ai une fois été condamnée à trois jours de jeûne et de prières et j'ai passé mon temps à tenter d'écrire des strophes injurieuses sur l'abbesse ; mais je n'y suis pas parvenue. Pourtant, mon père a bien essayé de m'inculquer cet art, jadis, quand il était de bonne humeur. Il n'a jamais réussi à être poète lui-même, mais il savait comment il fallait s'y prendre. Et le plus vexant, dans toute cette affaire, c'était bien de ne pas arriver à composer une strophe injurieuse. Mais peu importe, désormais, car je ne serai plus jamais confiée à la garde de vieilles femmes.

— Je te le promets", dit Orm.

Il avait maintenant de nombreuses questions à poser et l'évêque et Ylva avaient, de leur côté, bien des choses à lui dire à propos de ce qui s'était passé pendant les derniers temps de leur séjour au Danemark et quand ils avaient pris la fuite à l'approche du roi Sven.

"Ne sachant pas si j'allais pouvoir lui échapper, dit Ylva, j'ai alors fait une chose, c'est de cacher le collier. Parce que j'aurais préféré n'importe quoi plutôt que de le voir tomber entre ses mains. Mais, après, je n'ai pas eu le temps de retourner le chercher, avant de devoir monter à bord du bateau. Cela va certainement te faire beaucoup de peine, Orm, mais je ne savais vraiment pas quoi faire d'autre.

— Je préfère t'avoir toi, sans le collier, que le collier sans toi, répondit-il. Mais c'est un bijou royal et je pense que tu en ressens donc plus la perte que je ne le fais. Mais où l'as-tu caché ?

— Je peux bien te le dire, répondit Ylva, car il n'y a personne ici qui pourra trahir le secret. A peu de distance de la porte d'entrée de la ville, il y a une butte couverte de genévriers et de bruyère, sur la droite, tout près de la route qui descend vers le pont. Et, sur cette butte, il y a trois rochers au milieu des buissons. Deux d'entre eux sont gros et enfoncés dans le sol, au point qu'on les voit à peine, le troisième est appuyé contre les autres et il n'est pas aussi gros, car j'ai été capable de le déplacer. J'avais enveloppé le collier dans un morceau d'étoffe et celle-ci dans une peau de bête que j'ai déposée sous ce rocher. J'avais le cœur gros de le laisser là, parce que c'était le seul objet que je conservais de toi. Mais je crois qu'il est en sûreté, là-bas, bien plus en tout cas que si je l'avais emmené avec moi à l'étranger ; en effet, personne ne se rend jamais sur cette butte, même pas les vaches.

— Je connais bien ces rochers, dit frère Willibald. Je suis allé y cueillir des pieds-de-chat et du serpolet, quand je préparais des remèdes contre le mal de gorge.

— Tu as bien fait de le cacher en dehors des murs de la ville, dit Orm ; mais il sera peut-être difficile d'aller le rechercher, si près de la tanière du loup."

Dès qu'Ylva eut soulagé son cœur à ce sujet, elle fut encore plus heureuse qu'auparavant et, soudain, elle se jeta au cou de l'évêque et lui donna des amandes à manger, en se mettant à le supplier de réciter les prières qu'il fallait et de les marier sur le champ. L'évêque avala de travers, sous le coup de la frayeur, et tendit les mains devant lui pour écarter cette idée.

"Je suis de son avis, dit Orm. Dieu lui-même nous a réunis et nous n'avons plus jamais l'intention de nous séparer.

— Vous ne savez pas ce que vous dites, répondit l'évêque. C'est le diable qui vous inspire.

— Je ne retournerai pas chez cette vieille femme, dit Ylva, et je ne peux pas rester ici. Je vais donc m'en aller avec Orm. Alors, il vaut peut-être mieux que tu nous maries d'abord.

— Il n'est pas encore baptisé, s'écria l'évêque, désespéré. Comment pourrais-je t'unir, mon enfant, à un païen ? Et, en vérité, il n'est pas convenable de voir une vierge aussi enflammée d'amour que toi. Personne ne t'a donc jamais enseigné la pudeur ?

— Non, répondit Ylva sans se démonter. Mon père avait un certain nombre de choses à m'apprendre, mais la pudeur, il ne savait pas très bien ce que c'était. Mais quel mal peut-il y avoir à ce que je veuille me marier ?"

Orm tira de sa ceinture six pièces d'or parmi celles qu'il avait ramenées d'Andalousie, et les posa sur la table, devant l'évêque.

"Je paie un évêque pour me baptiser, dit-il. Et je suis assez riche pour en payer un autre afin de me marier. Et, si tu plaides pour moi auprès de Dieu et achètes des cierges pour son Eglise avec cet argent, je pense que peu importera que je sois marié d'abord et baptisé ensuite.

— Il est de la famille d'Ivar aux longs Bras, dit fièrement Ylva. Et, si vraiment il t'est pénible de marier quelqu'un qui n'est pas baptisé, pourquoi ne pas commencer par là tout de suite. Envoie chercher de l'eau et administre-lui le baptême comme tu le faisais pour les malades, chez nous. Qu'est-ce que ça peut bien faire, si on le baptise encore avec les autres, par la suite, devant le roi ? Deux fois valent mieux qu'une, non ?

— Il ne faut pas faire mauvais usage des sacrements, dit l'évêque, et je ne sais pas s'il est vraiment prêt.

— J'en réponds, dit frère Willibald, et on pourrait peut-être l'ondoyer, bien que cette coutume se soit un peu perdue. Rien ne s'oppose à ce qu'une femme contracte le mariage avec un homme qui a été ondoyé."

Orm et Ylva regardèrent frère Willibald d'un œil admiratif et l'évêque joignit les mains, l'air un peu moins renfrogné.

“Je crois que l’âge me fait perdre un peu la mémoire, dit-il. A moins que ce ne soit ce vin, quoiqu’il soit si bon pour la santé à bien des égards. Jadis, il était d’usage d’ondoyer ceux qui ne voulaient pas recevoir le baptême, mais qui n’en adoraient pas moins le Christ. Je crois que nous pouvons tous nous féliciter de l’aide que nous apporte frère Willibald.

— Il y a longtemps que je nourris de l’amitié envers lui, dit Orm, et ce n’est pas ça qui va me faire changer d’avis. A partir du moment où je l’ai rencontré, la chance m’a favorisé.”

L’évêque fit alors mander l’abbé et quelques chanoines, qui vinrent de bonne grâce lui prêter assistance, mais aussi voir ce chef étranger. Une fois revêtu de ses vêtements sacerdotaux, l’évêque plongea la main dans l’eau bénite et fit le signe de la croix sur Orm, sur son front, sur sa poitrine et sur ses mains, tout en récitant des bénédictions.

“Je commence à m’habituer, dit Orm, une fois que ce fut terminé ; et cela n’a pas été aussi pénible que lorsque l’autre m’a aspergé avec son goupillon.”

Tout le monde fut d’accord pour penser qu’il n’était pas possible de marier dans la chapelle du couvent quelqu’un qui n’était pas baptisé, mais qu’on pouvait utiliser pour cela la cellule de l’évêque. Orm et Ylva durent s’agenouiller devant celui-ci sur deux prie-Dieu.

“Tu ne dois pas en avoir autant l’habitude, dit Ylva.

— Pendant le temps que j’ai passé chez les Andalous, je me suis mis à genoux plus souvent que la plupart, répondit Orm ; mais je préfère ne pas avoir à toucher le sol avec mon front.”

Lorsque l’évêque en fut arrivé aux exhortations, leur enjoignant de croître et multiplier et de vivre en bonne entente, ils hochèrent la tête en signe d’approbation.

Mais, quand il ordonna à Ylva d'être soumise en tous points à son mari, ils se regardèrent.

"Je ferai de mon mieux, dit Ylva.

— Cela ira comme ça pourra pour commencer, parce qu'elle n'en a pas l'habitude. Mais je l'aiderai à se souvenir de ce commandement, quand cela s'avérera nécessaire."

Quand tout fut terminé et que chacun leur eut souhaité bonne chance et une nombreuse progéniture, l'évêque s'inquiéta de savoir où ils pourraient aller passer leur nuit de noces. Car il ne pouvait être question que ce soit au couvent, même dans le logis des hôtes de passage, et il ne connaissait nul endroit, en ville, où l'on pourrait les héberger.

"Je vais avec Orm, dit Ylva. Ce qui est assez bon pour lui le sera également pour moi.

— Tu ne peux pas dormir avec lui près des feux de camp, au milieu de tous les soldats", dit l'évêque, soucieux.

Orm lui répondit en vers :

"Le voyageur
venu de la mer,
bon laboureur
du pré des pingouins,
*trouvera pour la fille de Knut**
une couche nuptiale
meilleure que la paille
ou un lit de plume."

Frère Willibald les accompagna jusqu'à la porte de la ville, afin de veiller à ce qu'on les laisse sortir. Là, ils prirent congé de lui avec force remerciements et gagnèrent

* L'un des ancêtres de la famille royale du Danemark.

l'endroit où étaient amarrés les navires. Sur celui d'Orm, Rapp avait posté deux hommes de guet contre les voleurs, mais ils avaient tellement bu pour tromper leur solitude, qu'on les entendait ronfler de loin. Orm les tira de leur torpeur et leur ordonna de l'aider à écarter le bateau du rivage. Ils eurent bien du mal à s'exécuter, mais y parvinrent finalement. Ils mouillèrent alors l'ancre et le navire se mit face au courant.

"Maintenant, je n'ai plus besoin de vous, leur dit Orm.

— Comment allons-nous regagner la berge ? demandèrent-ils

— Il n'y a pas bien loin à nager pour des hommes alertes comme vous", dit-il.

Ils lui objectèrent alors qu'ils étaient ivres et que l'eau était glaciale.

"Je ne peux pas vraiment attendre que ça change, sur un point pas plus que sur l'autre", répondit-il.

Et, en prononçant ces paroles, il saisit l'un des deux gardes par le collet et par la ceinture et le jeta à l'eau la tête la première ; l'autre n'eut pas besoin, pour l'y rejoindre, d'argument supplémentaire. On les entendit, dans l'obscurité, cracher l'eau qu'ils avaient avalée et s'éloigner à la nage, en respirant à pleins poumons.

"Personne ne va plus nous déranger, dit Orm.

— Voilà une couche nuptiale dont je ne me plaindrai pas", dit Ylva.

Ils s'endormirent tard, cette nuit-là, mais leur sommeil n'en fut que meilleur.

— 2 —

Lorsque, le lendemain, les envoyés se présentèrent, en compagnie de Gudmund et d'Orm, devant le roi Ethelred, celui-ci était dans les meilleures dispositions d'esprit et les reçut tous de la façon la plus cordiale. Il loua les deux chefs vikings d'être aussi désireux d'être baptisés et voulut savoir si leur séjour à Westminster se déroulait à leur satisfaction. Gudmund s'était enivré sans retenue, la veille, et avait la langue encore pâteuse ; tous deux estimèrent donc pouvoir répondre par l'affirmative à la question du roi.

Les évêques durent narrer leur voyage et la façon dont ils étaient parvenus à un accord avec les étrangers ; tous ceux qui étaient présents dans la salle les écoutèrent avec la plus grande attention. Le roi était assis sur son trône, sous un dais, la couronne sur la tête et le sceptre à la main. Orm se dit qu'il avait devant lui une nouvelle espèce de souverain, après Almansur et Harald. C'était un homme de haute taille et de belle allure, drapé dans un manteau de velours, au teint pâle et aux grands yeux, et portant une mince barbe brune.

Quand les envoyés abordèrent le sujet de l'argent qu'il allait falloir verser, il frappa violemment le bras de son trône avec son sceptre, au point que toute l'assistance sursauta.

“Voyez, dit-il en se tournant vers l'archevêque, qui était assis à côté de lui, sur un siège placé légèrement plus bas. J'ai tué quatre mouches d'un seul coup, et encore avec une arme bien peu propice.”

L'archevêque lui répondit qu'il connaissait en effet peu de rois capables de cela et que c'était là preuve à la fois d'une grande adresse et de beaucoup de chance. Le roi voulut bien rire de ces propos ; puis les envoyés reprirent le compte rendu de leur mission et tous écoutèrent derechef.

Quand ils eurent terminé, le roi les remercia, loua leur sagesse et leur zèle et demanda à l'archevêque son avis sur les termes du marché. Ce dernier lui répondit qu'ils étaient certes bien lourds, mais qu'il n'était certainement pas possible d'en obtenir de meilleurs. Le roi opina du chef.

"Et il est heureux de constater, dit l'archevêque, une chose qui est douce à entendre pour tous les chrétiens et hautement agréable à Dieu, à savoir que nos pieux envoyés sont parvenus à gagner de grands chefs de guerre et nombre de leurs hommes à la cause du Christ ; nous devons tous nous en réjouir.

— Certes", dit le roi.

L'évêque de Londres dit alors à voix basse à Gudmund qu'il était temps pour lui de s'exprimer, et ce dernier ne se fit pas prier. Il remercia le roi de son hospitalité et de sa générosité et dit qu'après cela sa renommée serait grande jusqu'en Östergötland et même au-delà. Mais il désirait tout de même s'assurer d'une chose, afin qu'il ne puisse y avoir de malentendu, à savoir la date à laquelle l'argent leur serait remis.

Le roi le regarda attentivement, tandis qu'il parlait, et lui demanda ensuite quelles marques il portait au visage.

Gudmund répondit que c'étaient celles d'un ours, auquel il avait un jour fait la chasse de façon peu prudente. L'animal avait brisé le manche de son javelot, après en avoir reçu la pointe dans le poitrail, et lui avait éraflé le visage avec ses griffes avant qu'il ait eu le temps de le frapper de sa hache.

Le visage du roi Ethelred s'assombrit à ces mots.

"Dans ce pays, il n'y a pas d'ours et c'est bien dommage, dit-il. Mais mon frère, le roi Hugues de France m'en a envoyé deux qui savent danser, pour la plus grande joie du public, et j'aimerais te les montrer. Il se trouve hélas que mon meilleur montreur d'ours faisait partie de la troupe de Byrhtnoth et n'est pas revenu. Ce n'est pas une mince perte que j'ai subie là. Car, maintenant, ils ne dansent que très peu ou pas du tout, lorsque d'autres tentent de les y pousser."

Gudmund fut bien d'accord que c'était là un grand malheur.

"Mais nous avons tous nos soucis, dit-il ; quant à nous, c'est celui-ci : quand aurons-nous l'argent ?"

Le roi Ethelred se gratta la barbe et regarda l'archevêque.

"C'est une bien grosse somme, dit ce dernier, et même un souverain aussi puissant qu'Ethelred n'en a pas autant dans ses coffres en ce moment. Il est donc nécessaire d'envoyer des émissaires dans tout le pays afin de rassembler ce qu'il faut. Cela peut prendre deux mois, voire trois."

Gudmund secoua alors la tête.

"Il faut que tu me viennes en aide, toi le Scanien, dit-il à Orm, car ce serait bien trop long à attendre, et j'ai la gorge sèche à force d'avoir parlé."

Orm s'avança alors et dit qu'il était encore bien jeune et d'un rang trop modeste pour s'adresser à un si noble seigneur et à des hommes aussi sages, mais qu'il allait faire de son mieux.

"Ce n'est pas une mince affaire, commença-t-il, que de faire attendre aussi longtemps ce qu'on leur a promis à des chefs et à leurs hommes. Car ce sont des êtres guère patients et peu pacifiques qui pourraient fort bien se lasser très vite d'attendre dans l'oisiveté, après avoir connu de tels succès et en sachant qu'il y a tant de choses intéressantes à piller tout près d'eux. Gudmund, que vous avez devant vous, est un homme débonnaire et d'humeur fort plaisante tant que tout va comme il le désire ; mais, quand il se met en colère, il inspire la frayeur aux plus hardis des riverains de la Baltique et il est capable de bousculer aussi bien les ours que les hommes ; et il compte parmi les siens tel ou tel berserk tout aussi redoutable que lui."

Tous les regards se braquèrent alors vers Gudmund, qui rougit et se racla la gorge. Orm poursuivit :

"Thorkel et Jostein sont fait du même bois et leurs hommes ne sont pas plus dociles que ceux de Gudmund. Il serait donc préférable que la moitié de la rançon nous soit versée immédiatement. Il serait ainsi plus facile de les faire patienter jusqu'à ce que l'ensemble de la somme soit réuni."

Le roi hocha la tête, puis regarda l'archevêque et hocha de nouveau la tête.

"Etant donné que Dieu et toi, sire, vous vous réjouissez de voir ceux qui sont venus ici recevoir le baptême, il serait peut-être judicieux de remettre à ceux-là, dès maintenant, la totalité de leur part. Ainsi, nombreux seraient alors ceux, parmi les autres, qui estimeraient qu'il y a avantage à devenir chrétien."

Gudmund s'écria alors que c'était exactement le fond de sa pensée.

"Et, si vous faites ce qui vient d'être dit, ajouta-t-il, je peux vous promettre que chacun des hommes que j'ai amenés se fera baptiser avec moi."

L'archevêque dit que c'était une chose bien agréable à entendre et qu'il allait aussitôt se mettre en quête de bons maîtres en matière de religion à leur intention. Il fut alors décidé que tous ceux qui étaient venus chez le roi recevraient leur argent après le baptême ; à l'armée restée à Maeldun il serait immédiatement envoyé le tiers de ce qui lui revenait, le reste devant lui être versé sous six semaines.

En quittant les lieux, une fois cette réunion terminée, Gudmund eut beaucoup à dire à Orm pour le remercier de son aide.

“Je n’ai jamais entendu des paroles aussi sensées dans la bouche d’un homme si jeune, dit-il ; il est certain que tu es fait pour être un chef. Je suis particulièrement heureux que tu aies obtenu que je touche dès maintenant la totalité de mon argent, car il se pourrait bien qu’il n’y en ait pas pour tout le monde, quand viendra la fin. C’est pourquoi je désire te récompenser de ton aide ; quand j’aurai touché ce qui me revient, je te donnerai cinq marks.

— J’ai remarqué une chose, dit Orm, et c’est que tu es bien trop modeste, malgré ta sagesse. Si tu étais un petit chef de rien du tout, à la tête de cinq ou six navires, et sans grande renommée, tu pourrais en effet m’offrir cinq marks pour un service comme celui qui je viens de te rendre. Mais, illustre comme tu l’es, bien au-delà des limites de la Suède, cela n’est pas convenable, pas plus qu’il ne le serait de ma part d’accepter, car ma réputation en souffrirait.

— Tu as peut-être bien raison, admit Gudmund. Que ferais-tu, si tu étais à ma place ?

— J’en connais qui auraient donné quinze marks, pour un tel service, dit Orm. C’est ce qu’aurait fait Styrbjörn. Thorkel, lui, en aurait donné douze. Mais j’en connais aussi qui n’auraient rien donné du tout. En ce qui te concerne, je me refuse à te donner un conseil quelconque ; nous resterons aussi bons amis qu’avant, quoi que tu fasses.

— Il n’est pas facile de savoir quelle est l’étendue de sa propre renommée”, dit Gudmund, pensif, en continuant son chemin.

Le dimanche suivant, ils furent tous baptisés dans la vaste église. La majorité des prêtres avait souhaité que la cérémonie ait lieu au bord de la rivière, comme il était d’usage depuis longtemps lorsque des païens recevaient ce sacrement ; mais Gudmund et Orm avaient tous deux fait savoir de la façon la plus catégorique qu'il n'était pas question qu'ils soient plongés tout entiers dans l'eau. Ils ouvraient donc la marche, tête nue et revêtus de longs manteaux blancs ornés sur le devant de croix rouges cousues dessus. Ils étaient suivis de tous leurs hommes, eux aussi revêtus de manteaux, du moins dans la mesure où il avait été possible d'en trouver pour une si grande troupe. Mais aucun d'entre eux n'avait renoncé à porter les armes, car Orm avait dit qu'ils ne s'en séparaient que très rarement, surtout quand ils étaient en pays étranger. Le roi en personne était assis dans le chœur et l'église était noire de monde ; parmi l'assistance se trouvait également Ylva. Orm n'aimait guère la montrer, car il la trouvait plus belle que jamais et avait peur qu'elle soit enlevée. Mais elle avait dit qu'elle tenait à être présente, afin de voir si Orm serait capable d'adopter l'attitude qui convenait en pareille circonstance, lorsque l'eau se mettrait à couler le long de sa nuque. Elle était assise à côté de frère Willibald, qui prenait grand soin d'elle et l'empêchait de se moquer de ces manteaux blancs. L'évêque Poppo participa lui aussi à la cérémonie, bien qu'il se sentît fort mal. Ce fut lui qui baptisa Orm, et l'évêque de Londres se chargea de Gudmund. Puis six autres prêtres prirent le relais pour en avoir terminé le plus rapidement possible avec les autres candidats au baptême.

Ensuite, Gudmund et Orm allèrent se présenter devant le roi. Celui-ci leur donna à chacun un anneau d'or, en souhaitant que Dieu soit désormais avec eux. Il exprima aussi le désir qu'ils viennent bientôt voir ses ours, qui avaient commencé à s'améliorer notablement dans l'art de la danse.

Le lendemain, l'argent fut versé par les trésoriers et les clercs du roi à ceux qui s'étaient fait baptiser et la joie fut grande parmi ces derniers. Les moins heureux furent les hommes d'Orm, qui lui étaient redevables de deux öre pour leur baptême ; mais aucun d'entre eux ne choisit de les épargner en l'affrontant en combat singulier.

"Avec cela, je bâtirai une église au pays", dit Orm en mettant tout cet argent dans son propre coffre.

Puis il glissa quinze marks dans un sac et alla porter celui-ci à l'évêque de Londres, qui lui donna sa bénédiction en échange. Plus tard dans la journée, Gudmund monta à bord du navire d'Orm, le même sac à la main, tout à fait ivre et d'humeur folâtre. Il dit qu'il avait fait le compte de tout ce qu'il avait touché, avant de le ranger, et qu'il y avait passé une bonne partie de la journée.

"J'ai réfléchi à tes propos, dit-il, et tu as bien raison d'estimer qu'étant donné ma renommée, je ne peux te donner cinq marks. En voici quinze, et c'est plus convenable, maintenant que Styrbjörn n'est plus de ce monde."

Orm lui répondit qu'il ne s'attendait pas à cela, mais qu'il ne voulait pas refuser un tel cadeau de la part d'un tel homme. En échange, il offrit à Gudmund son bouclier andalou, celui-là même qu'il portait lorsqu'il avait affronté Sigtrygg dans la grande salle du roi Harald.

Ylva dit qu'elle se réjouissait de voir qu'Orm s'entendait si bien à faire rentrer l'argent, car elle ne s'estimait pas très douée en ce domaine et elle avait l'impression qu'ils allaient avoir de nombreux enfants.

Ce soir-là, Orm et Ylva allèrent faire leurs adieux à l'évêque Poppo, car ils étaient maintenant pressés de rentrer chez eux. Ylva versa des pleurs et eut bien de la peine de quitter l'évêque, qu'elle appelait son second père, et, de son côté, il eut également la larme à l'œil.

"Si j'avais été un peu moins mal en point, dit-il, je serais parti avec vous, car je pense pouvoir encore me rendre utile en Scanie. Mais ces vieilles jambes ne parviennent plus à me porter.

— Tu as en Willibald un excellent remplaçant, lui dit Orm, et nous nous entendons fort bien avec lui, Ylva et moi. Ce serait une bonne chose s'il acceptait de venir avec nous, puisque tu ne peux le faire toi-même, afin de rendre plus solide notre foi chrétienne, et celle des autres peut-être aussi. Il est dommage qu'il se plaise si peu parmi les gens du Nord."

L'évêque lui répondit que Willibald était le plus intelligent de tous ses prêtres et toujours utile quoi qu'il fît.

"Nul ne le surpasse en matière de conversion, dit-il, bien qu'il ait tendance à grogner contre le péché et contre la faiblesse d'âme, dans son zèle pour la religion. Le mieux est de lui demander ce qu'il en pense lui-même ; car je ne voudrais pas le forcer à être des vôtres."

Lorsqu'on eut fait part à Willibald de la raison pour laquelle on le faisait venir, il demanda tout d'abord, sur un ton maussade, quand ils avaient l'intention de partir. Orm répondit que ce serait sans doute le lendemain, si le temps se maintenait.

"Ce n'est guère aimable de votre part de me laisser si peu de temps pour tout préparer, dit-il. Car il faut que j'emporte bien des onguents et des remèdes, pour me rendre au pays des ténèbres et de la violence. Mais, avec l'aide de Dieu et en me dépêchant, tout sera prêt à temps ; en effet, je suis très désireux de partir avec vous deux."

IV

COMMENT FRÈRE WILLIBALD ENSEIGNA AU ROI SVEN UNE PAROLE DE L'ÉCRITURE

ORM alla trouver Gudmund et le pria de faire savoir à Thorkel qu'il ne pouvait pas rejoindre l'armée et qu'il avait l'intention de rentrer au pays. Gudmund fut navré d'apprendre cette nouvelle et tenta de le faire changer d'avis ; mais Orm objecta que la chance l'avait trop favorisé, ces derniers temps, pour que cela dure encore bien longtemps.

"Je n'ai plus rien à faire dans ce pays, dit-il, et si tu avais à bord de ton bateau une femme comme Ylva, tu n'aurais guère envie de la débarquer au milieu d'une armée d'hommes réduits à l'oisiveté qui courent, la langue hors de la bouche, après le premier jupon qu'ils rencontrent. Je serais trop souvent obligé de me battre à cause d'elle, or je veux vivre en paix en sa compagnie, désormais. Et je pense qu'elle est bien de cet avis, elle aussi."

Gudmund reconnut volontiers que n'importe quel homme pourrait devenir à moitié fou rien qu'à regarder Ylva, ne fût-ce que l'espace d'un instant. A bien y réfléchir, ajouta-t-il, il aurait aimé, lui aussi, rentrer à Bråviken, car il avait un peu peur d'avoir autant d'argent à bord de son navire. Mais il fallait qu'il aille retrouver ses autres hommes et dire à Thorkel et Jostein comment s'effectuerait le paiement de la rançon.

“Ceux de mes hommes qui sont ici sont dépouillés, dit-il, par des femmes aux mains lestes qui sont attirées comme des mouches par leurs richesses et qui fouillent les poches de leurs vestes et de leurs culottes pour leur prendre leur argent, après les avoir enivrés. Il vaut donc mieux que je lève l'ancre en même temps que toi et que nous descendions la rivière de conserve, si je parviens à réunir mon équipage à temps.”

Ils se rendirent auprès du roi Ethelred et de l'archevêque pour prendre congé d'eux ; ils eurent alors l'occasion de voir les ours danser merveilleusement sur leurs pattes de derrière. Ils firent ensuite sonner du cor et les hommes se mirent aux avirons, où certains d'entre eux se montrèrent bien maladroits, au début, à cause de la fatigue et de l'ivresse. Ils descendirent rapidement la rivière et, cette fois, les navires de garde ne tentèrent pas de leur barrer le passage, on échangea au contraire force bons conseils d'un bord à l'autre. Ils passèrent la nuit à l'embouchure de la rivière, puis Gudmund et Orm se séparèrent et partirent chacun de son côté.

Ylva supporta bien la mer ; elle émit pourtant le vœu que la traversée ne dure pas trop longtemps, car il y avait bien peu de place pour elle à bord du bateau. Orm apaisa ses inquiétudes en lui disant que le temps était en général beau à cette époque de l'année et ne devrait donc pas les retarder.

“A part cela, nous n'avons guère qu'à passer à la butte près de Jellinge, dit-il, et ce n'est pas un bien grand détour.”

Ylva se demanda s'il était vraiment judicieux d'aller dès maintenant chercher le collier, car personne ne savait quelle était la situation dans le Jutland, ni même qui était sur le trône, à Jellinge. Mais Orm lui répondit qu'il préférait régler toutes ses affaires une fois pour toutes.

“Et qui que ce soit qui règne actuellement à Jellinge, Sven ou bien Erik, il est peu probable qu'il y soit à cette époque de l'année, car les souverains en profitent pour se battre, en général. Nous débarquerons à la nuit tombée, et, si la chance est avec nous, nous ne serons dérangés par personne.”

Frère Willibald ne se déplaisait pas à bord, non plus, bien qu'il n'eût aucun mal ou blessure à soigner. Il restait volontiers assis près de Rapp, lorsque celui-ci était à la barre, pour le questionner sur le pays du Sud et sur les aventures qu'il y avait connues ; et, bien que Rapp ne fût pas d'un naturel très loquace, ils parurent commencer à devenir bons amis.

Après avoir doublé la pointe nord du Jutland ils mirent cap au sud, le long de la côte, sans rencontrer le moindre navire ; mais ils eurent alors vent contraire et durent souquer ferme. Une fois, ils durent même toucher terre, pour attendre des vents plus favorables. Sous le couvert de la nuit, ils pénétrèrent dans l'embouchure de la rivière de Jellinge, mais le jour commençait déjà à poindre lorsque Orm donna l'ordre d'accoster, un peu en aval de la ville. Il pria frère Willibald et Rapp, ainsi que deux autres hommes de confiance, de venir avec lui ; Ylva, pour sa part, resterait à bord. Elle protesta contre cette décision, mais Orm ne voulut rien savoir.

“Dans ce genre de choses, c'est moi qui décide, dit-il, même si ce ne doit pas être le cas en tout. Frère Willibald connaît aussi bien cet endroit que toi ; et, si nous rencontrons des hommes que nous devons affronter les armes à la main, maintenant qu'il commence à faire jour, il vaut mieux que tu sois ici, en sécurité. Nous ne serons pas longtemps partis.”

Ils se dirigèrent alors vers la résidence royale, puis prirent à travers champs, au sud de celle-ci. Frère Willibald était justement en train de dire qu'ils n'avaient plus loin à aller pour parvenir à la butte lorsque, soudain, ils entendirent des bruits de pas et des hommes crier, près du pont, à main gauche.

Un troupeau approcha alors, conduit par une poignée d'hommes.

"Il vaut mieux tuer ces gens-là", dit Rapp en soupesant son javelot.

Mais frère Willibald lui prit aussitôt le bras et lui interdit formellement d'user de violence contre des gens qui ne lui avaient rien fait. Orm dit que ce ne serait d'ailleurs pas nécessaire, s'ils se dépêchaient.

Ils partirent alors en courant en direction de la butte ; ceux qui se trouvaient derrière les vaches s'immobilisèrent et les regardèrent avec stupeur.

"Qui va là ? demandèrent-ils.

— Des hommes du roi Harald, répondit Orm.

— Le petit prêtre ! s'écria alors l'un des bouviers. C'est le petit prêtre qui était chez le roi Harald. Ce sont des ennemis ! Courez donner l'alarme !"

Rapp et les deux hommes qu'il avait avec lui se lancèrent alors à la poursuite des bouviers ; mais le troupeau se trouvait dans leur passage, ce qui fit que les autres prirent une bonne avance. Orm, pour sa part, courut jusqu'à la butte, et frère Willibald lui montra aussitôt les trois rochers. Le collier était en effet là où Ylva l'avait laissé.

"Maintenant, il faut faire vite", dit Orm, en le mettant sur lui.

De la résidence royale on entendit des cris donner l'alarme et, quand ce tumulte parvint aux oreilles de Rapp et de ses deux compagnons, celui-ci se mit à regretter, en bougonnant, de ne pas s'être attaqué aux bouviers un peu plus rapidement. De rage, il avait alors jeté son javelot sur l'un d'entre eux, qui était tombé juste devant la porte du mur d'enceinte.

"Mais ça n'a pas servi à grand-chose, dit-il, et j'ai tout juste perdu un bon javelot."

Ils s'élancèrent alors aussi vite qu'ils le purent à travers champs et ne tardèrent pas à entendre, derrière eux, s'élever un bruit de sabots de cheval ainsi que des cris de fureur. Rapp voyait clair, bien qu'il n'eût plus qu'un œil, et Orm et lui regardèrent par-dessus leur épaule tout en courant.

"C'est le roi Sven en personne, dit Orm, ce n'est pas un mince honneur.

— Et il a dû faire vite, dit Rapp, car il n'a pas tressé sa barbe."

Frère Willibald n'était plus aussi jeune que les autres ; pourtant il courait aussi vite qu'il le pouvait, sur ses courtes jambes, en relevant le bas de sa soutane.

"Les voilà, s'écria Orm. Faites-les tâter de vos javelots !"

En disant cela, il s'arrêta lui-même et lança le sien contre le plus proche des poursuivants, un homme monté sur un grand cheval qui avait devancé le roi Sven. Voyant l'arme venir vers lui, il cabra sa monture, qui reçut le javelot en plein poitrail, bascula vers l'avant et roula sur le sol, son cavalier sous elle. Les hommes qui accompagnaient Rapp visèrent le souverain, mais sans l'atteindre, et ils se retrouvèrent désarmés et serrés de près.

Frère Willibald se pencha alors en avant et ramassa une grosse pierre qu'il jeta de toutes ses forces.

"Aime ton prochain !" s'écria-t-il en faisant ce geste.

La pierre toucha le roi à la bouche si violemment qu'on put entendre le choc. Il poussa un cri de rage et s'affaissa sur son cheval, avant de glisser à terre.

"Voilà ce qui s'appelle un bon prêtre !" s'écria Rapp.

Les hommes de la suite du souverain s'empressèrent alors autour de lui et Orm et les siens purent ainsi regagner leur bateau, essoufflés mais sains et saufs. Orm ordonna aux rameurs de commencer à souquer, tandis que ses hommes et lui avançaient dans l'eau, avant de se laisser hisser à bord ; et ils étaient déjà à bonne distance quand les premiers cavaliers parvinrent sur le rivage. Le vent s'était levé à nouveau, au point du jour, et il soufflait maintenant dans le bon sens ; conjuguant la voile et la rame, ils eurent vite gagné le large.

Orm donna le collier à Ylva et lui raconta ce qui s'était passé ; Rapp, pour sa part, fut un peu plus bavard que d'habitude et relata la façon dont le petit prêtre avait touché le roi.

"J'espère bien qu'il a senti ce qui lui arrivait ! commenta Ylva.

— Il avait la gueule tout ensanglantée quand il est tombé, dit Rapp. Je l'ai bien vu.

— Petit prêtre, dit alors Ylva, j'ai envie de te donner un baiser pour ce coup-là !"

Orm éclata de rire.

"C'est ce que j'ai toujours redouté, dit-il : que tu pousses la piété jusqu'à te mettre à cajoler les prêtres !"

Frère Willibald déclara catégoriquement qu'il ne voulait pas qu'on l'embrasse, mais il n'eut pas l'air trop mécontent des éloges qu'on lui prodigua.

"Quant au roi Sven, il ne va pas oublier de sitôt le baiser que tu lui as donné, dit Orm ; mais il n'a pas l'habitude de laisser ce genre d'affront impuni. Si nous rentrons chez nous sans encombre, ma mère va pouvoir se dépêcher de plier bagages, car nous ferons bien d'aller vivre dans la forêt, à l'abri des rois quels qu'ils soient. Et ce sera sans doute là-bas que je bâtirai mon église."

Ce qu'il advint d'Orm par la suite, dans la forêt près de la frontière, fera l'objet d'un autre récit ; il y sera également parlé de son zèle pour la religion chrétienne et des succès de frère Willibald dans son œuvre missionnaire, ainsi que de ce qui les opposa tous deux, parfois violemment, aux Smålandais, et du retour des aurochs.

TABLE

Prologue

Première partie – LE GRAND VOYAGE

Deuxième partie – AU PAYS DU ROI ETHELRED

BABEL

Extrait du catalogue

895. VOLTAIRE
Ce qui plaît aux dames

896. DOMINIQUE PAGANELLI
Libre arbitre

897. FRÉDÉRIQUE DEGHELT
La Vie d'une autre

898. FRÉDÉRIC CHAUDIÈRE
Tribulations d'un stradivarius en Amérique

899. CHI LI
Soleil levant

900. PAUL AUSTER
Dans le scriptorium

COÉDITION ACTES SUD – LEMÉAC

Ouvrage réalisé par l'atelier graphique Actes Sud. Reproduit et achevé d'imprimer en mai 2008 par Normandie Roto Impression s.a.s. 61250 Lonrai sur papier fabriqué à partir de bois provenant de forêts gérées durablement (www.fsc.org) pour le compte des éditions Actes Sud Le Méjan Place Nina-Berberova 13200 Arles. Dépôt légal 1re édition : juin 2008.
N° impr. : 081719
(Imprimé en France)